J O Y

享受讀一本好小說的樂趣

庖人誌

張草
Chang Chao

燃燒吧，武俠魂！

張草小說好看，是絕無疑問的好看。看過的人都知道，每一篇、每一段、以致每一句都好看。忍不住想說每一個字都好看。太誇張了？沒有好看的每個字，怎麼會有好看的整部小說！

——【故事大師】**倪匡**

作者繼承以人為中心的史誌傳統，隱有司馬遷為遊俠立傳意涵，全書以六個身份、性別、職業、年齡及社會階層不同的人物作為摹寫核心，故事本身即充滿了複雜飽和的內在張力，再藉由順敘、倒敘、插敘的穿插安排手法，在歷史事件所營造的氛圍之中，鋪排傳統武俠小說門派恩怨、愛恨情仇的故事情節。

全書無論是小我的情愛糾葛，或大我的國仇家恨，均描寫地令人為之印象深刻，就全書故事之架構設計、心理摹寫與敘事安排的藝術手法來看，不僅讀來緊湊生動，不會平鋪直敘令人乏味，更高潮迭起、波瀾起伏，頗寓故事變化之理，可說是近年武俠小說作品中少見之佳作！

——【嶺東科技大學通識中心主任】**胡仲權**

導讀

似曾相識燕歸來——《庖人誌》

【師範大學國文系教授】林保淳

（一）

在武俠小說的江湖世界中，無論是錚錚鐽鐽的俠客英雄、毒毒惡惡的巨奸大憝、遮遮掩掩的偽君子、循循縮縮的濫好人、陰陰詭詭的真小人，都深切的明白，江湖，或者說是武林，是他們唯一淋漓盡致地展現自己所長的舞台。此一舞台，如果是構設在一個動亂的時局中，則更無異是如虎之添翼，得以讓他們匹馬煙塵，所向無前。他們通常會想像自己是一顆碩大無朋的巨石，將投注於江湖之中，激起無數的驚濤駭浪。人在江湖，無論是勝是負、是成是敗，能夠瀟瀟灑灑的走上這麼一回，也就算是不枉一生的英雄歲月了。從這個角度來說，江湖是積極的、奮發的，具有無限光明前景，值得有心人士踴躍投入其中的。

只可惜，這樣的江湖，基本上都只是小說家言。小說和歷史一樣，喜歡著墨於引領風騷的英雄人物，從未想到，一將功成萬骨皆枯，千千萬萬粉身碎骨的無名屍骸，堆垛了英雄名將的崇高地位，那些陷陣鏖戰犧牲的士卒固無人記得，荒村廢墟、城池溝壑下輾轉流離的普通老百姓，更是無足牽掛，美麗的英雄傳說，對他們而言，真真是個無可挽回的錯誤。武俠小說，多得是美麗的傳說，卻很少有人書寫其中荒誕而悽慘的錯誤。

《庖人誌》是非常另類的武俠小說。「庖人」者，廚師也。歷來武俠小說以引車賣漿者流為主角的不是沒有，如古龍《三少爺的劍》寫在妓院裡打雜的「沒有用的阿吉」、于東樓《短刀行》寫揚州名廚師小孟、秦紅《戒刀》寫剃頭師傅去無終，都是「小隱隱於市」的大英雄，未來的江湖，正有待他們去開創建設。但《庖人誌》中的廚師阿瑞卻不一樣。他的身世連自己都不明白，也從來沒想過狹窄的廚房之外，還會有怎樣的一個世界。他是青城「叛徒」，武功小有根柢，廚藝刀工很是過得去，但距「庖丁解牛」的境界，還相差著一大截。他隱居於市集，廚房的世界就是他唯一的世界。可廚房世界本就是現實世界中的一環，當鏢頭司徒徹從外面廳堂被打入廚房的那一刻，兩個世界便合為一體，阿瑞就不得不重出江湖。

然而，這是個怎樣的世界呢？

（二）

明末時期，朝中有閹宦弄權、黨派相爭，地方有流寇作亂、烽煙四起；而清人虎視眈眈、屢開邊釁，國敗家亡，危在旦夕。這本就是寫草莽群雄奮發崛起的最佳時局。金庸的《碧血劍》以這一時代背景，塑造出袁承志這樣的英雄；梁羽生則在一系列的小說中塑造了「天山派」的志士。台灣的武俠小說，由於政治忌諱，「去歷史化」的輕易放過了這一個天翻地覆的時代，正不能不說是一樁最大的遺憾。儘管在書寫袁承志和天山群雄的過程中，金、梁二人皆會有不同程度的觸及到戰亂之際哀哀生民的苦難與折磨，但英雄志士之痌瘝在抱，難免還是以居高臨下之姿，視民如傷，而未見得真能體會到「民傷」若何。苦難生民的哀戚，究竟仍與英雄了不相涉。以此而言，《庖人誌》不僅是台灣罕見的以亂世為舞台的武俠小說，將閹宦、流賊、官軍之荼毒百姓，覶縷述出；更難得的是，以一般尋常百姓、一般普遍人性為摹寫重點，寫出了在此一板蕩的時局中，苦難洊臻的悲哀。

《庖人誌》中唯一可稱得上是英雄的，只有阿瑞一人。可阿瑞一點都不想做英雄。龍蛇起陸，英雄得志，這不是《庖人誌》的主題。阿瑞是個平凡而單純的小人物，他無意趁亂崛起，更無心建功樹名，只是為了反對住持朱九淵與張獻忠的通同一氣，受到迫害，而逃隱於廣東佛山一味堂當個廚師。當鄭公公挾著閹宦的威權，逼得他不得不出來一戰時，「他終於明白，他此時此刻，不為過去，不為將來，不為馬老師傅，也不為龔師傅，亦不為廣西老布摩或威遠鏢局等一大堆亂七八糟的人物」，「他只為當下此刻的正義而戰」！什麼是「當下此刻的正義」？這豈是所謂放諸四海皆準的「正義」？亦不過是卑微地欲維護自我一己的身家性命而已。因此，就在眾人一團混戰的時候，突然傳來李自成攻破北京、崇禎皇帝自縊煤山的惡耗，一切紛爭都告終止，國已破、家已亡，爭名爭利爭意氣，還有什麼意義？如何在亂世中苟延性命，並於其中攫得若干利益，才是最實際的。

阿瑞平生無大志，事實上連被目為叛徒的「冤情」都無須洗雪，在亂世之中，人人都是為自己、為家人、為親友而活，便縱有一些欺詐、奸巧、無恥的勾當，與鋪天蓋地而來的戰禍相形之下，簡直等如雞毛蒜皮，無足深究了。朱九淵和鄭公公是書裡「奸惡」的代表，為了掩飾不名譽的私通，朱九淵狠心地欲置翠杏於死地，並企圖鏟除阿瑞這孽種，更異想天開的想登基當皇帝，惡固是惡矣，卻只令人感到可憫可笑，青城山有幾多兵力，足以與流寇、清兵分庭抗禮？鄭公公早年被童伴欺辱去勢，入宮掌握權勢之後，先是展開屠村的報復，隨後就帶著二、三十個護衛，饑不擇食的妄想擁立，奸亦奸矣，卻等如蚍蜉撼樹，根本無礙於大局，只顯得荒謬無謂而已。大局如此，渺小的個人究竟能起如何的作用？一顆小石子，投入於波濤洶湧的大海中，是連一絲絲的漣漪都激盪不起的。阿瑞找到了生母、認了外祖、救了彩衣，隱避在深山的岩穴中，「他心底湧起一股溫暖，流遍周身，驅走了山林潮濕的寒意」，他明知不可能，但「仍然希望，這一刻將是永恆」，這是多卑微的希冀，多無奈的「英雄」！

《庖人誌》寫的不是江湖霸業，不是武林叱吒，莽莽亂世，哀哀百姓，深沉的描繪出在天崩地裂的時勢中，人的無奈，人的不得已，是既真切又感人的。

（三）

自金庸、古龍兩大名家牢籠百家之後，武俠小說似乎已經進入了無可突破的瓶頸階段，新進作家無不絞盡腦汁，求新求變，試圖打開此一停滯不前的僵局。黃易從科幻入手，變之以玄幻；奇儒援佛理寫武俠，力求禪悟；溫瑞安則變換文字，以奇譎為戲，各有所長，亦各有所短。但皆是從取材上、文字上入手，很少有作者從「敘事」的手法與視角上改弦更張，為武俠小說找到新的出路。溫世仁武俠小說百萬大賞的首位得主吳龍川是唯一採取不同敘事手法經營的作家，《找死拳法》別開生面的新嘗試，是很具有創意的，但學術味太強，讀者不易卒讀，武俠的生路，究竟還是未能打開。《庖人誌》的出現，應該是令人驚豔的一次突破。

張草學醫出身，對易學、老莊、陰陽五行之說，別有心得；筆鋒銳利，曾在科幻小說創作中廣獲好評。深厚的國學根柢，使他在轉向創寫武俠時，得力更多，在〈弈士志〉中，寫符十二公的奇門遁甲，於陣法變幻中，理致井然，頗具司馬翎的神髓；《十牛圖》的糅合禪境與武學，也令人眼界頓開。但全書最引人矚目的還是整個敘事手法的突破。

《庖人誌》分〈庖人〉、〈山伕〉、〈中官〉、〈弈士〉、〈阿母〉、〈桑女〉六個章節，儘管還是以第三人稱全知的手法敘述故事，但能以敘事時間的交錯手法，分別以這六節中的主要人物展開整體情節的架構，深入的描繪了其中主要人物的形象與思維，故事時間是在明朝天啟年間到崇禎十七年八月，但在主敘事的崇禎十七年間，分別插入了阿瑞母親翠杏的經歷、閹宦鄭公公的生平，將明末整個朝政與社會的亂象，勾勒得鮮明而生動，可謂是相當新穎而成功的嘗試。尤其難得是，作者筆觸的重心，不純在「英雄」，而藉若干不起眼的小人物，如挑伕、弈士、桑女，串連起整個故事，就連鄭公公，也讓讀者可以細細追摹其內心思想的變化過程，相當寫實而動人。儘管在視角的轉化、運用上，《庖人誌》還未完全能掌握透徹，尋母的繡姑，最終也嫌沒有交代，但本人相信，這將是一個極具意義的開始。

武俠小說，也許真是「無可奈何花落去」了，但讀了《庖人誌》，倒教我有幾分「似曾相識燕歸來」的喜悅。

也許，武俠的春天也不會太遠了？

林保淳序於說劍齋二〇〇九年十月

目錄

庖人誌

時地：崇禎十七年（一六四四年）五月杪／廣東佛山一味堂

聽說一味堂已經保持了三十七年一致的好味道。

因為馬老師傅已經掌廚有三十七個年頭了。

許多已達垂暮之年的老顧客，都說馬老師傅做出來的味道，和過去年輕時嚐過的一模一樣，絲毫不差。

但是今天恐怕要破壞了一味堂三十七年的信譽。

午時二刻，章員外的宴會還有兩刻鐘要開始以前，大堂上卻打了起來。

兩批人馬，一批顯然是護鏢的三名北方漢子，操著一口京腔，另一批乃剽悍的勁裝矮漢，說的是廣西土腔，穿的是壯族打扮，他們翻了桌子，二話不說便破壞了一堂客人的興致。

也難怪，若是在佛山住上三年，誰人不知要保持一味堂的好滋味，便要讓一味堂清清淨淨，無論大小門派抑或地痞流氓，只要踏入一味堂，沒有不和氣三分的，要幹架也會到兩條街外去。

「哪來的土包子？」在場的食客中，有人忍不住抱怨了，「誰出來教教他們禮貌？」

有的人還沒等到上菜的，也禁不住擔心地望向廚房：「別壞了馬老師傅做菜的心情才好。」

說時遲，那時快，兩批人馬已經打得火熱，眼看是難以收拾，成了一場消耗戰，只看誰先累倒下來。三名廣西漢子，一老一中一少，俱睜著銅鈴般的大眼，正與對方打得精神抖擻，像咬準了獵物弱點的豹子，招招看準要害，拳拳到肉，讓對方只有招架的機會，竟分毫找不著還手的空隙。

「這廝為何動起手來？」有人問著。

廣西漢子口中不時喊著些話，卻沒人聽得懂，倒是那幾個護鏢的北方人的喊話露了些端倪：「我們受人錢財，忠人之事，你們……」喊話者一分神，便被那少年漢子結結實實重擊一拳，翻身倒地。

北方鏢師一倒地，衣服裡露出一樣用厚棉布紮綁密實的事物，少年漢子大眼一瞪，大喊一聲，撲上前去，其餘兩名鏢師馬上晃了一道虛招，擺脫廣西漢子，趕忙擁上去保護那名倒地的同伴。

兩批人馬算是暫時止了武鬥，只管眼對眼逼視對方，僵成一片。

三名廣西漢子中的老者跨出一步，說起生澀的漢語：「還給我們。」

「萬萬不能，」回話的中年漢子似是頭兒，他膚色黝黑，風霜披面，看來在江湖上行走經歷最久，「這是攸關咱鏢局聲譽的事兒，怎能說還就還，有本事就來拿！」

廣西老漢蹙起眉頭，雙眼瞇成一道縫，似在隱藏眼中灼烈的殺意：「你們身上只有一尊，另外一尊呢？」

三名鏢師面面相覷，以沉默應對。

「我記得，那晚的人影也不只三個，看來，你們還有人從另一條路溜了。」

旁邊的年輕人氣憤不過，忍不住一步搶前，欲迫問三名鏢師，被老者一手擋住：「莫慌，將他們押回去，好好問出下落。」

四周的客人不耐煩了，有人說道：「你們將他三人速速押了去，讓我們好好享用馬老師傅的手藝吧！」

「是呀，我還特地從泉州來吃的呢！」

為首的鏢師驚惶地左顧右看，只見四周的客人全都冷眼旁觀這場好戲，似乎沒人打算插手的樣子。

「我認得，」一名食客截道，「閣下是京城威遠鏢局的鏢師司徒徹，不會錯吧？」該人面貌尖酸，商賈打扮，口操京話，卻帶有濃重粵腔，顯見是來回南北的在地商人。

為首的鏢師被人認出，更加顯得慌張起來。

那商賈又說：「司徒徹也算是鏢師中有名聲之人，為何遠從北京來此邊疆之地？不立鏢旗，行動隱蔽，又被人遠遠從廣西追來廣東搶鏢，此事頗不尋常。」

司徒徹被他說得面紅耳赤，滿頭大汗，心想這人可能在京師行商，跟他照過面，說不定還曾託他護鏢，或與他結過什麼樑子，無論如何，他硬是想不起在何處見過此人？

倒是與商賈同桌有一白潔的壯年人，一身剛剛漿過的儒服，似笑非笑，教人看不出來歷。他細細一瞧那儒生的眸子，只見精目內斂，隱在儒服下的手勢和步法，分明是個內家高手，他與商賈同桌，更是莫測高深。

廣西老漢見司徒徹被人識破來歷，便道：「看來你在江湖上也是有頭有臉的人，要善了？惡了？只看你當下念頭了。」

站在司徒徹後面的年輕鏢師悄聲說：「師叔，依我看這老頭本事恐怕不小，不如……」

另一位鏢師一直緊護著衣中事物，忙叱道：「唏！說這自失顏面的屁話，當心師父知道！」

司徒徹沉著氣，暗暗擺好了架式，對廣西老漢說：「這趟恐怕是無法善了了，咱各憑本事吧。」

「甚好。」廣西老漢點了點頭，對後面兩人說：「戲要開場了。」兩人才剛點頭，老漢便輕喝一聲：「盤洞！」

話語剛落，三人身形一晃，腳下踏罡步斗，繞著三名鏢師舞動，三名鏢師驚疑不定，不知對方虛實，一來就處了下風。

「問聖指路！」老漢一聲令下，三人馬上各朝一人發動攻勢，那名護著衣下事物的鏢師無法一心二用，難於恣意使出本事，只好靠司徒徹與那年輕鏢師保護他。

鏢師們打定主意，不求力搏，只求殺出包圍，遁回京師，完成任務，於是三人用盡生平技勢，意圖以快攻取勝，招式尚未使老，隨即換招，招招出險，只求速了。

廣西老漢看出他們心思，喝令道：「王母點將！」三名廣西漢子陣形一移，攻勢隨之加速，一招比一招快，腳步如同懸空游走，愈轉愈快，三人像是事先套好招的一般輪番攻擊，鏢師們應接不暇，只顧還招，便已無暇思考。

兩人對峙時，只需注意對手攻勢，但若遇上這等車輪戰法，則壓根兒摸不著對方套路，只好又像剛才一般，逮不到一點還手的機會。

鏢師們汗如雨下，方寸大亂，廣西漢子們卻以逸待勞，身形像舞蹈般的優雅，舞到極致處，表情恍若進入恍惚狀態，年輕漢子將頭用力後仰，兩眼像隨時要翻白，舉手投足卻一點也不會紊亂。

「這幫人果然邪門！」食客中有人小聲道。

一味堂的老闆站在食客之間，悠哉的看著這一幕，似乎一點也不擔心他的生意受到影響。他留著兩撇短鬚，身材福泰，肩上搭了一條抹巾，穿得跟跑堂沒兩樣，要不是那穿著還比他體面的掌櫃向他請示，還沒人瞧得出他的身分。

「老闆，」掌櫃顯得戰戰兢兢，畢竟他鮮少碰過這檔子事，「我派阿財去報官差，您看怎樣？」

老闆搖搖肥胖的頭，和氣的說：「打從一味堂開張那天，這種事早就該有預算，老天祐我平安三十多年，偶爾打一場，還有什麼好怨的？」

旁邊有一食客咧開一口整齊的牙齒，對老闆說：「老闆這番話，肚量非凡，有幾個人說得出來？」

「盧公子過譽啦，」老闆說，「一味堂接納四方來客，江湖中混吃，自難免江湖事。」

突來一聲慘叫，眾人又將注意力轉到場上去，只見那年輕鏢師睡倒在地，全身拉緊，口中溢出白沫，整個身子弓了起來，像要被扯斷的樣子。

司徒徹一驚，直盯三名廣西漢子的手掌：「你們用陰的！」

廣西老漢攤開兩手：「明人不說暗話，我們堂堂正正交手，可別輸了不甘心，反來誹謗。」

「豈有此理！分明是蠻子！擺什麼明人暗人？」司徒徹怒氣攻眼，血絲滿佈，那年輕鏢師是他女兒心儀之人，一想到回北京要面對女兒，他便又焦急又憤怒，「你們蠻子有什麼好人？放蠱下毒不是最拿手的嗎？」

廣西老漢鐵青著臉，一道殺意掠過臉上：「你們漢人，千年來不斷欺我族人，也不至於侵犯我祖先！如今你奪我族中血脈，又毀我族人聲名，非要逼老漢對你用絕的嗎？」

司徒徹看見廣西老漢全身迸出一陣陰寒，心中由不得退縮。他老早耳聞許多邊疆的傳說，而今又天下大亂，流寇四竄，原本就不願到廣西去接鏢，何況這趟鏢還是有損陰德之事，要不是官府中有人威脅鏢局，放話要錦衣衛來惡整鏢局，他才不願走這一趟。

護鏢的鏢師探看年輕鏢師的額頭，摸了一手冷汗，也不禁懼怕起來，擔心會是那老漢放的蠱毒。正躊躇間，食客中鑽出了一名老頭，低下身為年輕鏢師把脈，然後抬頭說：「這小伙子有羊癲風，怎麼還讓他習武？」

「什麼？」司徒徹錯愕不已。

那老大夫從背囊中取出一個小瓶，取了點膏抹上年輕鏢師的太陽穴，年輕鏢師馬上緩和不少。「這小伙子由老夫先照顧了，」那老大夫說，「依老夫看，你該下個決定了。」

眾人幫忙將年輕鏢師移開，司徒徹眼見自己少了一名助力，加上那老大夫又說他的未來女婿有羊癲風，弄得他心緒大亂。

司徒徹看看一味堂老闆，看看圍觀的食客，看看並肩站立的鏢師還有他緊擁在胸前的禍物，再轉頭接受三對廣西式的忿怒眼神。他何嘗不想善了？只是這趟鏢要是失風，威遠鏢局不但從此在京師消失，還可能被錦衣衛羅織出造反罪名，到時威遠鏢局上下恐怕全要被凌遲，化成碎肉殘骨，妻女被歸入樂戶，餘生都被其他男人恣意淫玩。

他怎可就此罷手？

在電光火石之間，司徒徹衡量輕重，轉瞬間便打定主意，打算隻身殺出一味堂，以鏢局存亡為重。

「方才是我失言了。」他嚥了一口乾沫，對廣西老漢低聲下氣起來，「我們在刀口上討吃的，有刀口上的道義，若有得罪，還盼原諒才是。」

廣西老漢並沒鬆懈下來，三人依然維持陣形，司徒徹無隙可乘，猛地發動攻勢，苟求搶得先機。

廣西老漢一點也不給他機會，口中作喊：「黑煞把關！」三人又舞了起來，比前番更為狠辣，招招迫向絕穴，只要擊中絕穴，北方鏢師必敗無疑。但只有明眼人和鏢師知曉，這些狠招盡是虛招，並沒取人性命的意思，只求對手被嚇得心浮氣躁，露出空隙，好一舉得勝。

司徒徹這才明白，這廣西老漢已經原諒他的魯莽了，否則以他們的武功而言，他早就一命嗚呼了。雖說如此，他還是要力護此鏢，逼他們護鏢的人可是不會像這廣西老漢般心軟的。

司徒徹咬一咬牙，忽然朝那年輕漢子撲上前去，眼看胸口絕穴硬生生要撞上年輕漢子的拳頭，年輕漢子一個吃驚，趕忙收勢，司徒徹竟將手往後一伸，伸入另一鏢師懷中，搶了他懷中所護鏢事物，一口氣衝出重圍。

廣西漢子們似乎沒料此一著，那老漢卻是洞燭機先，點起腳尖，搶步上前，踢起一張凳子，飛腳一掃，將它朝司徒徹背後飛去。

「不好！」食客中有人一喊，眾人一陣喧譁。

因為凳子是飛向廚房的。

一味堂裡頭，再沒有比廚房更重要的地方了。

凳子快，老漢更快，司徒徹閃過了凳子，卻閃避不及老漢的飛腿。

他整個人飛彈出去，手中仍緊抱著那事物，直撞入廚房之中，撞倒了一張桌子，翻倒了一桌食材，還撞翻了一鍋湯。只聽廚房裡有個老人慘呼一聲：「我的湯！」便兩眼一白昏厥過去，不偏不倚仆倒在司徒鏢師身上。

廚房裡有一名學徒趕忙上前扶起老人，直嚷道：「馬老師傅！馬老師傅！」

司徒徹只顧他抱著的事物，只顧自己仍然逃不逃得掉，他推開老人，翻身要逃，卻被一把冷峻的聲音止了腳步。「等一下。」那聲音說。

廚房中站了幾個人，個個驚惶失色，只有扶起老人的學徒，手執一把長柄圓勺子，一滴淚珠正自眼眶溢出，眼看要流下來。

那學徒用冷得駭人的聲音對他說：「你知道你做了什麼事嗎？」

司徒徹楞住了，感受到一場巨大的麻煩正洶湧而來，口中一句話也說不出來。

「你倒濺了馬老師傅的湯，」學徒手上緊握圓勺子，語氣顫抖，「那是他祖傳五代，煮了一百二十年的老湯頭。」

司徒徹覷了一眼滿地濃湯，鼻中嗅到一陣瀰漫在廚房中的濃膩香味，香味中百味雜陳，甘甜、鹹辣、酸苦完全交融在一起，其間還隱藏著一股筆墨難言的特殊香味。

果然好湯！

司徒徹曾經聽聞，庖廚世家代代相傳，必傳一鍋高湯，這湯每日加入材料烹煮，每日收鍋用剩的，必定煮沸合蓋靜置，如此便不會酸壞，次日又再加材料再煮再用，日日如此，成了千錘百鍊的一鍋高湯。

此乃庖廚之家不傳之秘，除了嫡傳之人，無人可得這鍋高湯，即使得到了，也不知該下什麼材料去烹煮，只好眼睜睜等它腐壞發霉。

司徒徹忽然生起一個念頭，他希望仍然坐在一味堂的飯桌上，希望那三個廣西漢子沒有闖入一味堂，這樣子他就可以好好品嚐馬老師傅的手藝，也可以好好品嚐用這鍋高湯勾芡出來的菜餚。

他看看被他弄翻在地上的一盤五花肉和芋頭，搞不好就是他點的那道「荔浦扣肉」。

「小伙子，」他緊盯著廚房洞開的後門，向擋住去路的學徒說，「是我不對，但有人正追殺我，你就行行好，借個路吧。」說著，司徒徹便要從學徒身邊繞過去。

學徒橫起圓勺子，不讓他過去。

司徒徹蹙眉道：「這等江湖事，你何苦沾惹呢？」

他擺手要推開學徒，學徒運起手中勺子，架上司徒鏢師的手腕，一搭，一轉，竟將司徒徹的手勢順勢化開，推一旁去。

司徒徹心中一怔：「這廝也是個會家！」廣東人尚武，果然連廚房中也是臥虎藏龍，只是不知這廚房學徒虛實。瞧他身材不高，還算精壯，稚嫩的臉上卻有一對飽經風霜的大眼，沖淡了眉宇間的蒸蒸殺氣。

他回頭一瞧，廣西老漢已站在廚房門口，正怒氣騰騰地看著他。

有道是：前無去路，後有追兵。

只是追兵難纏，前路或可殺開一道！司徒徹順手抄起一把菜刀，向年輕學徒虛晃一招，左手拿著沉重的鏢物一掃，意圖在那學徒閃縮之間，跑向後門。

不想那學徒依舊運起圓勺子，反手一點，勺子便黏上了菜刀也似，菜刀雖在司徒徹手上，卻完全不受他的掌控。司徒徹學的是外家硬功，他馬步一沉，腕上運勁，欲將菜刀奪回，同時不放心的回頭看了一眼廣西老漢，老漢像在看熱鬧，似乎沒有插手的意思。

「你已經輸了。」廣西老漢說。

果然，在司徒徹還沒搞清楚之前，學徒將圓勺子轉了半圈，輕輕將菜刀一牽，便脫出了他的手掌心，輕柔地被送回砧板上。

司徒徹登時傻了眼，他運鏢二十年光陰，從沒在一天之內遇過這麼多高手，不知是他以前運氣好？還是江湖氣象已經大變？或許他早該引退了？如果這趟鏢成功送返北京，他恐怕也該考慮退休了。

如今不但有三個身手詭異的廣西漢子緊咬不放，還在廚房遇上一位顯然是深諳內家擒拿之技的年輕人，不知為何會在一味堂當個學徒？

司徒徹不敢多想，他舉起手中用厚布包紮的事物，當成武器，朝學徒直擊過去，腳下步步逼進，學徒收起圓勺子，圓滑地躲過攻勢，他不貿然反擊，只因不知那厚布裡頭包的是啥事物，萬一是利刃之類，傷了手腳可不好。

方才司徒徹才一交手就被廣西漢子包圍，生平絕技半點也使不出來，如今這廚房學徒雖然看似有點斤兩，卻只顧閃避，司徒徹終於有機會施展武功。

他一邊利用手上的沉重事物作為武器，一手施出長拳，猛攻學徒，拳拳狠辣，招招搏命，此乃外家拳訣中第一字：「殘」，交手之際，性命攸關，拳若不殘，自己便處必敗之地。這個道理，自學拳第一天師傅便教了，想到剛才被廣西漢子們抑制得動彈不得，那種又羞又辱的感覺再度沖上心頭，他下手便忍不住更殘更重。

那年輕學徒不還手，兩眼卻從來沒放鬆過四周的變化，他看見廚房門口的廣西老漢緊張地直盯鏢師手上重物，心裡由不得起了疑惑。

當他終於確定那鏢師手上的重物並非利器時，學徒又再運起圓勺子，斜身避開司徒徹的直拳，圓勺子順勢搭上他手中重物，司徒徹一慌，忙將重物拉回，圓勺子卻似緊黏著重物，怎麼也甩不開。

司徒徹一掌劈向圓勺子，學徒卻將圓勺子提起，司徒徹收勢不及，拳頭從圓勺子長柄下穿過，學徒又將圓勺一壓，將司徒徹的右拳也困在長柄下，無論司徒徹要收拳、出拳、劈掌，圓勺子總是扣著他左手重物，同時又勾著他右手，雖然學徒似乎沒用一點力氣，圓勺子只輕輕的搭著他，他兩手竟一點也掙脫不出來。

除非鬆了左手，罔顧手上那重要的東西，如此便會摔壞它，不但身後的廣西老漢會抓狂，逼他運鏢的人也同樣不會放過他，更何況即使放了手，他還未必逃得過這兩個難纏的傢伙。

正在雜念紛飛之際，廚房學徒伸來一腿，伸入他兩腿之間，輕輕往後一帶，左手柔和地搭上他腰後，以圓勺子為軸心，在迅雷不及掩耳之間，司徒徹已經整個人往前轉了四分之三圈，重重跌倒在地。

廣西老漢「啊！」了一聲，憂心地緊盯鏢師左手上的重物。

學徒後退一步，說道：「我只要你向馬老師傅道歉而已。」

「小兄弟，」司徒徹又哀又氣地爬起身，說，「覆水難收，覆水難收呀！」說著，他又衝向那學徒，想用硬的闖出後門，不想學徒只消兩手一轉，他又跌了個眼冒金星。

他跌得很重，剛才經過一場激鬥，早已疲累不堪，現在又被一個年輕後生敗得一塌糊塗，自尊顏面喪失無餘，他連站起來的勇氣也沒有了。自闖蕩江湖以來，他何曾受過這等屈辱，也從未經歷過這麼難過的一天，他不知道這一天將會是怎麼結束的，他只盼求今夜能睡個無憂無慮的好覺。

「司徒徹今日已無路可走！只求速死！」他坐在地上，緊抱著手上的重物，那正是他一切苦難的緣由。

廚房學徒說：「我沒要你死，我只要你待馬老師傅醒來，向他磕頭道歉。」

馬老師傅被其他庖廚扶去一角，正餵著薑湯，面色已回復些許紅潤。

廣西老漢也道：「我也沒要你死，我只要取回我族中之物。」

「若要取走此物，你只好殺了我！」司徒徹說著，抱得更緊了，「若我無法保護此鏢，威遠鏢局必定家破人亡，不如我一人就死，或許家人還能僥倖逃過一劫！」

廣西老漢依舊瞪著大眼，用認真的眼神直盯司徒徹，捋著下巴刺人的短鬚，邊嘆息邊在廚房門口便蹲了下來，似乎在打著什麼主意。

司徒徹垂著頭，重重的呼吸著，像是隨時要哭出來的樣子，但他畢竟是條響噹噹的漢子，江湖上豈容得下一個愛哭的男人？

廚房的二手見大家停止了武鬥，便忙著指揮其餘學徒整理廚房，趕著要完成客人所點的菜，剛才的混亂將廚房的節奏感全打亂了，所有菜餚都要重新做過。

廚房學徒轉了轉手上的圓勺子，一時反而不知該如何是好，他看看馬老師傅也快醒了，那廚房二手平日對他叱喝慣了，剛才瞧他露了一手，此刻竟然不再叫他去切菜了。

「龔師傅，」他向廚房二手說，「我該幫什麼……？」

「你去理會江湖事罷了，」龔師傅擺擺手，看樣子是生氣了，「馬老師傅跟你說過什麼的？」說著，便在武火大爐上炒起一鍋魚塊來了，一邊還忙著吩咐其他學徒：「阿福，蒜茸不夠了！阿炳，馬蹄粉勾好芡！」

「小伙子，」廣西老漢看那學徒沒人睬，怪可憐的，便問道，「看你也不像本地人，你什麼名字？」

他沉吟一陣，才回道：「人家叫我阿瑞。」

「你身手不錯，不到江湖上闖萬兒，怎會熬在這廚房裡頭？」

「江湖路險。」他只說了這麼一句，便馬上轉移話題：「前輩您呢？你們似是為那東西而來，那究竟是什麼？」

「是我族中之寶。」廣西老漢的眼神仍然不放鬆的盯在司徒徹身上。

「我可以看看嗎？」那叫阿瑞的學徒說著，手上圓勺子忽而伸向司徒徹，轉瞬之間，司徒徹緊抱的手臂開了一道大縫，司徒徹連「啊」都只啊了半聲，整個重物便被阿瑞輕輕鬆鬆撈了起來。

阿瑞將包紮的厚布翻開，裡頭竟是一尊石像。

那石像乃一官服騎馬人像，雕工粗獷，看不出有什麼教人爭奪的理由。

阿瑞翻轉石像，端詳一番，看看是不是藏了什麼玄機，卻也找不到奇特之處，純粹是一塊粗糙的石製品。

「此乃我族中祖師像，」廣西老漢說，「近年來鄰村祖師像頻頻失蹤，我們早已留意，這廝十日前乘著新年熱鬧，竟從我村供奉祖師的洞中偷去兩尊像，欺我族民，辱我祖師，小子，你怎麼評斷？」說完，老漢又繼續捋弄鬍子，凝視坐在地上的司徒徹。

司徒徹焦急地看著石像，情知奪不回來，滿臉悲憤不已。

「這位鏢師，」阿瑞鄭重地說，「晚輩實在不明白，此物換不了半兩銀子，怎麼會令你家破人亡？」

「有人逼我運鏢的，」司徒徹悲憤地說，「京城中有間『廣勝鏢局』不肯接鏢，便『有人』誣告說製造兵器，說與闖賊合同一氣，被朝廷冠上謀反之罪，全家操斬！若我不從，也會落得同樣下場！」

「你說的闖賊，是指李自成嗎？」廣西老漢問。

司徒徹點點頭：「而今京城上下全都怕李自成怕得要死，南有李自成、北有清人、西有張獻忠，還有大大小小如翻江龍、沖天鵬、雙珠豹之類的盜匪。在這種風聲鶴唳的時刻，當年皇上連保國安民的大將也宰得下手，何況我們這等小民？只消有人密告你謀反，你就是謀反了！」

張獻忠四年前大鬧四川，殺人如麻，幾個月前又屠殺湖南，接著順勢南下攻打江西、廣東諸縣，廣東各縣大為震動，南韶官民更是舉城而逃，沒想到，張獻忠忽然掉頭而去，改成朝四川方向攻打過去了。

後來才知道，張獻忠是畏懼當時正進駐武昌的明朝大將左良玉，因為左良玉曾在瑪瑙山把他打得很慘，因此臨時改變計畫，這一改變，造成四川三百萬生靈塗炭，此是後話。

廣西老漢若有所思地說：「張獻忠逼近廣西時，我們也人心惶惶，不過話歸正題，我族祖師像為族中重寶，但對外人並無價值，到底會有什麼人想要偷取？」

「我委實不知。」司徒徹大力搖首。

「阿瑞！」一旁炒菜的廚房二手又叫嚷了，「這些人在廚房嘮叨不休個什麼勁？叫他們出去！」

阿瑞道了聲是，對老漢和鏢師揖手道：「兩位前輩好說話，請回外頭上坐。」

廣西老漢站起身來：「小子，這祖師像你打算怎麼處理？」

「我讓這位前輩拿著。」阿瑞將祖師像用厚布包好，交到司徒徹手上。司徒徹驚疑不定，不敢相信地捧著祖師像。

廣西老漢心中了然，微笑著點頭，瞟了一眼外頭的大堂，大堂已經在他們對話之間收拾乾淨，一味堂的工作效率果然夠快，那長得胖胖的老闆在客人之前穿梭，就像沒發生過事兒一般。畢竟佛山之地尚武，可說是近乎家家習武，所以這等武鬥之事不足為奇。

廣西老漢尋找一同來的夥伴，發現其餘兩位廣西漢子也已找了座位坐下，一人守著一位鏢師，一邊注意廣西老漢的動作，等候他的指示。

「司徒師傅，我有一個兩全其美的想法，」廣西老漢用江湖上的禮節稱呼他，「我們到外頭坐坐，你看如何？」

司徒徹狐疑地看了他一眼，不知這老漢葫蘆裡賣的是啥藥，但他情知無法逃出老漢的手掌心，只好見一步行一步。

阿瑞看事情有了個結果，趕忙回到砧板旁，幫忙準備食材。

在馬老師傅復甦以前，他們必須要將剛才弄垮了的一百多道菜重新完成。現在是晌午時刻，外場早已坐滿了挑嘴的饕客，廚房二手龔師傅正瘋狂地將菜餚一道道順序完成，最令他懊惱的是那鍋被打濺了的高湯，那是一味堂的特殊味道來源，而今他必須盡量模擬出馬老師傅的味道，只望食客們不會吃得出其中的分別。

更令龔師傅頭痛的是，午時正刻章員外便要來了，他訂下的酒席尚未完成，尤其最重要的一道「蟹黃魚翅」也被打翻了，那一道菜首先需將魚翅水發，至少需要四個時辰來燜煮和洗淨。眼看還剩不到一刻鐘的時間了，龔師傅只望章員外忽然取消酒席，不管是臨時有事、生病在家，甚至騎馬跌倒也好。

這「員外」二字，本來是指「正員以外」的官員，乃可以用錢捐來的名分，所以一般上都是有錢有勢的豪紳，因此民間也將地方土豪稱為員外。這章員外是個鐵商，專營冶鐵，數年前在冶鐵業發達的佛山崛起，經營有方，但天底下的大生意沒有乾淨的，因此廣東商人亦官亦商，不勾結官員的，也沒有活得下去的。

今天章員外請客，點的盡是一味堂絕頂菜色，想來宴請的必是大官，只不知是什麼來頭的官？龔師傅要是沒將菜做好，不但壞了一味堂的聲譽，也壞了章員外的好事，想到這點，龔師傅的壓力更大，額頭擠出的汗珠也更大顆了。

左右兩難之際，他還不忘騰出思緒，跟阿瑞說幾句話：「阿瑞。」

「龔師傅。」阿瑞回道。他正忙著為食材加工，手上飛快地運著菜刀，將豬肉用平刀一拉，切成一張張薄得透明的肉片。

「你忘了當初為何會到一味堂的嗎？」龔師傅將雞球撈起，交給一位學徒裝盤，另一位幫他洗鍋，他則馬上接手另一道菜，豬油在火熱的鍋中沙沙熔開，他拋下一小撮蒜米，蒜米便在熱油中吵鬧不休。

「我不敢忘。」阿瑞小聲說。

「馬老師傅告誡過你，江湖閒事別再去管了，」龔師傅說，「你還年輕，好打抱不平，會誤以為此天下舍我其誰，要知這是多少江湖客喪命的原因。」

「龔師傅，我有不好的兆頭。」

「已經夠不好了，還有更不好的嗎？」在言談之間，龔師傅又將一道菜炒好，讓跑堂端出去了，「總之，莫強出頭，將你過去拳腳功夫化成做菜功夫，造福老饕吧！」

阿瑞默不作聲，心裡還是忍不住想注意外頭的動靜，想著不知那廣西人怎麼樣了？

那廣西老漢的打扮有些迥異，不似他見過的廣西穿著，他記得以前師父曾經提過這類人，如果沒錯的話，那老漢是一位族中的儺巫，巫師專門負責人神之間的溝通，有人來將祖師神像偷走，巫師們又怎會放過這些人呢？

只是令人不明白的是，什麼人會想要擁有這種粗糙的神像呢？

「龔師傅！」廚房門口傳來的爽朗叫聲，打斷了阿瑞的思緒，是一味堂的老闆走進來了，「章員外的轎子已經在一條街外了，你有幾成把握？」

「老闆！」龔師傅頭也不回，只管做菜，「蟹黃魚翅是不行的了！其他九道逐一上菜，穩穩當當！」

老闆笑咪咪地說：「那我只好拿出最上等的好酒，向章員外賠罪了。」老闆正要退出去，忽然又回頭道：「對了，章員外後頭還有一批人馬，全都紅衣錦袍，眼看是官門中人，還打著旗號。」

官門中人是預料中事。「什麼旗號？」

「是東廠的太監，還有錦衣衛。」

龔師傅一聽，手上的鍋鏟頓時停了下來：「章員外要請的是那些人嗎？」

阿瑞感到龔師傅四周的空氣在剎那間寒了下來，甚至他的手依稀還有些顫抖。

「我已經事先告訴你了，」老闆說，「你自己要注意好自己哦。」

「我不會虧待一味堂的。」龔師傅平定了呼吸，又專心炒起菜來了。

老闆將肩上的抹布兩側拉齊，邊點頭邊走了出去。

老闆離開之後，阿瑞試探性地問龔師傅說：「東廠太監到這麼遠的地方來幹什麼？」太監被派來地方收稅，被稱為提督太監的，還是常事，但專門捉拿人犯的東廠也駕臨此南疆之地，就不算尋常了。

「不會有好事。」龔師傅抿著嘴唇，呢喃道，「絕不會有好事。」

正說著，一味堂外騷動了起來，大批人馬浩浩蕩蕩的出現在大街上，湧來一味堂門口，把一味堂原本就不大的門口擠得水洩不通。

一隊帶刀的紅衣人首先小步奔至門口，列成一排，負責開路，接著一頂涼轎停在門口，肥滿的章員外低頭踏下轎子，瞇著一對小眼，在五月炎陽下抹了抹汗水，仰視一味堂陳舊的招牌匾額。

一味堂中的食客們紛紛放下筷子，好奇地望向門外，交頭接耳地議論著。他們看得出這些紅衣人並非衙門官差，他們比官差更加殺氣騰騰，刀子比官差的磨得更光亮、更銳利，而且刀刃上的痕也比一般的更多。

據說每斬一人，刀刃上便會刻出兩道痕。

據說殺得人多，眉宇之間會有一股化不開去的黑氣。

這些紅衣人全都滿臉烏氣，讓南方暑熱的中午平添了幾分寒氣。不過要說黑，章員外的眉額更黑，一雙軟綿綿的手掌填滿了肥油，眼看還能夠吸取更多油分。

看見門外黑壓壓的一堆人，司徒徹慌張地抬起頭，由不得心虛起來：「怎麼回事？」

「司徒師傅，」廣西老漢將他拉回頭來，「你要是答應，我們以後絕不再找你麻煩。」

三名廣西漢子一人守著一名鏢師，正談著條件，條件不錯，另一名鏢師也挺贊同的，只有那剛發過羊癲風的年輕鏢師，兀自疲累得仆在桌上。

「師叔，何不應允？」他催促道。

廣西老漢提出的是，那偷走的祖師像，就任憑他們帶回京師去，交給逼他們運鏢的人，然後這件鏢就跟威遠鏢局脫離關係了。廣西老漢三人接著便會想法子偷回祖師像，同時也可以查明他們附近村子頻頻有神像失蹤的緣故。

「我……」司徒徹咬了咬牙，說，「司徒徹很感激你成人之美，只不過對你們三人而言，這太危險了。」

「這無需你擔心。」廣西老漢兩眼炯炯有神，露出像孩子般調皮的表情。

「說得也是，」另一鏢師頷首道，「你們對京師地形不熟，又不諳風土人情，況……況且京城人一聽便知道你們是外來的。」

「這也無需你擔心。」廣西老漢似乎覺得很有趣的樣子，旁邊的兩位廣西漢子倒是兩手叉在胸前，老繃著一張臉。

廣西老漢轉頭向年輕漢子問道：「有帶來吧？」

年輕漢子不安地說：「老布摩，這種東西怎麼可以輕易示人呢？」然後瞟瞟司徒徹，「何況他們還是漢人呢？」

原來那老漢被稱為「布摩」，也就是壯族的祭師。他說：「而今這漢人與咱同舟共濟，也順便讓他們知曉咱的厲害。」

年輕漢子躊躇了一陣，輕輕鬆開衣襟，露出結實的胸膛，胸膛上有三個黑漆漆的東西，各有大拇指指頭般大小，正微微的蠕動著，那東西四周一片紅紅發炎的樣子，顯然是正吸食著年輕漢子的血液。

「此乃何物？」那鏢師大吃一驚。

「就是剛才你們以為我會用來對付你們的東西。」老布摩不再笑了，一臉認真地說道，「此物可以一當百，被纏上的人，還沒聽聞有活下來的。」

「那……這位小伙子呢？」司徒徹也吃驚不小。

「不勞你擔心，」年輕漢子用生澀的漢語說道，「我每日服用藥酒，是專門養牠們的。」

老布摩也解開胸襟，露出胸口一個個猙獰的老疤痕：「我年輕時也養過，也就是說，這年輕人，將來也會是一位布摩。」

一味堂內忽然一片寧靜，原本就被門外排場所吸引的客人們，不約而同中止了交談，因為一味堂裡面忽然暗了起來，眾人定睛一瞧，才發覺門外來了一輛大馬車，許許多多人拿著大旗，遮著了中午的陽光。

廣東地方屬於邊陲之地，等閒幾何有這番奢華排場？還教人誤以為是皇帝老子巡行來了。

馬車停在門口，門外的紅衣人頓時變得神經緊張起來，紛紛扣緊了腰上的刀柄，神色凝重地注意四周的每一個人，弄得食客們連動也不敢動，生怕只要一動筷子，便會惹得紅衣人持刀衝上來似的。

章員外站在門口，走起路來掩不住全身晃動的肥肉。他迎向那輛馬車，笑吟吟地大聲說：「鄭公公大駕光臨！」

馬車前方的布幕輕輕掀開，露出一張削瘦的臉，灰沉沉的臉像是被吸乾了血肉的走屍，要不是眼珠子還在骨碌骨碌地轉動，還真以為是大白天出現了妖怪。

「這裡便是一味堂麼？」他尖尖的嗓子如同拉壞了的二胡，就如他的容貌般尖冷，對周圍充滿了不信賴的感覺。

「是的，對的，」章員外哈著腰，請鄭公公進門，「佛山一味堂正是此地，小的已經準備好上好佳餚在此恭候了。」

「這就是太監嗎？」老布摩好奇地問道。他住在廣西山區，雖然也有漢人到那兒去行商，但真正的太監倒是沒見過的。

司徒徹皺眉道：「好像是當今受寵的太監之一呢？怎麼會到這地方來了？」

猶記得崇禎帝登極後，展現了無比抱負，以錢嘉征上疏十大罪逼得魏忠賢自縊，打死客氏，處決同黨太監、官員、親屬等「閹黨」，很是雷厲風行了一陣，但日久之後，還是覺得從小陪著他長大的宦官比較可以信任，於是朝中又出現了一批新的太監勢力，在朝內朝外呼風喚雨。

鄭公在大批紅衣人的擁護下，浩蕩的步往一味堂二樓，那裡是專為貴客設置的清淨處。待一批人坐定後，章員外的侍從便召喚一味堂老闆，要他開始上菜了。

「老闆，」章員外的侍從不忘問道，「今天是馬老師傅的手藝吧？」

老闆笑道：「很抱歉，不巧馬老師傅突然急病，今天是二手龔師傅主持廚房呢。」

那侍從點了點頭，叫老闆等一會，又走去向章員外請示。只見章員外霍地變了臉色，狐疑地覷老闆一眼，口中吩咐幾句，那侍從又走過來對老闆說了：「章員外吩咐，上菜時，請龔師傅同時過來一趟。」

老闆不斷點頭答應，臉上總是保持他的招牌笑容，然後便搖著身子下樓去了。一下了樓，他快步走到廚房，大聲問道：「菜好了嗎？章員外要上菜了！」

龔師傅正忙著，隨手指指後方桌上的十道菜，蟹黃魚翅一道已經改成大閘蟹，此時雖非「九月團臍十月尖」的肥蟹時分，龔師傅還是有辦法弄出一隻超大型的江南蟹來壯大門面。

看了龔師傅的用心，老闆也不由得讚嘆幾分，再看看歇在一角的馬老師傅，老闆又忍不住憂喜參半：「龔師傅，這菜色章員外一定會滿意的，不過他要求上菜的時候，你一塊兒上去。」

龔師傅瞪大眼睛，寬大的臉孔被爐火燒得紅通通的：「為什麼？」

「我也不知道。」老闆只得聳聳肩。

龔師傅瞪了老闆好一陣子，忍不住伸手去摸摸腰囊中藏著的一個小陶瓶。

老闆眼尖，挨近問道：「你沒有用它吧？」老闆也不曉得那腰囊中是何物，但見事有蹺蹊，不免問上一句。

龔師傅搖搖頭，也不正面回答，只道：「我龔某不會忘記老闆的大恩大德，不會陷一味堂於危難之中。」

老闆還是不太放心的點頭道：「甚好，你上去吧，不要慌張，應付應付就行了。」

「是，老闆。」龔師傅放下手上的工作，便要踏出廚房。

「等等，」老闆忽然喝止了他，不放心地覷了他的腰囊一眼，「讓阿瑞跟你一同上菜吧。」

學徒阿瑞楞了一下，也停下手上的菜刀，問道：「先上哪一道？」

不一會，一位庖廚跟一位學徒各端了兩道菜，一步一步謹慎地步上樓去，引起食客們的注意。那廣西老布摩也注意到了：「那小子不是叫阿瑞的嗎？」

司徒徹也留意到了，禁不住喃喃地說：「希望不要有麻煩事……」

「什麼意思？」年輕的廣西漢子問他。

司徒徹沒回答，但眉頭夾得很緊。

龔師傅踏上梯階，隨著樓上的狀況一點一點地映入眼眶，他的心跳也隨之愈跳愈重，重得壓迫著胸口，連肋骨也可以感受到那股沉重的節奏。

他看見一大群紅衣人，雖然皆已收刀入鞘，手腕卻仍然警戒地扣在刀柄上，看來隨時都可以抽刀索命。

他看見肥滿得像要溢出油來的章員外，眉間爬滿了黑蒙蒙的怨氣，不用學看相也知道，這是害人害得太多的人的特色，他相信有陰陽眼的人一定會看見章員外身邊有許多陰魂徘徊。

他看見章員外身邊坐了一具乾屍也似的人，那人沒有鬍子，一對深陷下去的眼珠燃著懾人的目光，正直視著龔師傅的眼睛，而不是他手上的菜餚。要不是那人穿了一件大袍，龔師傅還以為他不是一個人，不過無論那人瘦成什麼樣子，龔師傅還是一眼便認出了他。

雖然別人稱他為鄭公公，他的本名龔師傅是知道的，他是小時候住在佛山附近小斗村中的鄭榮發，跟龔師傅鄰村的同齡小孩。龔師傅還記得，自小便瘦瘦怯怯的阿發，總是小孩們合力欺侮的對象，沒想到竟然當上了宦官，還是威風凜冽的大太監，回鄉省親來了。

他終於踏上了二樓的地板，吃驚地發覺自己臉色柔和，此時此刻，龔師傅竟然感受不到心中的怒火，心裡頭出奇的平靜，他本來以為自己會很憤怒的。

兩名紅衣人走過來，接過龔師傅手中的兩盤菜，另外兩個人走去接過阿瑞手上的菜，然後吩咐他們站一旁去。

龔師傅注意了一下，這些紅衣人果然是錦衣衛，他們每人的腰間各自掛了一塊令牌，上刻陽文「衛」字，這些人應該待在京師附近的，怎麼也跟著一位太監出現在這裡了？很顯然的，這些人在此時此地出現，不會有好事。

錦衣衛將菜餚擺上桌之後，鄭公公身邊有一名小宦官取了一枚銀針，叉了一塊滑雞，小心地咬了幾口吞下去，再端詳了一下銀針，然後才試吃另一道菜。如是試遍之後，才向鄭公公恭敬地說道：「公公，小的已試過，確實無毒。」

鄭公公還是不放心的夾起一塊滑雞，湊在鼻子前面嗅了嗅，才慢慢的咀嚼下去。

章員外嘻皮笑臉地問道：「如何，這滑雞可口吧？是這位龔師傅的手藝呢。」

鄭公公緩緩轉過頭來看他，細細地打量龔師傅一陣，將筷子擺下，說道：「你有殺氣。」

龔師傅怔了一下，手心即時泌出冷汗。

「我認得你嗎？」鄭公公的聲音如磨刀聲一般，霍霍地像隨時準備要殺人似的。

「誠惶誠恐！」龔師傅整個人跪了下去，連連磕頭，「公公怎會認得小的呢？小人見公公威儀，已經怕得腳軟了。」

「是嗎？」鄭公公忽然狂笑了起來，笑聲像壞了的銅鈴般嘈亂，「小龔也會怕我嗎？小龔不是說我像個娘兒嗎？」

龔師傅嚇得一身冷汗，阿瑞望見他背後的衣服瞬間濕了一大片，心裡也驚訝龔師傅居然認識這樣一位大太監。

「小龔呀小龔，」鄭公公站了起來，慢慢踱到龔師傅面前，旁邊的錦衣衛也挨了近來，留意著龔師傅全身上下的舉動，「沒想到這次回鄉省親是那麼有趣呀，還可以看到小龔向我下跪呢。」鄭公公的語氣像回到了兒時一般，卻又充滿了恨意。

「小的不明白，」龔師傅不肯抬頭，他咬緊牙關咬得過於用力，門牙已經出現了數道裂痕，「小的並不認得公公。」

鄭公公嘆了一口氣：「小龔，你還是像以前一樣，喜歡耍賴。」他又踱回飯桌邊，錦衣衛們才稍稍放鬆了警戒。

「小龔呀，你記得去年嗎？小斗村的事呀。」

阿瑞聽見「卡」的一聲從龔師傅那裡發出，龔師傅的牙齒斷了一段，他隨即硬生生地和血吞了下去。

「小斗村去年不是被強盜屠村了嗎？」鄭公公說，「怪道我回村省親時，經過小斗村，還奇怪它跑哪兒去了呢？這樣也好，落得眼前乾淨。」

「公公，」龔師傅截道，「小的要回廚房燒菜了，樓下還有很多客人等著。」

「你急什麼？」鄭公公又夾了一片菜葉，細細地咀嚼著，「急了又不會見著你爹娘，小斗村不就只剩下你一條活口嗎？」說著，他啐了一口，將菜葉吐在龔師傅頭上，「真討厭，那些強盜沒殺乾淨，害我今天勾起了不好的往事，討厭，討厭！」

章員外在一旁嘻皮笑臉道：「公公，您嫌他礙眼，需要小的幫忙嗎？」

鄭公公沉吟一陣，道：「他背後的小子我也不喜歡，一併了帳吧。」

錦衣衛們亮出大刀，收緊了圈子，將龔師傅和阿瑞包圍起來。

阿瑞游目四顧，身邊找不到一點可用的東西，叫他赤手空拳對付一堆大刀，他知道自己辦不到，所謂「一寸短，一寸險」，要沒有長兵在手，單憑兩手，很快便會碎屍當場了。

龔師傅伏在地上，心中雜念紛飛，過去種種，飛快自腦中流竄出來，想阻擋也來不及。他想起那個羸弱的小男孩阿發，老是被他們追逐嬉弄，阿發總是很快就哭了出來，雖然如此，阿發還是經常來找他們，也總是被他們欺負。

欺負阿發令他們一干小男孩玩上了癮，已經變成了一種習慣。

直到有一次，他們終於玩過了火，將阿發的小東西給弄壞了。他還記得，當時是另一個小男孩阿丙開始的……「阿發那麼像個娘兒，這個小雞雞就不要了吧！」

啊，往事只能回味，所謂一粒子壞了一局棋，誰料及當年一句戲言，會有如今這種結果？

阿發的下體流了很多血，他們這干嚇壞了的小男孩也怕得逃回家了，不理會倒在草地上的阿發。原本以為阿發會死的，後來竟被村人發現了，將他帶回去療傷。

那便是上一次見到阿發的情形了。

那記憶像昨日剛發生一般，怎麼今日阿發已經變成如斯恐怖了呢？穿了件大紅袍，還帶來一批拿了大刀的人呢？

「你知道入宮當個小宦官，是件多麼可怕的事嗎？」鄭公公冷眼無神，多年的淒風苦雨，歷經了老太監的欺辱、魏忠賢的高壓政策、崇禎帝的大殺宦官，他的感情已經被消磨至盡了，「跟我同時間入宮的，沒幾個好好活下來的。」

龔師傅依然伏在地上，默不作聲。

樓下的食客們也察覺到了變化，錦衣衛們的大刀迸現寒光，映照著灼烈的殺意。

一味堂老闆憂心地抬頭往上瞧，失去了他一貫的和氣笑容。

「鄭公公，這要怎麼呈報呢？」一位錦衣衛請示道。

「老樣子，就說是意圖謀反好了。」鄭公公冷冷地說著，然後朝龔師傅咧嘴一笑：「就跟小斗村的人一樣好了。」

龔師傅咬裂了嘴唇，血液從唇緣滴到了地上。

他果然沒弄錯！

小斗村被屠村之後，他曾經回去弔喪。他發覺，只有那些兒時好友的住家全被燒光，連雞鴨豬羊也難倖免，其他人家全都一刀絕命，而他好友的屍體還被吊在樹上，千刀萬剮，一塌糊塗得幾乎看不出人形了。

這絕不是偶爾的強盜事件！

這是充滿恨意的人才會做出來的事！

不知為何，當時他心裡第一個想到的就是阿發！況且他早就聽說過，阿發到宮中去當了太監，在崇禎帝登極後變成了叱吒風雲的大人物，弄得村中小孩羨慕不已，也要自宮了去當大人物，惹得村中人心惶惶。

正百感交集間，忽聞一聲：「納命來！」樓上樓下全都嚇了一跳，因為那是一把嬌嫩的女聲，從一味堂正門傳了過來。一名年輕女子躲過門外的錦衣衛，竟持劍衝入大堂，樓下的錦衣衛們也紛紛亮出大刀，追逐女子衝入一味堂。

沒想到，女子是衝向另一張桌上的。

只見司徒徹站起來大叫：「嵐兒！不可！」那女子一劍刺向廣西老漢，老漢一個閃身，飛腳一踢，踢偏了女子手中利劍。

「嵐兒！」司徒徹飛身上前，一手抓住女子的手臂，兩手一扭，女子手中的劍脫手落地。另一名鏢師趕忙回身，朝奔過來的錦衣衛們大叫：「官人別誤會！別誤會！」

樓下的錦衣衛們才剛止步，樓上又緊接著騷動了起來。

原來阿瑞注意到錦衣衛們一分神，機不可失，馬上搶步上前，使出「擒拿手」，意圖奪走最靠近的錦衣衛的大刀，可是能當上錦衣衛的也不會是省油的燈，豈容他輕易得手？那錦衣衛反手一扭，避開擒拿，趕忙後退一步。

「龔師傅！動手了！」阿瑞一邊嚷道，一邊用手搭住那錦衣衛腕部，讓他運不了刀，一腳又踩上那錦衣衛足尖，讓他一時動彈不得，乘隙施展空手入白刃，五指像小蛇一般游入錦衣衛指縫，在那錦衣衛吃驚之間，大刀已經到了阿瑞手中。

龔師傅縱身一躍，躍向鄭公公：「橫豎要死！不若殺了你痛快！」粗壯的手臂朝兩邊一展，立時打倒兩名錦衣衛。

「哎呀，不好！」章員外尖叫一聲，翻滾落地。

鄭公公倒是不慌不忙，咧嘴露出一口紅黑參半的牙齒，他的每一顆牙齒要不是像被燒得焦黑，就是像充飽了血，猙獰不堪，令龔師傅看了頓時一陣寒噤。

龔師傅不由分說猛撲過去，一隻硬拳直擊鄭公公人中，不想鄭公公反手從下面上來，竟有一道陰寒的空氣圍繞在他手臂四周，只輕輕一撥，便將龔師傅鐵一般堅硬的手臂撥開，還順勢一扭，要不是龔師傅馬步夠沉穩，早被他整個摔跌在地。

龔師傅吃驚不小，沒想到這阿發竟練就了一身武功，而且是江湖中少見的內家功夫，過去他只在傳聞中聽過有這類路數，剛才好不容易在廚房見阿瑞露了一手，現在又在這瘦骨嶙峋的太監身上見識了一招，心中是又驚又喜又懼又怒。

但阿瑞比他更驚訝：「獼猴弄月？」他認得這一招！

阿瑞忙揖手問道：「令師上下諱何？」

「諱你娘！」鄭公公尖叫一聲，施出殺手，五隻烏黑寒爪撲向龔師傅面門。

「師傅小心！」阿瑞飛身上前，一手將大刀遞給龔師傅，一手還擊鄭公公，「這廝是我同門！」

龔師傅接過大刀，迎向四邊包圍過來的錦衣衛，一陣「山雨欲來」快刀，加上耗了二十年光景練成的鐵臂，將錦衣衛們震得心驚膽戰，龔師傅收勢後，錦衣衛們的大刀兀自在嗡嗡震響。

鄭公公與阿瑞一場惡鬥，口中直嚷：「你們這些飯桶！保護不了我，回去跟你們一個個算帳！」

錦衣衛們不敢怠慢，心想快快結束這件壞差事，便專挑龔師傅的致命處下手，龔師傅只得招招出險招，見招拆招，忙得揮汗如雨。

炒了二十年菜，生意好的時候，每天要不間斷炒上六個時辰，早練就了他驚人的耐力和臂力，對他而言，這些錦衣衛們就像大鍋中的肉丸或雞球，只要「炒」就好了！

「茅台雞！」他口中一聲作喊，將大刀當成鍋鏟翻轉，「落油！炒！」刀刃不硬碰刀刃，反而沿著對方刀面滑下去，眼看要切到虎口，那錦衣衛一驚，收勢不及，硬生生被削掉一根大拇指，大刀隨即脫手，痛得翻仆在地。

龔師傅用大刀托起對方的大刀，左手一握，成了雙刀。事實上雙刀比單刀更難使，但他平日也慣了用兩手剁肉，就當成是剁豬肉一般好了。

轉念之間，冷不防後面一刀劈來，迎面又一刀斬來，側面又是一刀，龔師傅低腰一避，看準了最接近的大刀，用強大的臂力回劈過去，「鏘」的一聲，一名錦衣衛震飛出去，龔師傅的刀口也缺了一角。

他馬上轉身用兩刀左右迎敵，一名錦衣衛的刀刃正好被他卡在缺刃上，「翻！」龔師傅用力一帶，錦衣衛整個人失去重心跌倒。另一名被他用刀面一推，將錦衣衛整個人推向飯桌，弄翻了他不過十幾分鐘前燒出的好菜。

樓下的錦衣衛們想要登上二樓，卻擠滿了樓梯停滯不前，再難往上一步，一味堂老闆也在底下焦急地叫道：「這麼多人，樓梯會垮的呀！」

食客們已經無心吃飯，大家還是客氣的要掌櫃算帳還錢，然後急急的想要離去。

那邊廂，阿瑞正疑惑著，這太監的招式明明跟他出自同一師門，卻又摻雜了其他沒見過的奇招，原本應該是陰柔中以陽剛為本的招式，使在那太監手中竟是冰寒無比，滿是殺意。

兩人旗鼓相當，俱是使用內家柔術，內家首重以靜制動、借力使力，極少主動出擊，兩人都想借用對方力氣，不斷斟酌著對方的力道和方向，手如游絲般飄逸，在空中交纏不休，就是不正面接觸。

阿瑞忽然感到一個力量從手背運來，想來是鄭公公已經按捺不住，一不著意便用了力，阿瑞見機不可失，兩腕運轉，陰消陽長，一招「水清河靜」，將鄭公公沖激出去，鄭公公連連倒退十餘步，撞翻幾張凳子，章員外閃避不及，也被撞得鼻青臉腫。

「好傢伙！」鄭公公一聲尖銳的嗓音，會撕裂人的神經，令人全身雞皮疙瘩冒起，「你果然也是青城山的！」

「不敢。」阿瑞擺好架式，嚴陣以待，「第五洞天青城山，何時也出了你這類妖孽？」

鄭公公嗤鼻道：「青城山本來就沒幾個正人君子！」

「什麼意思？」

鄭公公不回答，反而向樓下大喊道：「長生宮的！你還等屁呀！」

話語未落，樓下一個人施展輕功飛身而起，直躍上樓，用足尖輕輕點在欄杆上，一身白潔儒服，一臉飄然出世的容貌。此人正是方才與商賈同桌，不欲正視司徒徹的壯年人，司徒徹果然沒看錯，其內功了得，僅稍一使力，轉眼便登上二樓。

這人阿瑞認得，他一時看傻了眼，不敢相信地說：「師叔？」

話分兩頭，只不過幾分鐘前，司徒徹剛剛將那女孩制服下來，在她耳邊輕聲說道：「嵐兒不得造次，這些廣西漢子是幫忙的！」

「可是，爹！他們把李哥哥怎麼樣了？」那女孩滿腮通紅，像要脹破了嬌嫩欲滴的臉龐。她指著仆在桌上的年輕鏢師，看樣子是隨時想要跑過去摟著他似的，一面又用忿恨的眼光掃視著廣西人。

「你的李哥哥生病了。」司徒徹現下不想多言，他從沒料過那小子有羊癲風的問題，這對學武之人是大忌中之大忌，更何況這趟鏢圓滿解決的話，這小子還真可能會成為他的女婿也說不定。

「生病？」嵐兒硬是不肯鬆懈下來，疑心是廣西漢子們幹的。她瞟了一眼老布摩，又瞟了一眼年輕漢子，那年輕漢子朝她笑笑，弄得她面紅耳熱，啐道：「死蠻子！」

年輕漢子變了臉色，卻不生氣，只別過臉去。

「先不說這個，」司徒徹拉著女兒的手臂，「另一尊神像呢？我不是讓你跟老胡一道運鏢的嗎？」

嵐兒一慄，慌張地掃視三位廣西人，低頭不語。

「怎麼了，小娃兒？」老布摩蹙眉問道。

「老……老胡被殺了。」

「什麼？」司徒徹恍如被打了一記響雷，「被誰殺的？」

「我只看見一個白衣人，他用的也是劍。」

「那你為什麼會毫髮未傷呢？」老布摩忽然問道。

「我……我們行到半路，」嵐兒支支吾吾地說道，「我要到草叢中小解，然後便聽見……」

「長生宮的！你還等屁呀！」二樓一聲駭人的尖叫聲，打斷了嵐兒的說話。

她回頭一瞧，只見一個白衣人飛身上樓，整個人輕盈地站在欄杆上，欄杆寬僅寸許，他竟如履平地，一點也不勉強，顯得萬分風流倜儻。

「爹……」嵐兒楞住了，目不轉睛地注視那人，全身顫抖起來，「是那人……是他殺了老胡，搶了石像！」

眾人一瞧，從斜後方看去那人的側臉，只見他滿臉笑意，不慍不火。

「絕對是他，」嵐兒更加斬釘截鐵地說道，「他殺死老胡時，也是這副笑臉。」

樓上惡鬥正熾，龔師傅舞起大刀，專挑臉部下手，將刀面當成手掌，重重一拍，摑得一個個錦衣衛牙齒都斷裂，飛跌在地，再也沒力氣爬起來。

「助紂為虐，這是代你娘教訓你的！」

龔師傅用力雖猛，卻沒殺一人，錦衣衛們面面相覷，一時沒人敢再上前。

「阿瑞！」龔師傅看見白衣儒生站在欄杆上，轉頭問道，「那廝是什麼人？」

阿瑞喉頭一緊，不禁嚥了口唾液，說道：「是我師叔。」

「唏！」那白衣儒生嗤道，「阿瑞？你還有臉在這裡露面？你被住持判了五絕之罪，難道忘了嗎？」

一旁的鄭公公冷笑道：「原來是個背叛師門的小子呀？」又轉頭朝白衣儒生說：「呂寒松，你們長生宮專出這種人嗎？」

原來那白衣儒生名叫呂寒松，不是儒生，而是個道士，平日隱居山上，少人知曉，而今天下紛亂，連清幽遁世之士竟也現跡江湖，沾染渾身烏氣了。

「我沒錯！」阿瑞深吸一口氣，大聲說道，「住持不該與張獻忠勾結！這會污沒長生宮百年清譽的！」

想起青城山上人間絕境，長生宮乃千年古觀，當年多少勝事，山中多少仙人，如今竟落得黑氣罩天，連清高的住持也與流寇勾結，想到這裡，阿瑞便忍不住淚光隱現。

「你是說住持錯怪了你嗎？」呂寒松笑問。

「是！」阿瑞收緊嘴唇，一臉委屈。

「你果然尊師重道呀。」在旁的鄭公公火上加油。

「師侄，你可知張獻忠在四川肆虐，殺人若干？此人嗜殺成性，所經之處如蝗蟲過境，你還年輕，不知世道險惡，才會錯怪住持，這也難怪。」呂寒松柔聲說道，「你且想想，青城山在四川轄下，當年若是不從張獻忠，長生宮恐怕早已灰飛煙滅了。」

阿瑞低首不語，堅毅的眼神依然不肯放鬆。

呂寒松以為他心中有些活絡了，便道：「你怪住持與張獻忠合作，那師叔與朝廷合作又如何？這鄭公公乃朝中能說話的人物，你總不會不高興了吧？」

師叔果然是和這班人連同一氣！怪道他老是覺得師叔淨白的衣裳上，腥氣拂面！

阿瑞一點也不驚奇，師叔會這麼唐突的出現，本來就應該會跟鄭公公有什麼瓜葛，他早已有了心理準備。

他直視呂寒松良久，隨即長長的嘆了口氣，搖頭道：「師叔，我念在一場同門，原本還以為你有幾分良知，不想也是愚昧之輩。」說著，已經擺好架式，準備迎戰。

呂寒松也嘆了一口氣，道：「師叔本想留你一條活路，你不領情，師叔恐怕也沒轍了。」

呂寒松不用長劍，卻從腰間解下一條細細的鐵索，纏了一小段在手中。

他也知道，這師侄並非泛泛之輩，等閒長劍無法輕易制服他。

阿瑞看見那長鍊，戰意更濃！

元朝時代，青城山長生宮出過俠道，擅以長鍊為軟鞭，此一密技代代相傳，得傳者每代不過一二人，而且受傳者未必能運用得當，留名青史，擅用者又不輕易示人，因此向來是長生宮最不為武林所知悉的武器。

軟兵難以操縱，一不留神還會傷了自己，師叔敢用這武器，敢情是有相當把握，阿瑞又從未見過這武器的練法，還不知會面臨怎樣的招數。

「師侄，當年你逃過五絕之罪，現在我要代住持懲罰你了。」話語剛落，呂寒松長鍊一揮，瞬間橫掃方圓一丈之地，從阿瑞眼前迫近掃過，卻打傷了三名錦衣衛，連龔師傅也在來不及反應之際就被打傷了一條手臂。

四名傷者仆倒在地，龔師傅雖然練就一身銅牆鐵壁，依舊是皮開肉綻，左手臂上深深一道血痕，血流如注，連肌肉也被硬生生扯開了。

「長生宮的，」鄭公公蹙眉道，「你可要看清楚，莫傷了我的人。」

「公公，刀劍無眼，還請您吩咐他們躲避。」呂寒松說著，跳下欄杆，開始揮舞起長鍊，長鍊愈轉愈快，愈舞愈疾，摩擦著空氣，發出咻咻風聲，恍如漫天大雪紛飛。

錦衣衛們平日威風慣了，而今也不禁被懾人心魄的風聲驚得連連倒退。

呂寒松只消輕輕趨近一步，長鍊便已迫近阿瑞眼前，猛烈的風聲劃過耳際，在阿瑞的臉上劃出一抹淡淡的血痕。

阿瑞只覺臉上一陣火熱，當下領悟：「風刃！」

呂寒松將長鍊舞得十分純熟，幾乎沒有偏斜角度，這會讓每一道風都變得極細極快，如同刀刃一般會切傷人。

待他舞得更快，刀刃的力道便會漸次加強，變得能夠愈切愈深。

阿瑞不敢久待，一躍而起，跳上飯桌，一腳踢向一盤菜餚，整個碟子旋轉飛向呂寒松，呂寒松只將長鍊一移，碟子便應聲裂成兩半，摔地粉碎。

不等他長鍊使老，阿瑞又踢去兩盤菜餚，分攻上下二處，呂寒松立時將長鍊上下擺動，一個盤子即時粉碎裂開，一個則被打去一旁。

阿瑞知道長鍊連揮兩次，招式使老，力道正弱之際，赫然一個箭步搶上前，作勢飛身而起，呂寒松下意識將長鍊朝上一揮，阿瑞馬上身形一移，直往下方竄去。

「喝！」呂寒松心知中計，大喝一聲，長鍊急轉直落，其猛勁的力道竟剖斷一張凳子，掃破阿瑞的一段衣袖。

阿瑞同時心中一奇，長生宮所習乃內家功夫，重在以柔制剛，繼而剛柔並濟，處處以太極陰陽之理為依歸，不曉為何師叔會使出殺意如此濃重的招式，隱約之中，他感覺到師叔不是狗急跳牆，便是步入偏門了。

上。

轉念之間，阿瑞已衝入呂寒松的長鍊範圍，但由於過於接近，長鍊反而攻擊不至他身

呂寒松運用自如，兩手一移，收起長鍊，瞬間變成兩尺短鞭，朝下劃了一道十字，結結實實劈中阿瑞右肩，阿瑞只覺一陣劇痛，右肩已經裂傷一點肩胛肌。

「白浪濤天！」阿瑞口中一喊，兩手左前右後，右上左下，作勢要使出「青城十八式」中的絕招。

「青城十八式」是個個長生宮門徒要學的基本套路，學武之時同時學道，動靜互生，融會老莊之學，又習內丹之理，可謂文武並濟，剛柔相生。可以說，每位來自長生宮的人，只要一聽青城十八勢，馬上便會在腦海中下意識的想像出那個招式。

可是阿瑞使出的是「投石問路」。

那是十八式中的起手勢。

已經完全準備好要應付「白浪濤天」的呂寒松收勢不及，肋骨間隙被阿瑞一指插入，用力一勾，硬生生折斷一段肋骨。

呂寒松慘號一聲，長鍊馬上軟倒，再也使不出來。

原來他內外兼學，常人最軟弱的肚子和腰際乃是練得最硬，阿瑞無法從這些地方下手，挑準了唯一練不到的肋骨間隙，狠力一搏，果然著手。

這下子，呂寒松再也運不動長鍊，他只要一運手臂，肋骨間便會血流不止，疼痛無比！

比武交手，貴在瞬間，呂寒松萬萬想不到，他敗給了在長生宮養成的習慣，讓阿瑞乘隙

攻擊禁穴得逞。

「好小子！」呂寒松痛得跪下，不但是肋骨在痛，還因為兩次中計，在短短五招之內敗給師侄而倍感羞辱，心頭火起，又無地自容，不慎衣襟一鬆，竟從裡面掉出一樣用厚布包紮的沉重物件，砰然落地。

阿瑞兩眼一瞪，搶上去將那東西拿了過來，解開一看，果然是一尊石像。

「師叔！這件事你也有分嗎？」阿瑞悲痛地說，「連這種事你也有分嗎？」

呂寒松一言不發，只管運著氣，意圖讓全身氣血盡快恢復。

阿瑞將那尊廣西人的祖師像包好，恨恨地追問道：「我聽說要是鏢局不幫忙護運此物，便會一家連坐問罪，莫非這也是師叔做的好事嗎？」

呂寒松聽了一楞，隨即按著傷口，忍痛說道：「我行事從不隱蔽，你說的事我委實不知，那只是鄭公公嫌他們太慢，要我半路奪鏢，趕緊送回京城去。」

「這不是寶物，也不是武林秘笈，更不是藏寶圖，對你們而言毫無價值，不過對被偷的人而言，卻是祖傳的珍寶。」阿瑞轉頭用銳利的眼神望向鄭公公。「到底是誰會想要這東西呢？」

鄭公公歪嘴一笑，道：「朝中貴人哪，哪一個不是有幾分怪癖的？有人喜歡，專門收藏，我只管送禮，討人歡喜就得了。」

「這只是一份禮物嗎？」阿瑞圓瞪雙目，「這只不過是一份禮物而已嗎？為了一份禮物，你殺人放火也無所謂嗎？」

一旁的錦衣衛怒喝：「放肆！」說著便要揮刀，卻被鄭公公一手攔下。

鄭公公輕蔑地道：「切莫小看一份禮，送禮送對人了，可是保你升官，保你闔家平安的呢。」

阿瑞兩手握拳，心中悲憫他眼前的這些人。原來引起眾多紛爭，引起威遠鏢局上下憂心，引起廣西老布摩的族人憤慨的，也只不過還是那個「貪」字，跟引起他住持晚節不保的，依舊同一個。

回想當年，他反對住持與張獻忠合作，住持竟滿臉猙獰，對他叱道：「愚徒！張獻忠有帝王之相，倘若日後為帝，咱們就是開國功臣！」他想也沒想過，住持會以最重的五絕之罪加諸其身，他悲痛欲絕，在眾師兄弟圍攻之下，殺出重圍，逃下山去。

他不齒於「叛徒」之名，在他心目中，住持才是長生宮最大的叛徒！

他從青城山逃至廣西，因緣際會來到一味堂，被馬老師傅收為廚房學徒。

猶記得馬老師傅說：「我不理你的過去，也不想你講給我聽，來這裡的人只要學做菜，我也只要你好好學做菜。」

又說：「我不理你武功高下，來一味堂的高手，一鍋粥可以餵飽十打，可我從沒見過一個好下場的。」

「你要是能忍住不出手，習慣了，也就沒怎樣了。」

是以，他從來沒向任何人提過青城山，更沒提過長生宮，他只想把過去當成一場午夜夢迴。

馬老師傅又說：「咱做菜的，不過滿足人們舌下之三寸、過喉之彈指，說到底，還是滿足別人小小的一個貪字。」

是的，做一道菜要費恁般工夫時間，做得再美味，也不過一夾一送一吞便了帳，過個三兩時辰，化成糞堆。

世間功名利祿又豈不如此？紛紜眾生爭名爭利爭個頭破血流，殺人不眨眼，將蠅頭之利視為珍寶，紛爭到最後，也只是黃土一抔、枯骨一堆。

想到此，阿瑞整個人反倒鬆懈了起來。

他終於明白，他此時此刻，不為過去，不為將來，不為馬老師傅，也不為龔師傅，亦不為廣西老布摩或威遠鏢局等一大堆亂七八糟的人物。

他只為當下此刻的正義而戰！

「你送一個禮，真是勞師動眾啊！」阿瑞說著，兩手起勢，掃視眼前的對手，腦中開始佈局。

他小聲呢喃：「今日是對不起一味堂了。」心意已決，生死已捨，他運起一口氣，腳尖才剛一點，忽聽一把蒼老的聲音霍然迫近、震耳欲聾：「你這份禮送得可大呀！」三條人影沿著樓梯邊緣，像猿猴般攀上二樓。

樓梯上站著的錦衣衛們想動刀將他們劈下，忽聞幾聲悶哼，數把大刀倏然脫手掉落在地，不特此也，那些失刀的錦衣衛們居然再也抬不起手臂。

鄭公公神色凝重，一時還弄不清楚錦衣衛的手是怎麼麻掉的，不知是那些廣西巫師使了妖術？放了蠱？還是點了穴？無論是使了什麼手法，他知道他自己看不出來，因為他一樣都沒學過。

學點穴可不是朝夕之事，要先學醫術，讀遍《內經》、《難經》、《甲乙經》諸醫書，認清十二經脈、奇經八脈，才能學認穴的功夫，然後再學針法、灸法，才可以學點穴的絕技，絕非一蹴可幾的事兒。

他要那長生宮白衣道人呂寒松教他點穴，軟硬兼施，他就硬是不肯教，恨得他牙癢癢的，要不是還想要從他身上學武功，他早就忍不住要動殺機了。

而今，三名廣西漢子已經殺到跟前，他摸不清對方斤兩，不敢貿然妄動。他好不容易熬到魏忠賢自盡，東廠露出權位空缺，才有今天的地位，這種危及生命的事兒，怎麼能夠讓它輕易近身？

「呸！沒用的東西！」鄭公公尖叫一聲，「錦衣們！還不快與我殺了他們？」說著，他便退得遠遠的，要送命，也讓別人送命去。

老布摩摸摸胸口，忿恨的眼神帶有濃烈的陰寒，令鄭公公忍不住再退了幾步，眼看快要退到樓邊的欄杆了。「阿瑞，」老布摩指著龔師傅說，「你快將他帶走療傷去，待會不要被我傷了。」

龔師傅掙扎著站起來，手臂不斷流出滾熱的血，濕了一大片地板，看來是傷及動脈，再不搶救，不要說一條手臂會廢掉，連命都可能會沒掉了。阿瑞忙將他扶著，問老布摩道：「你打算怎麼做？」

「我打算傷很多人，」老布摩的臉色慢慢變黑，像是中了劇毒一般，「很多很多人。」

阿瑞將龔師傅揹在背上，憂心道：「老人家，您莫意氣用事。」

老布摩指著鄭公公，道：「護我族中祖師像，乃我生存的意義，這人如此辱我族人，此時不報歷祖歷宗賜我之生命，更待何時？」

阿瑞見他一意求死，不再多言，咬了咬牙道：「前輩保重。」轉身走向樓梯。

樓梯上擠滿錦衣衛，四面八方也被錦衣衛們圍得水洩不通，阿瑞正忖下一步該當如何之時，只聽一陣喧譁，劈啪一聲，眼前的錦衣衛沉了下去，下方的人們慘叫起來，原來樓梯承受不了重量，終於扯裂崩下。

轟隆一聲，大堂揚起一陣塵沙，與此同時，老布摩口中咕嚕一聲，發出作嘔的聲音，喉頭一收，整條脖子暴脹，喉部變得泛青。

「不好！」阿瑞一急，不敢多想，便揹著龔師傅一蹴而下。樓下塵埃未散，許多錦衣衛和食客堆成一團，正哀叫不已，阿瑞不想踩在別人身上，便略施輕功，腳尖點在斷木上，輕輕躍去一旁。

在跳下的同時，只聞老布摩「嘔」了一聲，樓上剎那變得鴉雀無聲，阿瑞落地之後，抬頭往上一看，原本透過樓上地板有間隙可以略略見到光線，而今卻被一片黑壓壓蠕動的東西遮住了。

食客們爭相奔出一味堂，還有的人被踐踏在地，阿瑞見司徒徹等一夥人也正往門口逃，司徒徹和一名年輕女子還一起扶著年輕鏢師。

阿瑞不作他想，將龔師傅扶入廚房，龔師傅已經意識不清，快要昏過去了，眾廚子紛紛圍上為他包紮止血。「諸位師兄們，龔師傅交給你們了！」說罷，阿瑞便轉身離去。

「等等，阿瑞！」阿瑞回頭，才見到馬老師傅已經醒來，正一手倚著爐子，蒼老的一雙精目正逼視著他，「你要回去嗎？」

阿瑞朝馬老師傅跪下，重重磕了三下頭：「謝老師傅這些日子來的照顧，阿瑞身處江湖，難自外於江湖。」

馬老師傅微微頷首道：「此番要能不死，莫要忘了根本。」

「謝老師傅，阿瑞謹記！」阿瑞回身衝出廚房，直奔大堂。

只聽樓上連聲慘叫，阿瑞爬上柱子，想上去幫忙，年輕廣西漢子從樓上探頭出來，見是阿瑞，揮手叫他下去：「別上來！危險！」

阿瑞不理會，疾速爬上，正好一名錦衣衛慘號一聲，從阿瑞身邊墜下，在驚鴻一瞥中，阿瑞見那錦衣衛臉龐紫黑，彷如中了劇毒。阿瑞咬咬牙，一躍而上，果然樓上地板有許多東西在爬動，蛲鄉、蜈蚣、蠍子、蜘蛛等毒物清一色黑漆漆的，想是被餵飽了毒，正四處尋覓人類的氣味。

「你找死嗎？」年輕的廣西漢子趕忙遞來一顆小丸子，悄聲說，「快含在口中，切莫吞下。」阿瑞如言含在口中，一陣藥香撲鼻，腦子倏然一陣清明，爬近他的蟲兒竟馬上止步。

阿瑞這才四下張望，看見老布摩渾身發黑，連兩顆眼珠子都似火燒一般通紅，還有數隻毒蟲正從他手臂上穿孔爬出。被毒蟲咬上的錦衣衛，一個個翻仆在地，痛苦地痙攣著，沒被咬上的，也發狂似地猛踩地面，根本沒空攻擊那三名廣西漢子。

鄭公公懼怕地站在邊緣，一見有蟲爬近，便推倒一名小宦官，將他壓到毒蟲之上，小宦官冷不防有此一著，在驚恐慘叫中變得灰黑而死，鄭公公馬上跳到小宦官僵直的屍身上站著。

「你們這些豬頭！飯桶！」鄭公公在屍體上嘶聲作喊，「朝廷是白養你們的嗎？」然後狠狠地望著老布摩：「橫豎你們是死定了，我回去呈報皇上，別說你們的祖師像，還把你們屠族！看你們的祖師有誰祭拜！」

老布摩發狂般地大吼，幾隻烏青色的蜈蚣從他口中飛射而出，鄭公公袖子一揮，將蜈蚣捲入袖中，隨即拋向中年的廣西漢子，那漢子也不驚慌，將蜈蚣伸手要接。

老布摩一躍而起，將中年漢子飛腳踢開：「蠢材，那陰人豈有便宜？」只見那幾條蜈蚣摔到地上，發出一陣青寒之氣，漢子方知道在鄭公公一捲一收之間，已經注入一股陰毒之氣。

「老不死的，」鄭公公沉臉說道，「別五十步笑百步，你用蠱毒之人，與我有何差別？」

老布摩兩眼滾動，像是隨時要掉出來一般：「呸！你這無君無父的狗東西，莫拿我跟你相比！」言猶未盡，已一蹴而上，兩條手臂黑中帶紅，火熱熱的攻向鄭公公。

「好哇！」鄭公公伸出雞爪似的兩手，兩手迸出陣陣寒氣。阿瑞這才知道，方才交手時，鄭公公未盡全力，否則自己根本不是他的對手。

老布摩劈向鄭公公的喉部，一掌不中，另一掌疾風迅雷般搶攻胸口，招招認準死穴。

鄭公公只顧防禦，腳下又不敢踩去地面，又不敢碰觸老布摩發黑的皮膚，他知道除非快快解決，否則今日是不能善了了。他作一聲喊，一爪直攻老布摩雙睛。

老布摩也不想拖延下去，他已經老了，方才又跟鏢師司徒徹一場惡鬥，已然精力不濟，他於是忽然兩手緊抱鄭公公，一口咬向他的脖子。鄭公公一慌，忙用手肘頂住老布摩的額頭，老布摩依然一口咬去，牙齒竟像黏上了鄭公公的手臂，掙也掙不開。

鄭公公發出尖銳的慘叫，只覺有許多蠕動的小東西從老布摩口中爬進他的皮膚之下，他愈亂動，氣血奔流，臉色愈快轉黑。

「長生宮的！這是你立大功之時啦！」鄭公公朝那白衣儒生叫道。

阿瑞轉頭一瞧，只見師叔呂寒松已經立起，肋骨下的疼痛依然令他站不穩腳。他怒目瞪了阿瑞一眼，又輕蔑地掃視那兩名廣西漢子。

「師叔，別去，」阿瑞向他說，「你之前已經錯得夠多了。」

「再錯，」呂寒松斜嘴慘笑，「也錯不了有個大明江山的官做。」

老布摩緊咬鄭公公脖子不放，鄭公公見呂寒松未有動作，他狠一咬牙，一爪抓住老布摩的頭，兩指插去太陽穴，老布摩馬上渾身冷顫，口冒青氣。

兩位廣西漢子大叫：「布摩！」躍身上前，呂寒松也一蹴而上，眼看又是一場惡鬥。

沒想到呂寒松一步搶上鄭公公跟前，將老布摩搶走，拋去地上。

老布摩睡倒在地，四肢兀自不住顫抖，一股寒冰似的氣流在他血管中亂竄，打亂了他的全身經絡。兩名廣西漢子忙上前扶他，取了一顆丸子餵服，老布摩馬上席地運氣。

「長生宮……」鄭公公正欲作聲，被呂寒松截道：「鄭公公，你再不凝神閉氣，毒氣攻心，就沒機會回呈皇上了。」鄭公公趕忙盤腿坐在小宦官的屍身上，他感到蠱毒的灼熱和他練就的陰寒之氣在他體內交相對抗，令他一陣冷汗一陣熱汗，渾身不對勁。

呂寒松護在鄭公公面前，一身雪白的衣裳已經沾染上血色，一臉肅殺：「師侄，我方才敢情是手下留情了……」

阿瑞紅著眼，道：「師叔，莫再逼我同門廝殺。」手中握緊拳頭，準備隨時動武。

忽然，樓下一陣騷動，有人衝進一味堂，慌張地大喊：「公公！鄭公公！」

鄭公公唯恐氣血大亂，不予理會。

呂寒松一瞧，來人也是個宦官，他氣急敗壞地在樓下亂跳，卻覓不著樓梯上樓，只好朝樓上喊叫：「公公！大事不好！大事不好了！」

那人慌張的程度非同小可，一時之間，所有人都感覺到這不會是小事，於是眾人凝神閉氣，暫且忘卻了打鬥，忘掉了私怨，只想聽聽這人會說出些什麼話。

那宦官無論如何都要上樓，他跨過崩倒的樓梯、哀聲呻吟的錦衣衛，不算靈活地爬上柱子，好不容易爬上二樓，見到滿地的毒蟲橫竄，不禁看傻了眼。但他並沒被嚇著，他有厚厚的靴子，不怕蟲咬，又從袖袋中取出兩條厚巾纏住兩手，好驅趕飛近的蟲兒。

眾人一瞧，這宦官年僅十五，長得眉清目秀，童稚的語氣中，似乎對鄭公公是由衷的服從，而非如其他人乃屈服於淫威之下。

「公公……鄭公公……」小宦官上氣不接下氣地，穿過滿地掙扎的人，跪倒在鄭公公面前。

「什麼事？我正忙呢！」鄭公公怒道。

「快馬傳來消息……」他還在喘著氣。

鄭公公耐心等他說。

「……消息……京師失陷了！」

「什麼？！」

一味堂裡頓時鴉雀無聲，不管是吃東西的、跑堂的、炒菜的，全都注意著下一句話。

「李……李自成進城，皇上自縊，駕崩了！」

鄭公公忽然一陣眼冒金星，氣血沸騰，吐出一口鮮血，小宦官大吃一驚，慌著磕頭：

「忠兒該死！忠兒該死！」

鄭公公頭暈眼花，直楞楞地望著地上。

地上散落了一地菜餚，幾隻蒼蠅在上頭悠閒地飛著。

他滿腦子思緒洶湧，他想到童年的受傷，入宮的恐懼，同伴被虐殺……他是怎麼熬過這許多日子的？這趟為著娘娘的特殊收藏喜好，特地遠赴南疆之地，如今卻彷彿一場白費心機的鬧劇，他送禮的對象想必也早沒了。

「什麼時候的事？」鄭公公強作鎮靜的問。

「三月的事了，忠兒不清楚真正的時間。」

算起來也是上上個月發生的，原來大明早已亡國了，負責傳送緊急公文的驛站必定廢弛了，也難怪要這麼久才傳來消息。

「可憐呀，」中年廣西漢子忍不住說道，「連主人都沒了，你還能吠什麼呢？」

話說回來，要不是這趟南下，說不定此刻人在宮中，還會順便被迫殉國了呢！

他知道崇禎皇帝疑心病重，殺性更重，大好江山根本是給自個兒弄垮的，鄭公公猜想可能會有那麼一天，沒想到果真發生，而且來得如此迅速！

炎夏的一味堂，外頭暑氣漸熾，一味堂內卻還未暖和過來，空氣中略帶潮濕，骨子裡有一些涼意。

樓下的錦衣衛們紛紛抬頭往上看，等待鄭公公開口。

只不過一口飯工夫，鄭公公便回復了深沉的眼神，嘴角微露笑意。

小宦官忠兒見狀，喜道：「公公萬福！」

「伶俐小子。」鄭公公讚道，隨即站起來，朝樓下說道：「皇上駕崩了，大家莫慌。」

誰知道鄭公公會說出什麼話來。

「我們自己再推舉一位皇上，不就得了？」他面帶興奮，彷彿在面對一場令人熱血沸騰的賭局，「再建大明江山，諸位榮華富貴，手到擒來，大家以為如何？」

錦衣衛們靜默了一會，很快有人打破了沉默：「謹聽鄭公公吩咐！」

「我們追隨鄭公公，鄭公公萬福！」一時之間，整個一味堂全是錦衣衛們的呼聲。

耳中一波波擁來眾人狂熱的呼聲，阿瑞感到脖子緊繃，兩肩微顫，連背後也濕了一片冷汗。

他感受到時間的可怕，他知道自己正站在歷史的巨濤之中。

他看著師叔、鄭公公、三位廣西漢子，紛紛被如雷的呼聲掩蓋，在歷史巨流的沖激之下，顯得萬分無力。

山伕誌

時地：崇禎十七年（一六四四年）七月初／四川青城山長生宮

他撫弄著剛修平的指甲，抬頭仰視高仞的山形，眼前的尖峰插入天際，將青天割裂兩半。

耳邊傳來一聲吆喝，他頓覺身體一仰，前後兩名山伕挑起滑竿，將削瘦的他輕巧抬起，隨著輕盈的節奏，一沉一沉地上山。

兩旁是八名身著便衣的侍衛，寬鬆的外袍下藏著大紅衣裳，正以穩健沉靜的步伐，徐緩而行，不欲驚動山林裡的鳥獸。

「老爺，天氣頗熱。」便衣侍衛側身說道。

他「嗯」了一聲，尖嗓子稍稍洩漏了他的身分。

其實他根本不怕熱，他的身體本自透出絲絲寒氣。

便衣侍衛續道：「待會再個把時辰，山高，便轉涼了，只是要防午後山雨。」

他又「嗯」了一聲，語氣隱含些許不耐，眼角瞄著被山風騷動的林梢，被蟲躍彈動的草葉，每一下動靜，都令他浮躁不已。

「草木皆兵……」他輕聲呢喃，不欲被人聽見，他不希望人們由他臉上睹得絲毫心緒。

滑竿沉穩的左右擺動，兩名山伕顯然是箇中老手，乘起滑竿上山竟比大轎還平穩，這種經驗可不是三兩年能練就的，怪不得方才在山下挑選山伕時，地保敢拍胸膛保薦這兩人。

不過，任憑他們如何了得，可惜，也活不過今晚了。

可惜呀，可惜！不過，做大事總要有人流血的。

眼下，那保薦山伕的地保，應該也已被了結性命，躺在山溝裡餵大蟲了。

一路平穩走了兩刻鐘，波瀾不驚的滑竿，忽然歪了一下。

他警覺性很高，早已準備好任何突發的變故，滑竿才稍微一斜，他即刻翻身落地，一個步勢站定，便衣侍衛隨即繞著他圍起圈子，將他護在圈中，口中同時喝道：「大膽！」

原來，走在後面的山伕雙腿忽然一軟，跪倒在地，滑竿也隨之傾斜，前頭的山伕趕忙放下滑竿，跑過去察看同伴。

「不許動！」便衣侍衛們亮出大刀，阻止前頭的山伕再一步前進。

山伕立定了，乾瞪著眼看同伴在地上抽搐，口中還流出白沫。

「中毒。」便衣侍衛輕聲道。

「怕是剛才吃了不乾淨的……」山伕忙道。

「住口！沒人准你說話！」一位便衣侍衛舉起長長的倭刀一揮，欲斬山伕，那山伕趕忙後退數步，侍衛更惱火了，「你給我站好！」

「大人，」山伕道，「小的雖微賤，可也愛惜生命。」

被圍護的貴客指指一名侍衛，道：「端木雄。你，去看看。」那侍衛應了聲喏，蹲下察看倒地的山伕。

端木雄擺動山伕的頭，觀看兩側面色，又翻開嘴巴，觀看牙齒、舌頭和兩頰內側黏膜，搖頭道：「不是劇毒，否則會發黑或潰爛。」這喚作端木雄的侍衛面色枯黃、兩眼深陷入兩個黑坑也似，像個久病不癒的無常鬼，要是跟那貴客並肩而立，便是活生生一對黑白無常。

他繼續解開山伕繫在滑竿上的水袋，湊在鼻端嗅了嗅：「山泉水，有異味，味甘苦，有毒。」再回頭向被圍護的貴客說：「確是有毒。」

那貴客抿起嘴，鼻中哼哼兩聲，眼神犀利的掃視山林。「左千戶。」他向手持倭刀的侍衛說話，方才揮刀斬向山伕的便衣侍衛忙回身應答，貴客吩咐道：「無需多言，我們只管趕路。」

「老爺的意思是？」

「不管埋伏有無，多一事不如少一事，防著點好。」貴客尖尖的嗓子，像化不開的嚴冰，令聽的人都禁不住心底一寒。

「是，老爺。」說著，那左千戶登時目露兇光，倭刀一舉，便朝前頭的山伕劈去。山伕也不是驢蛋，他一個轉身鑽入路旁林子，左千戶趕忙追過去，只見山伕在山林草叢間左蹦右跳，轉眼不見身影，左千戶緊隨追進草叢，沒兩下子也不見了蹤跡。

左千戶消失在林影中後，半晌仍不見動靜，不知是否殺了那山伕呢？還要待多久才出來呢？

一名侍衛見時候不早，便請示道：「眼下怎麼辦，老爺？」

那貴客哼了哼鼻子，從腰囊取出個小琉璃瓶，打開瓶口嗅嗅，覺得腦袋一醒，才說：

「橫豎他知道我們要上哪去，待他完事，自會跟上。」說著，又斜眼覷了覷倒在地上的山伕。

山伕已經停止抽搐，事實上他沒有任何動作，連肺部的起伏都沒有了。

一名侍衛半蹲身子，將手指按在山伕耳後，試探心跳。那貴客尖聲叱道：「何需費事，補一刀便是。」

「公公道的是。」侍衛一出言，發現不慎用錯了稱謂，慌忙改口，「老爺恕罪！」

那貴客冷冷地盯了他一眼：「你是吳長空吧？」

「是。」侍衛語帶懼意。

「沒有下一次。」

貴客回身，失言的侍衛忙抽出大刀，朝地上的山伕斬了兩刀，見有血水染紅地面了，眾人才揚長朝山上行去。

山路上一片寂靜，連蟲也止了叫聲，鳥兒低飛滑過路面，朝樹蔭尋找棲身之隅。

良久，細雨綿綿而落，將路面黃土微微擊起，片片山霧湧起，整片山屆時變得灰濛濛的。雨滴沾濕了足跡，將這行人上山的證據一點一點抹去，連氣味的痕跡也被沖散了。

此時，山林後稍稍有了動靜，一名精短的年輕男子小心翼翼踏出林子，左顧右盼了一下，才舉步走向倒地的山伕。

山伕的衣裳濕透了，血色也沒那麼搶眼了，精短男子矮下身子細細端詳，皺著鼻子嗅了嗅，就硬是不用手去碰山伕。

然後，精短男子後退到林邊，亮出一把剁肉刀，低聲道：「好漢，請起。」

四下除了山伕屍身外，別無他人。

「我知道你未死。」精短男子擺擺剁肉刀，「你不動武，我也不會動刀，咱們且聊一聊。」

山伕依然不動，看來確實是死了。

山雨會遮去視野、抹去痕跡，令人看不清虛實。

但精短男子不被山雨矇騙，因為他看的不是虛實。

「我知道你未死，」他再重複一次，「因為藥是我下的，此藥尚不致死人。」

話猶未盡，山伕竟已翻身而起，一雙精目直視精短男子，他一骨碌站起，衣裳左肩馬上染出一大片血。

「你的血……」精短男子反而不安了。

「小事一樁。」山伕慢慢走向林邊，走到離男子有一段距離的蔽雨處，用手指按著左肩四周幾個部位，等待止血。

「他們傷了你何處？」

「哼，」山伕瞟了眼男子手上的剁肉刀，「此人下手輕，傷得不深。」

「血流得不少。」

「還好，不難止血，」山伕唇色蒼白，輕聲道，「若他不是敷衍，便是新手。」

「我看他不像新手，顯是挑明了部位下手。」只是下手倉促，加上心情慌張，心神恍惚，才讓山伕留了一命。

「他的主子也是會家子，難道看不出？」

「如果他看出來，那人恐怕也活不長了。」

「怎麼說？」

「山下那位介紹你們挑滑竿的大哥，已經沒了。」

山伕聽了，一陣激昂，血水又染了一大片。

「誰幹的？」山伕目露兇光，直瞪男子。

「你的客人。」

山伕咬緊牙，深呼吸了幾下，氣息好不容易才鎮定下來。樹葉上流下的雨水滴到他臉上，精短男子依稀見他泛有淚水，被雨水瞞過去了。

山伕沉著氣說：「俺沒見過你，莫非俺倆之間有啥怨仇，是俺不知道的嗎？」

「我的對象不是你，況且那只是能令你兩腿發軟、口吐白沫的毒藥罷了。」

「你怎麼下毒的？」山伕問了則擺擺手，表示不需答了，事情很明顯，要溜進他們山下的挑伕小屋，在水袋中放點東西，何難之有？

山伕撫撫傷口，提醒男子別遺漏了這樁子事，男子的下藥令他差點死於刀下：「那麼，那批人是誰？」

「你抬的大人物，是東廠太監，其餘盡是錦衣衛。」

山伕想了半晌：「太監俺知道，可啥是錦衣衛？」

「皇帝的侍衛。」

山伕側頭檢視肩胛上的傷口：「他們來青城山幹啥？」

「這正是我想問你的。」

兩人對視許久，一言不發，只待對方先說話。

對峙良久，山伕才說：「俺說明白好了，俺祖上八代世居此山，不是種田便是抬滑竿，俺不管你們江湖事，也不管當今北京城裡誰坐龍椅，老爺您只消保俺子孫昌隆、代代平安罷了。」

「我也強不到哪裡去，」精短男子道，「我不過區區一個廚子，當了幾年學徒，切了幾年菜，洗了幾年鍋子，連炒菜都還說不上。」

「怪不得你拿把菜刀。」

「不，那是把剁肉刀。」他從身後抽出另一把刀，「瞧，菜刀長得不一樣。」

山伕仔細瞧清楚了，兩把平凡的刀，透出幽冷刀光，雨水滴在刀面上，馬上逃也似的滑走。山伕保留一絲警惕，問道：「怎麼稱呼？」

「叫我阿瑞。」

「嗯，」山伕思索了一下，「人家喚俺賽流星。」

「好，賽流星，咱算是相互道過好了，眼下你想怎樣？」

「俺想下山，回家去。」

阿瑞點點頭，道：「下藥的事我深感抱歉，我有上好金創藥，」說著，便遞給賽流星一個小瓶，「他日有緣相見，定當圖報，如今咱們各有各的路，那麼告辭。」阿瑞一揖手，便跳入綿綿山雨中，在有草的地面上輕盈行走，以免留下足跡。

他不時回頭瞧看，見賽流星仍在林邊躲雨，一手仍然按著傷口，另一手弄開瓶口，不放心的嗅了嗅。

直到走遠望不見山伕，阿瑞才加快腳步，直追鄭公公一行人。

阿瑞當然知道他們要去哪裡。

這山上只有一個他們可能會去的地方。

那地方也是阿瑞成長、習武，然後被判以五絕之罪的地方。

那地方是千年道門勝地，青城六宮之一的長生宮！

想到此，阿瑞不禁咬牙切齒，心底燃起悲憤的烈火。

前些年張獻忠侵擾四川，今年又再浩浩蕩蕩的攻打進來了，而且這次的聲勢更大、殺戮更恐怖。

上個月攻陷重慶後，俘虜了三萬多名士兵，張獻忠下令斬斷兩臂，縱其四處逃散，失去手臂的士兵必無生存能力，而且士兵們逃到附近各城，還有效的造成大恐慌，一路上各州縣紛紛望風投降。

如今，張獻忠大軍正朝成都進發，所向披靡，毫無阻礙，眼看逼近成都城下了！

回想四年前，張獻忠初犯四川時，住持乃地方上有名道長，江湖正俟其主持正義，沒想到住持竟與張獻忠結締，甘為下屬！如今大明江山已盡，住持是否更名正言順的歸順張獻忠呢？

「貧道是為了保一方之平安，否則青城將淪為野鬼之域矣！」住持曾這麼向他解釋道。

住持是一觀之長，德高望重，讓他一個孤兒能在長生宮長大成人，對他而言，恩重如山，住持的話應該有道理才是。

但他知道事實並非如此，住持與其他親信密會時，是這麼說的：「眼下大明氣數將盡，張獻忠雖殘暴，卻有帝王之相。」言下之意，他日事成，他們便是開國功臣，屆時榮華富貴自不在話下！

阿瑞自小在長生宮長大，長生宮何處有暗道、牆隙、鬆瓦，他無不一清二楚，這番話，正是他親耳在牆隙聽見的。

他不能忍受他自小受教的道德觀毀於一旦，於是，他選擇反對。

反對就等於是背叛師門。

不！他雖是叛徒，但他背叛的只有住持，卻對得起長生宮的列祖列師！

更何況，三個月前在他當庖廚學徒的一味堂，居然發現師叔呂寒松還跟東廠太監有掛勾，東廠的殘暴恐怖天下皆知，師叔勾結東廠，又將長生宮絕技傳授與太監，這件事恐怕也跟住持脫不了關係。

左手東廠，右手張獻忠，住持究竟意欲何為？

不知不覺，他已趕了半里路，山雨停了又下，下了又止，阿瑞早已濕透，他跑得渾身發燙，身上冒出蒸蒸水氣。

繞過個小山頭，長生宮巍峨的屋頂赫然現前，阿瑞心底一陣激動，這是他自小成長的地方，是他的家！而今烏氣濁然，可家仍是家，家的感覺是不會變的呀！

他躲入邊林，考量潛入長生宮的路徑，正當躊躇之間，林中一陣沙沙聲，驚得他低下身子，轉頭尋找聲音的方向。

是個樵子！有位老者正撿拾地上的枯枝，將枯枝一一紮好，腰間還繫了把小手斧，老舊的木柄上，手斧光滑如鏡，想來每日都有保養。

老樵子似乎沒看見他，邊撿枯枝，口中邊唱起了歌：「唷！老漢擔柴五斤半，半路沒卵討一半，城門收稅又一半，賣柴嘸足一吊錢，肚餓頭暈唔敢用，出城還需兩吊稅。」唱著唱著，老樵子乾咳兩聲，將一把枯枝加入更大的一綑枯枝裡去。

阿瑞明白他在唱啥。

大明天下，收稅的除了稅吏，還有宦官，更有宦官的爪牙，種種收稅名目，每日翻新，窮兇極惡，阿瑞在路上還聽說，有個採礦的村子因受不了酷吏逼稅，舉村夜逃，人口下落不明，恐怕也不免淪為強盜了。

阿瑞等候老樵子離去了，才悄悄現身。

他一步踏出，馬上察覺有點不太一樣。

他赫然覺得好像少了一些東西。

是的，剛剛還在眼前的長生宮消失了！

阿瑞手足無措，猛一抬頭，看見頭頂林葉間的日光被雲霧所擋，一時辨不清方向。

這是「奇門遁甲」！

他中計了！啥人這麼厲害？竟不知不覺在他身邊佈下奇門巧陣？

他知道長生宮有此能人，但自幼鮮少碰面，因為懂得此術的那人飄忽不定，只會偶爾在長廊上照個面。他甚至不記得那人長什麼樣子，只記得有人說過，其人被稱為符十二公，遁甲之術出神入化，一人能抵千軍。

莫非，方才那老樵便是符十二公？

他嘗試踏出一步，四周景色又倏地一轉，變得更陌生了。

他趕忙縮回腳步，景色馬上又是一變，剎那吹起陣陣冷風，旋起片片林葉。

「不能亂動！」他忖著，盡量叫自己冷靜下來。

林中疑聲滿佈，等閒風吹草動都令阿瑞驚出冷汗，四周似乎滿伏敵人，隨時準備殺出。有敵人嗎？

這奇門陣法是專門為他佈下的嗎？抑或是長生宮的預防措施？

他沒學過奇門，可陰陽五行、奇正生剋之理，想來應是相通的，他想了一想，撿起一根枯枝，試著這邊撥撥那邊撩撩，沒什麼動靜，便將枯枝扔出去，見它掉落在遙遙的草叢之中，四周依然靜悄悄的，啥事也沒發生。

「你乖乖別動。」驀地，一把蒼老的聲音自耳邊響起。

「誰？」阿瑞低聲道。

放眼四望，半條人影也沒。

那把聲音是如此接近，彷彿緊挨在身邊似的，對方要不是內功高手，曉得「密音傳耳」，要不然就是——他真的正在身邊。

「別妄動，否則朱九淵會發現你。」

朱九淵？不正是住持們名諱嗎？

阿瑞大氣不敢吸一口，豎起耳朵，果然遙遙聽見兩把熟悉的聲音，正窸窣談話，一把是住持威嚴的聲音，一把正是尖嗓子的鄭公公！

他知道，他一個也對付不了，更遑論兩個。

不知這佈陣者有何意圖？眼下此陣將他隱去，讓他不被發覺，看來是友非敵。

「你有沒有聽見什麼？」那把尖嗓子忽然問道，阿瑞渾身冷汗暴湧。

「哈哈哈，您老放心則個，老夫早已封山，不容香客閒人進來，又佈下天羅地網，等閒之輩寸步難近。」

「願聞其詳。」鄭公公語帶疑意。

「您老想必聽聞奇門遁甲？」

「略有耳聞。」

「本宮麾下有高人，深諳奇門，長生宮四周已遍佈此術，誤闖之人如陷迷霧，入彀就逮。」

「哦？」鄭公公身旁一年少宦官道，「那我倒想闖闖看。」

鄭公公慍道：「忠兒，不得造次。」

阿瑞一點也看不見他們，只聽得到說話聲。他忖著住持所指的高人，很顯然除了符十二公就再沒有別人了。

他屏著呼吸，一點也不敢動，直待一行人腳步聲漸走漸遠，消失在一扇門後了，他才敢稍稍移動腳下。

「好了，」那蒼老的聲音又悄悄響起，「你且輕移左足，朝右手一步，再後退一步。」

阿瑞依言而行，他才剛剛後退那一步，長生宮竟霍地出現在眼前，巍然矗立在林樹間。

忽然之間望見長生宮，阿瑞感到腳底發麻，要不是親耳聽過奇門之術，還以為是狐仙作祟呢。他轉頭四望，看不見老者蹤跡，也聽不見老者鼻息，只好向四方揖手，道：「老前輩，晚輩若有冒犯，還容指教。」

「我認得你。」老者的音聲拂過耳際。

「前輩認得我？」阿瑞並不覺意外，只是這老者鮮少露面，他在記憶裡找不著老者的容貌，又不知老者會認得他多少？

「我？」老者嗤道，「我打從你出生便認得你了。」

阿瑞訝道：「前輩究竟何人？」

「先不道我乃何人，你逃過五絕之罪，而今又偷偷摸摸上山，想惹什麼事？」

阿瑞一時語塞，不知該不該說才好。

這一下沉默，老者的聲音竟戛然消失，四周只餘風聲、葉聲、細雨聲。

「前輩？」阿瑞小聲試了幾遍，「前輩？」沒人應答。

他的行蹤已經敗露，此去不知是吉是凶，但老者聽起來並無惡意……

阿瑞嚥了嚥口水，聆聽高牆後方的聲息，隨即腳下輕輕一躍，略施輕功，翻過山牆，跳入一個小院子。放眼一看，原來這小院子是一處菜園子，是他十分熟悉的地方，因為他以前就負責菜園子的工作。

他已經進入長生宮的範圍，這裡很多人認得他，他不能被人發覺，一旦被發現，此處盡是他的長輩，恐怕很難有逃出去的機會。

他思緒千絲萬縷，揣摩著接下來的每一步，忍不住便摸摸腰間的兩把刀，心裡希望絕對不要用上，闊別僅三年餘，這裡的人他大多認識，手心手背都是肉，他可不想動刀。

陣雨未歇，地上潮濕，甚易留下足跡，阿瑞運起氣，一股暖流湧向小腿，腳底一輕，施起「仙人步」，悄悄一躍，便站到一棵松樹上。這棵松樹十分老邁，據說在長生宮剛建立時，便已是青城山的古松了，初祖並未砍伐此樹，古松於是世代佇立在此，覽盡人間滄桑。

透過稀疏的松葉，他想尋找更好的藏身地點，稍一轉身，發現身邊的粗幹分枝有一凹陷，裡頭有一塊脫色的布料。

他拿起布料摸了摸，是個香包袋，紅色的布料和刺繡皆已褪色，當然也失去了香味。他眼眶一熱，心中一陣哽咽，他當然記得這是什麼，香包是彩衣的，是他跟彩衣鬧著玩藏在這裡的，但他一直沒機會將香包還給彩衣，因為……一切發生得太快，他甚至來不及告訴彩衣她的香包藏在何處。

他把香包塞入腰帶，嚥下胸口的哀傷。

雨水正帶走他皮膚上的體溫，寒意逐漸透入身體……他還是忍不住想起彩衣，他們都是被撿回來的孤兒，聽說他被扔在山門前，彩衣則是被一位女道樊瑞雲帶回來的，他們一塊兒長大、學道、習武，直到住持判他五絕之罪那一天。

阿瑞見四下無人，飛身躍去枝葉茂密的一棵樹上，更近正殿一步。

不知彩衣仍在嗎？

他知道彩衣的脾氣，如果住持告訴她阿瑞有錯，她會毫不遲疑的相信，跟他反臉到底。

如果住持告訴她阿瑞罪無可贖，她會果決的一刀斬了他。

如果彩衣是非不分，如果彩衣選擇跟住持站在同一條線上……

阿瑞甩甩頭，意圖甩去滿腦亂緒，而今危機四伏，豈能分心？

忽然，牆外傳來一陣吆喝，是剛才那老前輩的聲音，接著隔壁的大樹沙沙作響了一下，顯然是除了他以外，又有人闖進來了，那人身手之快，阿瑞竟一時看不分明。

敵友不明，他不敢作聲，只得屏息隱在茂葉中。

老者沒追進來，牆外也沒再傳來喝叫聲，這代表了什麼？長生宮知道有人闖進來了嗎？誰又有本事闖過遁甲之陣呢？眼下他應該盡快離開，還是毅然進去？離開了，還再有進去的機會嗎？

咻的一聲，有東西飛快穿過樹葉，阿瑞下意識屈臂一抓，抓住了一件事物，定睛看去，是個小瓷瓶，不正是他剛才遞給賽流星的金創藥嗎？

果然，在另一棵大樹上，賽流星正在葉隙間對他擠眉弄眼。

這廝不是受傷了嗎？

他一條粗漢，如何闖過符十二公佈下的陣法？

阿瑞覺得麻煩大了，賽流星是來找鄭公公復仇的嗎？他這來搗局，擾亂了阿瑞的正事，令他一時進退兩難。阿瑞揮手示意他離去，賽流星搖搖頭，不但不離開，反而大聲喊道：「我不走！」

這一喊，廊下立刻有反應，一名道人衝入院子，抽出長劍：「什麼人？」

這下橫生變故，阿瑞氣急敗壞，飛身出樹，躍上屋頂，引那道人追來。

不料賽流星不解他的好意，竟跳下樹梢，面向道人。

「你是何人？」道人口中話語剛出，劍已筆直刺去。

「好狠的傢伙！」賽流星口中作喊，邊跳邊退，回身跳向牆壁，兩腿借力彈向長廊上的柱子，又順勢彈上樹枝，身手俐落，道人連劍勢都尚未發盡，賽流星轉眼已翻上屋頂。

未待歇息，又一名道人從長廊現身，手中拿根拂塵，腳步輕盈，波瀾不驚，一對精目四掃，抬眼便望見阿瑞。

阿瑞心喊糟糕，忙取長巾遮在臉上，在腦後打了個結，以免露臉。他知道兩位道人是誰，兩位都是師叔，本名不詳，只知執劍的人稱「飛虹子」，執拂塵的人稱「明鏡使」，阿瑞也跟飛虹子習過劍，知道他的厲害。

賽流星奔向阿瑞，輕聲道：「往哪走？」

飛虹子和明鏡使同時飛身上屋頂，二話不說，搶攻過來。

眼下別無選擇，只管逃！

的。

「分頭跑！」阿瑞向賽流星嚷道，腳下已拔腿飛奔。

賽流星不打話，竟然朝著阿瑞跑過來，阿瑞為之氣結，不知此人是否專程來與他作對的。

兩人在斜斜的屋瓦上飛跳，屋瓦高低不平，險象環生，若用跑的，甚易滑倒，若用跳的，一不小心踩鬆瓦片，更是非滾下去不可。阿瑞小時候常愛走屋頂，偷溜進住持不准他去的院落，但對於屋頂彎彎的曲線，仍不免心悸。

明鏡使見屋瓦不好走，隨即運息，腳底輕輕一點，跳上屋脊，趕在阿瑞前頭。

另一邊，飛虹子身輕如燕，足下蜻蜓點水，每片屋瓦都不甚著力，轉眼也追上賽流星。

阿瑞情急之下，腳尖插入屋瓦間隙，飛足踢起屋瓦，瓦片直射向飛虹子，另一手抽出菜刀，迎向明鏡使。明鏡使面無表情，冷眼一揮拂塵，阿瑞的菜刀馬上歪斜失準，差點脫手。阿瑞吃驚不小，不知師叔使了什麼手法，登時冷汗直冒，只得趕忙抓穩菜刀。

飛虹子躲過飛瓦，大喝一聲，運劍又刺向賽流星，賽流星身體一斜，避過劍鋒，飛虹子不放過他，劍劍狠招，不留後路，只想在他身上捅個窿子。

賽流星不打話，只顧東閃西躲，惹得飛虹子大罵：「鼠輩！好好的人不當，有種給我還手！」說著，又是一劍刺去面門。

「俺沒空。」賽流星躲開利劍，翻身跳離屋頂，伸手抓住樹幹，順勢一盪，又飛身到另一棵樹上，遠遠的站在樹上，朝飛虹子微笑。

「好身手！」飛虹子吼道，殊不知賽流星兩臂這一使力，傷口迸裂，短衣漸漸染紅。

飛虹子飛身上樹，欲追過去，明鏡使沉聲道：「別中計！」飛虹子可不理，依然追過去，三兩下飛跳到賽流星附近的另一棵樹幹上，咬牙道：「鼠輩，人謂一寸長，一寸險，我長劍七尺，你手無寸鐵，可是毫無勝算呢。」

「俺有一丈，」賽流星苦笑道，「強你三尺。」言猶未盡，竟有一物飛射向飛虹子，差點將飛虹子由樹上打下，那事物掃過他眼前，又轉回賽流星處，飛虹子定睛一瞧，原來是根長竿，怕是方才一直藏在茂葉間，才沒被發覺。

飛虹子點頭道：「這才有點意思。」

屋頂上，阿瑞邊揮菜刀邊逃，卻被明鏡使追著跑，任他怎麼逃，都走不出屋頂的兩側，連想逃去鄰近的屋頂，或想跳到地面都不行。阿瑞知道明鏡使腳下踏著「青城步罡」，只有受過三壇大戒的道士方可學習，步伐中蘊藏天地陰陽，令他被追得步步受限，阿瑞只怪自己學藝未精，未能洞悉步中玄機。

明鏡使沉聲道：「你並不像不諳武功之人，為何不出招？」

阿瑞不回答，只管逃。

明鏡使又道：「你更不像啞巴，為何不出聲？」

阿瑞跳上屋脊末端，正欲躍下屋頂，明鏡使的拂塵如電光石火掃來，拂塵含內勁，每根拂毛都鋒利得彷若鋼絲，輕輕一劃，阿瑞臉上布巾竟被割破數道裂口。

阿瑞吃驚不小，沒想到明鏡使的拂塵有如斯功力，他以往在「艮門」之下長大，對這位「坎門」師叔不甚瞭解，更不清楚坎門有哪些武功。

阿瑞回身翻轉，讓自己滾下屋頂，明鏡使不慌不忙躍到屋簷，打算阻攔，不令他下地，阿瑞兩手持刀，一個鷂子翻身，右手菜刀劈向明鏡使小腿，不待刀勢使老，左手剁肉刀又揮砍足跟。

明鏡使不躲不閃，只稍微移動手上拂塵，竟使阿瑞右手菜刀轉勢劈向自己的左手剁肉刀，兩刀眼看快要硬碰，阿瑞連忙收勢，兩腳一踹，跳去旁邊，想找路下屋頂，念頭剛起，明鏡使竟又已擋在前頭。

明鏡使的人雖站在他前方，卻將四周防護得滴水不漏，阿瑞無路可逃，楞在當場，微微喘息，寸步難移。

只聽對面樹上，飛虹子大喝一聲，一個飛身，手中利劍化成長蛇，竄向賽流星，賽流星也不打話，待他劍勢使老，長竿倏然彈起，壓住劍身，飛虹子馬上運轉手腕，將劍刃翻過來搭上竿子，沿著長竿劈向賽流星。

賽流星眼明手快，兩腕輕輕一轉，長竿僅在空中畫了個半圓，竟將長劍再度壓在下方，幾番交手，飛虹子的長劍一直趨近不得，全被賽流星推開。飛虹子吼道：「這廝也曉剛柔生剋！」

「啥剛柔生剋？」賽流星冷笑，「俺這不過祖傳打狗用的！」話語剛落，竿頭即順勢翹起，乘勢刺向飛虹子。飛虹子眼見不妙，頭一側，不想竿頭已纏上他下巴長鬚，他欲抑首扯開，反而讓長鬚打了個結。

賽流星將長竿一拉，眼看飛虹子便要跌下樹枝，他忍痛將劍一橫，切斷長鬚，在半空翻個筋斗，兩足結實落地。

飛虹子怒不可遏，兩眼瞪紅，一怒自己過於輕敵，二怒他那把每日修護的美髯，竟壞在一名不相識的莽夫竿下。他怒火迸起，殺氣沖天，手中長劍格格作響。

「飛虹子，」只聽明鏡使在屋簷上輕聲提醒，「習劍第一要務為何？」

飛虹子一聽，眼中的怒意竟瞬間褪去，滿臉清涼，長劍也垂了下來。

賽流星一見，心知不妙，卻不禁暗暗讚嘆：「此人果然是個人物，竟能馬上止息怒氣。」這麼想著，兩手忍不住握緊長竿，可這一握緊，左肩傷口更是痛了。

只見飛虹子衣袖微微鼓起，彷彿一道清風拂過手臂，劍身輕抖，隱約有了生命。

倏地，劍鋒如雁渡寒潭，滑破空氣，削下賽流星一小段竹竿，賽流星這才驚覺飛虹子已經出招了，他竟那麼遲才知覺！飛虹子在樹下，賽流星在樹上，一時間還沒弄清楚劍是怎麼來到眼前的。

飛虹子移動禹步，足踏七星，氣定神閒，轉眼之間已站在賽流星後方，劍刃搭在他脖子上，冷峻的逼在頸動脈上。死亡的鼻息直迫眼前，賽流星只覺兩腿酥麻，手上竹竿也握不穩了。

「鼠輩，」飛虹子的語氣一掃浮躁，「你闖進長生宮，意欲何為？現在可以速速招來啦。」

那邊廂，阿瑞也逃不出明鏡使設下的圈圈，明明四方空曠，四處是路，卻像鬼打牆一般繞圈子，這比剛才的奇門巧陣更難纏。此刻，阿瑞終於證明自己太過魯莽，長生宮高手如雲，自己不過是個未出師的小輩，豈能安然出入？

「俺明人不說暗話，」賽流星大聲嚷道，「俺是來報仇的！」

「報仇？」飛虹子嗤道，「長生宮乃清修之地，誰人去結怨仇了？」

「那個剛進你們廟裡的太監！」

飛虹子愣了愣，朝屋頂上的明鏡使相視一眼。明鏡使的表情毫無變化，依舊緊盯著阿瑞。

「你說清楚，」飛虹子視線溜過賽流星染紅的左肩，蹙眉道，「誰人結下樑子？啥樑子？說得清楚的，貧道說不定還賞你條生路。」

賽流星大聲說：「俺三代在青城山挑滑竿，挑過多少大小人物，這太監今日要上山，先在山下殺俺親伯，後在半路欲殺俺滅口，與俺一同挑竿的姻兄生死不明，要不是他們劈俺這幾刀，俺手臂使不上力，當下說不定是俺踩你在腳下，教你認俺作爺爺！」

「原來如此，」飛虹子抬頭望向明鏡使，「使者，你們坎門如何看待？」

「我手上的，似非與他同路。」明鏡使冷冷道，「你手上的並非習武之人，只是身手靈巧，我手上的這位，不但習武多年，而且……」

他這「而且」，令阿瑞不禁嚥了嚥唾液。

「小子！」賽流星仰首吼道，「你不也在追擊那太監嗎？」

阿瑞不回答。

明鏡使冷笑道：「艮門的硬骨子，你是柳師弟教出來的嗎？」

阿瑞大吃一驚，不知明鏡使是怎麼瞧出來的。

明鏡使似是看穿了他，續道：「你道師叔方才教你四下跑跳，是鬧著玩的嗎？」

阿瑞當下大悟，原來他自幼所習本門輕功「仙人步」，在不知不覺中早已使弄出來，習氣難掩，明眼人只消一試，便摸出底細。

「柳師弟學習仙人步時，在第六步上有個壞習慣一直改不了，我見你也有這壞習慣，果然是真傳呀。」

明鏡使口中的柳師弟，便是阿瑞艮門業師柳嵐煙，阿瑞情知瞞不過明鏡使，只好扯下臉上布巾，拱手道：「阿瑞拜見師叔。」

「是那個五絕之罪的小子？」飛虹子驚道，「這叛徒，一刀了結罷！」

賽流星也頓足道：「小子是他們自家人？那俺豈不自尋死路？」

「師叔，」阿瑞匆忙想在寥寥數語間道明原委，「那太監人稱鄭公公，陰險奸詐，大明亡國後，他便想擁立新皇帝……」

「這豈非美事一樁？」明鏡使毅然截道。

「可是……可是……」阿瑞一時語塞。

「眼下金人覬覦北疆，咱漢人發憤圖強，有何奸詐？」

「可是住持之前勾結張獻忠……」

「他也說了，為了青城山下蒼生，當年與張獻忠締結乃不得已，住持因此保了無數人命，如今張獻忠又再回頭攻打四川，倘若住持因此保了青城山，試問如此有何不對？」

阿瑞覺得自己沒錯，卻一句話也說不出。

明鏡使續道：「你不尊師命，背叛師門，還帶人硬闖長生宮，恐怕此番你逃得過五絕之罪，也躲不了七殺之刑。」

聽見「七殺之刑」，阿瑞登時頭皮發寒。

自古流傳「欺師五絕，破門七殺」，若帶領外人破壞，令長生宮陷入險境者，則判七殺之刑，自古以來，只有一人被施予此刑。

據說，該人被施刑後，整整哀嚎了一個月才斷氣。

阿瑞不覺得自己有錯，可是師叔又似乎說得對，不，他們其中一定有個人錯了，怎麼可能兩個人都對呢？

賽流星忽然頓首冷笑幾聲，抖動的脖子刮到飛虹子的劍鋒，流了點血，飛虹子還生怕傷他，令劍鋒微微偏離，慍道：「笑啥？」

「俺笑自己。」

「你也快沒命了，還笑？」

「俺笑自己打從十三歲開始挑伕，十多年來為青城上上下下送過多少香客，沒想到，原來俺其實在拉皮條，送人上山養婊子。」

明鏡使冷道：「你嘴裡乾淨點。」

「尤其是你，」賽流星面對明鏡使，「滿口正義，道理一籮，反正死的不是你娘，是吧？」

明鏡使冷眼睥道：「你說本宮有客人，而且那客人殺傷你，可有證據？」

「你公公俺被斬過幾刀就是證據！」

「誰知道你是不是攔路打劫的？剪徑不成反被傷，而今上山找晦氣呢？」

賽流星氣得脖子暴粗，青筋凸現，口中直嚷：「顛倒！顛倒！」

明鏡使將拂塵一揮，阿瑞覺得身上被啪啪點了幾下，四肢竟無法自由動作，明鏡使再揮動拂塵，一道銀光射出，賽流星抖了一下，不但動彈不得，就連話也說不出了。

阿瑞深知這是點穴之法，不但點穴，明鏡使還加了兩層手法，即使他想用內力解穴，也必須先解一穴，才能再解真正的要穴，穴穴相扣，非深諳箇中三昧者無法使出此種手段。

飛虹子見了，也覺得明鏡使過於小心：「使者，何必如此？」

「小心駛得萬年船。」明鏡使沉聲道，提了阿瑞，飛身躍下屋頂，飛虹子也收了劍，將賽流星輕輕帶起，也飄然落地，阿瑞深嘆兩名師叔內力之高，他是從一開始便毫無勝算的。

「現在帶你們去見住持。」飛虹子道，「有理無理，正殿上說去！」

兩人身不由己，被兩位道長押著，走過廂廊，穿過八卦門，步步走向正殿。

「師叔，」阿瑞無奈道，「我還是不認為我錯了，雖然下山多年，我依舊嚴守門戒，上不欺列位祖師，下……」明鏡使在他鎖骨周圍運指一點，阿瑞頓時口作啞聲，無聲可出。

飛虹子押著賽流星，一手輕撫下巴的亂鬚，剛才被自己親手割斷，好不心疼，登時心生怨氣，將賽流星押得更緊了些。賽流星的後頸被扣得甚痛，口中無法作聲，心中暗暗叫苦。

來到正殿，只見殿上三尊與人等高的三清聖像，香火氤氳，神龕上擺的許多禮器，已蒙上一層塵埃，阿瑞見了，不禁眼眶發熱，淚水暗湧。

正殿上空無一人，連打掃的道人也闕如，明鏡使左右環顧一陣，道：「飛虹子，你且看管此二人，我去找住持則個。」說著，明鏡使閃出正殿，往右廂房去了。

飛虹子令兩人席地而坐，然後自個兒取來蒲團，靜坐養息。

阿瑞悲從中來，兩眼流淚，飛虹子見了，輕聲責道：「怎麼樣？悔不當初嗎？」

阿瑞搖頭。

「莫非肚子餓了？」

阿瑞再搖頭。

飛虹子不置可否，他舉起長劍，削削下巴，將剩餘的鬚毛弄個乾淨，一個不慎，劃破一點皮，流出些血，他看看長劍沾了血光，微笑道：「劍啊劍，自爾降世，未嚐腥血，而今算是開戒了。」言罷，劍收鞘中，輕置腿上，呈一個隨時可拔劍的姿勢。

賽流星聽了他的話，便望著他的劍，眼珠子亂動，口中想說話。

飛虹子見狀，正色道：「你以為劍必殺人吧？」

賽流星遲疑了一下，隨即點點頭。

「劍乃修身之器，講究眼、手、身、腰、步、意、氣、力、神，氣貫全身，步含天地，眼隨劍走，劍隨意引，人劍一體，由劍術可見用劍者的修為。」

賽流星歪嘴一笑。

「你是笑我修為不足吧？」

賽流星揚眉睒目，似言「不敢不敢」。

飛虹子道：「你這小兒鼠輩，莫欺貧道年長，想當年血氣方剛時，我一把長劍殺盡整窩強盜，殺得劍身曲了，劍鋒也鈍了，這才立誓從今劍不沾血。」飛虹子嘿嘿嘿說，「多年未殺人，力不從心，否則，你今日可沒恁地走運。」

賽流星見飛虹子一雙精目如秋水映月，殺意迸現，盯得他不寒而慄。

飛虹子淡淡一笑，雙目微閉：「方才這一熱身，看來，時候又到了。」他左手緩緩撫劍，似在安撫初嚐血味的長劍，令劍平息。

賽流星怒意忽生，懼意疾退，他躁急的跺腳，有話要說。

飛虹子見他可憐，兩指點去，一串話馬上從賽流星口中湧出：「俺今日逃過兩次死劫，已是大幸！再死一次，又有何懼?!強似你這牛鼻……」只覺喉頭一緊，原來又被飛虹子點住了噤聲穴，口中只得唔唔啊啊的亂響。

一堆腳步聲逐漸來近，阿瑞感到喉頭乾澀，他預料會看到住持，這許多年不見，說真的，他擔心又害怕，他不願再見到住持，因為那必定是死路一條，更何況還有一位鄭公公。

果然，腳步聲抵達正殿時，只見明鏡使領著長生宮住持朱九淵跨過門檻，還尾隨著鄭公公等一行人。

住持朱九淵一眼看見阿瑞，登時滿臉錯愕。

阿瑞望著住持，朱九淵卻避開阿瑞的眼神，語氣不悅的問：「明鏡使，這是什麼意思？」

「住持，這兩位正是我說的，闖入本宮的毛賊。」明鏡使淡然說道。

「是他！」鄭公公後頭的錦衣衛驚呼道，他們看見剛才中毒又被斬殺的山伕竟出現在眼前，錦衣衛吳長空更是渾身冷汗，僵在當場。

鄭公公像沒事一般，沒望向吳長空，更加令他害怕得連小腿都酥麻了。

朱九淵見此，奇道：「莫非公公認得此人？」

鄭公公臉上似笑非笑，道：「朱道長，看來你誇口的天羅地網，不過爾爾，連這等毛賊也擋不了。」

朱九淵冷不防遭此一斥，眼神一沉，卻依然守住臉上恭維的表情：「貧道麾下辦事不力，教公公失笑了。」

明鏡使截道：「符十二公乃本宮尊長，奇門之術所向披靡，豈會不力？」

明鏡使一番搶白，令朱九淵臉上一陣紅一陣白，鄭公公見勢，轉了語氣：「鄭某不敢訕笑，這兩人確有些本事。」

朱九淵再次問道：「公公認得這兩個無名小卒？」

「這兩人與我有些過節，」鄭公公指指阿瑞，「道長不棄，可否交與我處理？」

朱九淵滿胸疑竇，不知鄭公公怎會認識阿瑞。

他還不知道一味堂發生的事，他只知道師弟呂寒松被人打傷，卻沒說阿瑞也牽涉其中，或許呂寒松面子上掛不上去，不想說，也或許，他沒料到阿瑞竟會斗膽回來長生宮。

明鏡使上前拱手道：「住持，何不先問他們闖入本宮，所為何事？」

「委實不必勞駕朱道長。」鄭公公忙揮手道，「實不相瞞，這兩人方才在半山欲劫我財物，那廝是挑伕的，而這小子是剪徑的幫兇，所以請道長交與我處理。」

明鏡使覷一眼賽流星，示意道：「我說過你是強盜吧？」賽流星頓時脖子粗大。

朱九淵作色道：「不知他們恁般膽大，竟敢攔劫公公？」

飛虹子在一旁忍不住了，拱手截道：「住持，這兩人倒不似剪徑的。」

朱九淵尚未回答，明鏡使竟搭和了起來：「怎麼說呢？」

「他們一人只帶了挑竿，另一人只帶兩把菜刀，」飛虹子面朝鄭公公，「反之，這位客人是內家高手，後頭的嘍囉們也帶了好幾把大刀，這兩人要不是瞎了眼，要不就是蠢得無可藥救，才會去搶這浩浩蕩蕩的一批高手。」

明鏡使垂頭道：「飛虹子說得有理，住持，您說呢？」

朱九淵不發一言，鄭公公也紅透了眼，看來已是十二分的不爽。

忽然，鄭公公仰頭狂笑，尖尖的嗓音割裂正殿莊嚴的空氣。笑完了，鄭公公才冷冷說：「朱道長，看來我們之間還有些誤會。」

眾人全不動聲色的望向鄭公公。

「我不是來找你合作的，」鄭公公道，「我是來找你幫忙的，不過，眼下看來，你連這個小忙都幫不上，恐怕……」

阿瑞一邊聽他們說話，怒火兀自生起。

他怒，因為住持身為一觀之長，手下掌管逾百道眾，豈能如此自貶身分！住持縱有萬般不是，也不該受此侮辱！

阿瑞打算豁出去，他咬緊牙關，拚命想說話，但他有口難言，他跟賽流星的啞穴全被禁住了，口中嗯嗯啊啊的吐不出字來。

「依我看，朱道長，其實你是護著自家人吧？」

「公公何出此言？」朱九淵驚道，聽出他話裡有話。

「這小子可不是長生宮調教出來的嗎？」鄭公公指向阿瑞，「率外人騷亂長生宮，這是家賊難防啊！」鄭公公跟阿瑞交過手，知道阿瑞武功系出長生宮。

這麼一來，朱九淵頓時進退不得，他不願承認阿瑞本是長生宮的人，要是他硬不承認，並宣稱本宮的事自由本宮處理，那是合情合理。但阿瑞帶了另一素不相識的人闖入，鄭公公又不知如何看出阿瑞路數，事情就變得複雜了，要是交由鄭公公處理，他在同門面前面子蕩然無存，要是不交鄭公公處理，眼下就博不到他的信任，更遑論合作了。

說來說去，一切都是阿瑞的錯！

打從一開始，這孩子的存在就是錯了！

阿瑞在一旁乾著急，電光火石之際，忽覺飛虹子劍鋒悄然滑過鎖骨，瞬時間，阿瑞喉頭鬆開，嘴巴已能自由發聲，噤穴竟已全數解開。

他驚訝的望向飛虹子，飛虹子只圓瞪他一眼，便甩頭不理會他。

阿瑞不知飛虹子壺裡乾坤，但這是他不容放過的機會，於是他大嚷：「尖嗓子的！」

鄭公公雙目忽張，登時滿臉殺意，錦衣衛們不假思索便握上刀柄，將欲拔刀，朝阿瑞直喊：「放肆！」

「你們才放肆！」鄭公公閃電回身，賞了身後錦衣衛兩巴掌，「隨便拔刀？你們也不看看這是誰的地方！」錦衣衛錯愕之餘，兩臉潮紅，不敢作聲。

鄭公公向朱九淵作揖道：「道長多多包涵，手下孟浪，實在不該。」

朱九淵僵硬的笑道：「不敢不敢。」

「這兩人確實與我有些過節，」鄭公公指指阿瑞，「道長不棄，可否交與我處理？」

朱九淵心中暗忖，原來鄭公公的目的是要阿瑞，這令他不禁好奇，阿瑞逃下山後，究竟幹了什麼好事，會惹上這等人物？又令鄭公公寧可責罵手下，也要忍氣吞聲的向他討阿瑞？

阿瑞笑道：「尖嗓子的，算起來，我們還是同輩呢。」

鄭公公一言不發，暗暗在咬牙切齒。

阿瑞繼續激怒他：「況且你入門在後，該喚我一聲師兄才是。」

鄭公公向朱九淵說：「瞧他瘋言瘋語的，道長，您且做個決定，如果那小子不是長生宮的人，交給我又何妨？」

朱九淵盤算了一回，兩眼骨碌碌的一轉，手撫長鬚，道：「公公也說過，這小子是本宮弟子，實不相瞞，他是被逐出門的弟子，然，此番引狼入室，罪不容誅，我得親自處理才行。」

鄭公公馬上說：「那行，另一位交給我，總行了吧？」

朱九淵點頭道：「此地為清修聖地，公公請手下留情才好。」

兩人一番交鋒，此時算是成交了。

「慢著！這算是什麼？」阿瑞放膽說道，「這尖嗓子的殺了山伕家人，他為尋仇而來，何來攔路打劫？」

鄭公公道：「道長，你請管教管教。」

「要管教，你也是長生宮外家弟子，也該列入管教才是！」阿瑞話猶未盡，已飛步衝出，原來飛虹子暗地裡已助他解開所有穴道，阿瑞蓄勢待發已久，早已按捺不住，而今有如脫韁野馬，奮不顧身的衝向鄭公公。

錦衣衛哪容他近身，五個錦衣衛各展身手，五把大刀由五個方位各自掃來。

「好傢伙！」飛虹子在一旁觀看，心中忖道，「那公公竟收有這麼多狠角色！」

原來五人所展刀法，五種流派，個個不同。

吳長空為能戴罪立功，率先衝向阿瑞，他手操鬼頭刀，運使「俞公刀法」，此乃名將俞大猷所傳實戰刀法，招數中絕無虛花，穩紮穩打。

一人手操柳葉刀，刀身彎曲，使的是傳自宋代的「楊妙真刀法」，化雙刀為單刀，舞動如千瓣蓮花，不見血不罷休。

一人手操馬刀，馬刀身狹把長，兩手同握，來者顯然善騎，雖腳踏實地，依然如在馬背上殺敵自如。

一人手操子母刀，刀身短，刀柄下方伸出另一小刀，近身迫敵，招招拚命，狠勁如見仇人。

一人最奇，手執倭刀，此刀源自倭國，由程宗猷將其化入中原刀法，刀身彎且長，長度超越一般大刀許多，鋒銳無比，一刀斃命。

面對五把大刀，阿瑞從腰後抽出兩把庖刀。庖刀，比五把大刀的任何一把都短，甚至短過子母刀，如此迎敵，必然先以身試刀，才得以靠近對方。

破敵之要，首在洞燭機先，阿瑞在電光石火之間，已辨清虛實，認出刀陣間的每一道空隙。

他不慌不忙，先將右手菜刀伸入刀陣，左手剁肉刀反手一壓，壓在倭刀面上，順著倭刀攻勢往斜一拉，不偏不倚插入四刀間隙之中，竟將四刀卡在一起。

飛虹子見狀大驚，覷了明鏡使一眼，想問他有沒有看清楚事情是怎麼發生的？可是明鏡使沒瞧他，只管盯著阿瑞。

五名錦衣衛錯愕之間，趕忙抽刀，一時卻動彈不得，待五人找到抽刀的角度，阿瑞已翻過他們，躍向鄭公公。

「太快了。」飛虹子不禁沉吟，他是想講給明鏡使聽的。

朱九淵也吃驚不小，方才阿瑞露的一手，他不記得阿瑞在長生宮有學過，不，這絕不會是在長生宮習得的！

阿瑞兩把庖刀一橫，直撲鄭公公，一旁有位俊俏的小宦官擋過來，意圖保護鄭公公，可公公不捨得他送命，一手推開小宦官：「忠兒，去！」說著，正面迎戰阿瑞。

鄭公公兩臂大張，嘴唇圈成圓形，大吸一口氣，五爪瞬間轉黑，寒氣飛濺而出。阿瑞深知鄭公公毒爪的厲害，他庖刀身短，甚易被毒爪碰上，不特此也，一味堂之戰，他已早知自己不會是鄭公公對手，是以其目的不在殺死鄭公公，更沒想過要在鄭公公身上留下任何傷痕。

他的目的只有一個！

主意早已定好，阿瑞手執雙刀，口中直嚷：「片！」左手在上不動、右手在下横切，直迫鄭公公虎口。鄭公公正待換招，阿瑞卻早已收勢，庖刀一轉，口中說：「剁！」言畢，兩刀齊交替揮斬。

鄭公公措手不及，使出護身手勢「撥雲見日」。

「青城十八式！」飛虹子驚忖。

這是青城十八式中的護身招式，證明阿瑞所言不假！

但一招半式不能證明什麼，阿瑞還需要迫鄭公公顯露更多證明，但他還來不及，五名錦衣衛早已反身趕上。

「去吧。」飛虹子悄然說著，一邊收回手指。

賽流星瞬時發現自己穴道盡解，手腳輕鬆，喉頭如脫籠之鳥般爆出一句：「你娘的！」

他不假思索，加入混戰。

但是賽流星手無寸鐵，長竿也留在庭院裡。

明鏡使見狀，微微蹙眉，悄聲問飛虹子：「你豈非要他送死？」

飛虹子使個眼色：「未必。」

只見賽流星邊跑邊解開束腰，右手一抽，拉出長長一條黑巾，揮動黑巾，竟將空氣擊出低沉的鼓聲。

「哪門子武功？」朱九淵見所未見，好奇心頓起。

賽流星將黑巾一甩，黑巾在一瞬間硬如木棍，在軟掉之前，一連打中兩名錦衣衛臉頰，黑巾柔中帶勁，將錦衣衛打得臉部紅腫。

這黑巾沒師承也沒流派，純粹是賽流星一干挑伕在等客人上門時，閒著沒事，耍弄長竿、布巾、水袋等隨身事物，互相逗趣，日子久了，也舞弄出一些門道，論招數也沒特別招數，所使出的每一招，都只是習慣使然。

阿瑞見賽流星助陣，情知他並無武功，一切都是機靈的求生本能，心裡暗暗怕他受傷。

阿瑞分身不暇，他想攻擊的是鄭公公，卻被五名錦衣衛糾纏，又要照顧賽流星，情急之下，兩刀齊運，只聽兵器相磨碰觸之聲鏗然，叮叮噹噹，煞是好聽，頃刻之間，五名錦衣衛竟紛往四方彈開，有的倒地、有的撞上一旁的椅子。

吳長空則倒退十餘步，鬼頭刀脫手飛出，眼看整個人要撞上殿壇的三清像，被明鏡使拂塵一擺，將鬼頭刀由半空帶到地面，明鏡使再伸出一腿，將吳長空絆倒，這才解救了三清像。

吳長空瞪了一眼明鏡使，氣急道：「謝謝！」

「好說。」明鏡使不多言。

朱九淵吃驚不小，心想這孽徒分明已被逐走，怎麼還練就了這一身來歷不明的武功？

只有阿瑞知道，這並不是何門何派的武功。

這是一味堂師傅指點的「刀功」。

他還記得前年冬天，有人要在一味堂宴請「全牛宴」，為了確保鮮度，又要取得牛血，龔師傅命屠夫運來活牛，當場屠宰。

屠夫在廚房內院殺牛，牛的四肢被綑綁，橫倒在雪地上。

屠夫拿起屠刀，隨即割去牛頸，牛頸粗厚，難以切斷，屠刀切割了多時，猶帶體溫的熱血噴濺，潑到雪地上，冒起陣陣紅色的腥煙，有人在一旁用盤子接住鮮血，牛兒痛苦得瘋狂啼叫，四肢狂扭，兩眼淚水湧出，眼神充滿怨恨。

一味堂的廚子看了不忍，有的掩起耳朵，有的卻在樂滋滋的觀看，人心善惡，一時暴露無餘。

此時，馬老師傅走出來，向屠夫借個位，接了屠刀，說：「橫豎一死，好歹求個好死。」一言罷，手中運刀，刀鋒沿肌肉間深入，直達頸椎骨，從椎骨間隙插入，馬上切斷脊柱，牛兒登時翻白眼，身體像脫線玩偶般軟倒，屎尿流出。馬老師傅再一轉屠刀，牛頭輕輕滾下，捧在手上。

馬老師傅向牛兒合掌，口中喃喃有辭，轉身將屠刀交與龔師傅。

龔師傅接了刀，刀鋒隨著伸向牛頸，撥入厚重的肌肉，隨著手腕一伸一轉，牛的身體竟漸漸變鬆，變得像個皮袋子，不久，龔師傅將手伸入牛皮之下，將手一抬，竟抬起一張乾乾淨淨的牛皮，小心的攞到地上，牛的全身肌肉一覽無餘，連胸膛中強烈的心臟跳動都還隱約可見，卻沒流多少血。

此時，龔師傅命令學徒們靠近，按壓住牛身。

龔師傅將刀尖輕插入牛隻左肩胛下方，口中小聲道：「解。」左邊肌肉整片整片應聲脫落，正好捧在學徒手中，學徒忍不住驚呼起來。與此同時，牛的肚腸一古腦兒掉落，正好掉在下方的盤子裡。

龔師傅依樣將刀尖伸入右肩胛，阿瑞托著牛身，只覺手掌下一陣微顫，整片牛肉就脫落下來了。他看清龔師傅下刀之處，正是數條肌肉糾結之「點」，龔師傅從那個「點」開路，牛的肌肉便順其自然而落。

點！

正是這個「點」！

五名錦衣衛分頭攻擊，三名又再攻阿瑞，兩名被打腫臉的則直撲賽流星。

三位錦衣，各個心思不同，有的已有些怯意，刀勢不復猛利，有的則憤慨不已，要討回一口氣，刀勢猛烈。這五刀攻來，有急有緩，有剛有柔，有攻中帶守，有全無守勢，無論如何，這鬆緊之間，必定有一「點」存在。

庖丁解牛，正是以點著手，化點為線，線擴大成面，於是……

阿瑞舉刀，錦衣三刀尚未交鋒，三條攻擊軌跡尚未交集，於是……

阿瑞再舉另一刀，伸向賽流星，因為那邊還有兩把刀，於是……

三名攻擊阿瑞的錦衣衛一腳踏前，刀已斬下，卻沒斬著任何東西，阿瑞也不在跟前，一切完全出乎意料，他們一時錯愕不已，有一秒鐘時間腦袋空空，不知該做什麼才好。

他們回頭一望，望見另兩位攻擊賽流星的錦衣衛，也在回頭看，也在目瞪口哆，看見阿瑞和賽流星兩人站在中央。

阿瑞說：「我方才手下留情，只念你們不過是為虎作倀，今日我倆只為這孽闇而來，若諸位不出手阻僥，我也不會動真刀。」

他們都知道，阿瑞剛才的刀刃從沒對向任何一人，他只在對付刀而已。

「少貧嘴！」吳長空嚷道，「今日就要你變成肉醬！」

肉醬？阿瑞知道製肉醬的刀法，一把平口刀刃，在厚砧板上剁肉，筋不可全斷，還要肥瘦參半，肉醬才有咬勁，一把刀運用熟悉了，可兩刀齊剁，可真功夫還是見在一把刀上，兩刀雖快，不過是省時的花巧功夫，由於兩手力道不均，剁出的肉反而咬起來不會每一口都一樣。

「你們不願放過我，我也無法留情了。」阿瑞舉起切肉刀，刀刃圓彎。

他憶起馬老師傅在殺牛後雙手合什，口中不知唸些什麼。

他問起這件事時，馬老師傅回道：「牠會痛的。」

牛會痛，當然，牛還會啼哭求饒，還會怨恨殺他的人。

「咱們雖是血口上討吃的勾當，仁慈之心也不應完全磨滅，我殺牛，只求讓牛速死，而且死得痛苦最少。」

「那師傅唸的是……？」

「往生咒，願牠早日找個好歸宿，來世莫再當畜生。」

阿瑞大喊：「來世莫再當畜生呀！」說時遲，那時快，刀光已迫及眼前。

五把刀鏗鏘落地。

五根尾指隨後掉落。

阿瑞還是手下留情了。

若切的是大拇指，他們這一生就不必握刀、不必動筷、不能抓筆，甚至不能下棋。

少了尾指，刀也握不緊了，但頂多無法挖鼻孔。

五名錦衣衛一時未覺手痛，只在心中怪道為何握刀不穩了。轉眼，漸覺疼痛，痛楚愈加劇烈，指痛連心，痛得牙根發緊，直冒冷汗。吳長空在痛楚中兀自憶起，前番在一味堂與姓龔的二廚交手，也見他使過這一招，將夥伴的拇指削去。

他們殺過許多人，從未考慮過別人痛不痛，或許是因為殺人太多，殺得都忘了原來被刀切割是那麼痛的。

這就是痛在別人身上和自己身上的不同。

明鏡使移近飛虹子，輕聲道：「你瞧。」

「瞧啥？」

「這孩子是個奇葩，方才要不是他投鼠忌器，顧及咱倆是師叔，說不定還不能生擒他。」

飛虹子頓首道：「瞧他這殺紅眼的狠勁，要是他對咱倆狠起心腸，老夫也不知勝算幾何。」

「不過……」

「不過什麼？」

「他有弱點。」

阿瑞乘勝追擊，衝向鄭公公，賽流星也一起撲過去。

鄭公公火速運掌，手掌即刻發黑，冒出寒氣。

他身邊還有一名錦衣衛，長得無常鬼也似的端木雄，見鄭公公被襲，卻毫無動靜，另外還有兩名小宦官，也不知所措的在亂跳。

此時，響起一把沉厚有力的聲音：「你給我住手。」雖不大聲，卻令阿瑞頓時停下腳步，心底還馬上產生一股懼意。

是住持，長生宮住持朱九淵說話了。

事隔多年，住持的聲音依然那麼有威嚴，這是自幼種入意識中的反應。

「你給我住手。」朱九淵道，「你要對我的客人做什麼？」

阿瑞楞住了。

鄭公公嘿嘿笑道：「朱道長，您教的徒弟，教養可不怎麼樣呀。」

朱九淵瞪了他一眼：「你是客人，客人之道，在於別理他人家事。」

鄭公公臉上一陣青一陣紅，脖子都變粗了。

「是啊，師弟，」阿瑞順口道，「你可要乖乖的哦。」

賽流星楞在原地，不敢相信眼前的一幕，不禁作聲大叫：「這下子又怎麼啦？怎麼全部都變成一家人啦！」

朱九淵微笑走向阿瑞，道：「沒想到在外多年，你竟已成材了。」

住持的聲音好令人放心，住持的話語好令人寬慰。

朱九淵伸手，道：「如果住持原諒你，你願重歸長生宮門下嗎？」

「我……」

阿瑞迷茫了，長生宮是家，哪一個遊子不想回家？

尤其是，當開口邀他回家的人，就是逐他出門，恩威並施的住持。

「師兄請住手。」飛虹子的聲音忽然自耳際響起。

阿瑞一驚，自迷惑中猛然抬首，見飛虹子的長劍正橫在他肩上，劍鋒指向斜側方。

更重要的是，住持的手正要輕拍他的肩膀，被飛虹子長劍所阻，手掌停在離劍一寸上方。

劍身發紅，正微冒熱氣。

住持的手也發紅了，熱氣逼人，阿瑞感到耳朵被燙傷，也聞到耳邊的鬢髮發出焦味。

阿瑞心底整個寒起，連退幾步，直瞪住持紅通通的手掌。

那是長生宮「離門」的「火犁掌」，被擊中之人，輕則皮開肉綻，重則五內焚燒，可隔著肚皮煮熟內臟。

朱九淵被飛虹子阻撓，臉色陰沉的收回手掌：「師弟為何阻我？」

「師兄，要施七殺之刑，也得稟告歷代師祖。」飛虹子冷冷的說。

「此是孽徒，眾所皆知，已逃過五絕之罪，如此不仁不義之人，何必多言？」

「住……住持……」阿瑞悲傷莫名，眼淚都快溢出來了，「你要殺我？」

朱九淵道：「你本來就不該活下來的。」

朱九淵眼中盡是殺意，殺意延燒到掌心，迸出烈焰。

「快逃！」飛虹子轉頭向阿瑞說道。

阿瑞一時迷茫，還是賽流星見情勢不對，拉了他就跑。

錯亂之間，飛虹子忽覺胸口一熱，本能的縮起胸部，卻見朱九淵的火犁掌已直迫胸前，驚道：「師兄，你……」驚愕未定，背後又覺利刺插入背脊，回頭一看，是明鏡使的拂塵凝成利鋒，已透入腰際。

突變橫生，飛虹子一時還不瞭解怎麼回事，胸口衣裳已燒開一個大手印。

「師叔！」阿瑞回身大叫。

賽流星忙湊去他耳邊道：「小兄弟，留得青山在，不怕沒柴燒啊……」

阿瑞看著飛虹子一臉錯愕的倒地，明鏡使平靜的望向阿瑞，眼神看不出他內心的感覺，是憂是喜，或哀或樂，似乎只是完成了一件微不足道的日常瑣事。

此刻，大殿外有人趕來，阿瑞一看，是其他師叔、師伯、師兄弟等，一一聞風而至，他們看見倒在地上的飛虹子，看見住持朱九淵，也看見一身衣衫殘舊的阿瑞。

「你怎麼會在這裡？」作喊的是阿瑞的業師柳嵐煙，他一臉驚疑，身邊是柳嵐煙的業師司華容，也就是阿瑞的師公。

這兩位都是親手養大阿瑞的人，阿瑞縱有千言萬語，卻連一個字解釋的機會也沒有！

賽流星再次拉扯阿瑞，這回阿瑞想也不想，拔腿就跑。

他跑去大殿三清像後方，他知道那裡有條少人走動的窄廊，他小時候常利用那裡抄近路。

鄭公公一腳踢去倒地的錦衣衛：「還不快去將功贖罪？」斷了一指的錦衣衛們忍痛抄刀，直追入窄廊。

阿瑞轉彎抹角，東竄西跑，不一會進入院後的菜園子，就是他剛才跳進來的地方。曾在這菜園子工作過好幾年，對這片角落再熟悉不過了。

如果他的記憶沒錯，那裡的牆壁有個破洞，長生宮圍牆很長，有某個角落破了小洞，大概也不易發覺，何況當年阿瑞一發現該洞，就用雜草枝葉擋住，以方便偷溜出去玩。

事實上，當年他無意中得知被判五絕之罪時，就是從這裡逃離的。逃出破洞後，他還不忘順手遮蔽破洞。

阿瑞奔向記憶中的牆壁，在一棵矮樹旁，雜草叢生處……他用手一抹，破洞不在了！

「該死！」他急道。想是事隔多年，破洞終究有人發現了填起。

又或者……他不願這麼想——還有一位知道破洞的存在，曾經與他共享秘密的人……

「你帶俺來這裡幹嘛？」賽流星氣得亂跳。

「我以為這邊有個洞。」

「洞？」賽流星四處觀看，「俺瞧連屁眼也沒一個！」

「你怎麼會結識這種粗人？」一把嬌聲從後方傳來。

阿瑞又驚又喜。

驚的是有人追上他們了，喜的是，那把聲音曾經那麼熟悉。

他猛回身，果然是她！

彩衣！

青梅竹馬的師妹。

「彩衣！」他喜不自勝，但此時此刻，追兵的腳步聲已近。

彩衣沒回應他，望著他的眼神，令阿瑞覺得很是陌生，彩衣的眼神失去以往的凌氣逼人，面色也添了些蒼霜，連翹起的上唇也感覺下塌了些許。

「唉。」彩衣輕嘆一聲，右手揚起。

一顆鐵蒺藜劃過空氣，撞上牆壁的一角，一個破洞赫然躍現。

阿瑞不明白彩衣使了什麼手法，鐵蒺藜根本沒破壞什麼，原本根本沒蹤影的破洞竟像魔術般出現了。

「你沒時間了。」彩衣幽幽地提醒道。

阿瑞咬咬唇，按捺著悸動不已的心：「再會。」

彩衣早已回身離去，身影沒入一間小屋後方。

事不宜遲，阿瑞匆忙鑽過破洞，逃出長生宮，心裡只巴望別再遇上符十二公佈下的奇門陣。

「往哪走？」賽流星一鑽出破洞便問。

「朝山下走。」

「俺看未必。」賽流星一語未盡，已向林中奔去。

阿瑞趕忙追過去：「你要去哪兒？」

「緊跟俺！緊跟俺！」

賽流星是這山上的挑伕，認得的山徑必定比阿瑞多。

阿瑞跟緊在他後方，只見賽流星在茂密的草叢矮林中，一下轉這邊，一下拐那邊，如在自家後園穿梭，許多雜草長及肩的地方，他卻能覓著路，奔跑起來毫無阻礙。

過去阿瑞住在長生宮，只在道觀範圍內打轉，壓根兒不知外頭的路有這許多奧妙，他以前百思不解的路段——從長生宮到野雲溪，觀中水火道人何能如此迅速來回——現在也明白幾分了。

方才在破洞處一陣蹉跎，耽誤了幾個剎那，後頭追兵已拉短了距離。五名錦衣衛沒作聲，只管或用刀背撥草而行，或揮刀斬草，雖然斷指處疼痛不已，依然一個個凝神追敵、氣息不雜，果然是久經訓練的大明武官。不管是被追者還是追逐者，大家在草叢中移動得都不快，阿瑞不時回頭，確認追兵的方向。

五名錦衣衛已散開隊形，分五路包抄，阿瑞巴不得馬上逃離他們的視線，但山徑又細又亂，賽流星再熟悉，也快不了太多。

更何況，草叢愈來愈潮濕，濃烈的草酸味撲鼻，腳下沾了午後山雨的濕土沾黏鞋底，方才激鬥後的汗水令衣服貼住皮膚，教人呼吸愈來愈不暢。

後方傳來枝葉窸窣，不似風吹，阿瑞轉頭一瞧，是師叔明鏡使正施展輕功，凌風踏枝追來。

一波未平呀！

「加把勁，快到了。」賽流星在前方呢喃道。

快到哪裡來著？

明鏡使兩手反剪在後，冷眼俯視他們，在大樹上穿行，樹長得不規則，有高有矮，有近有遠，枝葉有密有疏，是以明鏡使也跑得不怎麼順暢。

「小兄弟，」賽流星壓低了聲音，「待會俺一跑將起來，你也要即刻跟上，寸步不能離！這是極關緊要，聽明白了？」

「聽明白。」

「不管發生什麼事、有什麼擋在路上，衝過去就是，聽明白了？」

「為什麼？」

「跑哇！」

賽流星沒命似的拔腿狂奔，撞入一片密林。

阿瑞已沒時間知道答案，也只好猛地疾跑，望著賽流星的背影狂追。

鋒利的草邊割破了他的外衣，割傷了他的臉龐，草酸滲入傷口，痛得很，但他別無選擇。

五名錦衣衛見狀也加快腳步，揮動大刀，打算追上就砍。

當他們闖入山林，山林中也有東西馬上被喚醒了。

牠們聞到血的氣味。

血氣透過汗腺流出，蒸散到空氣中，在空氣中稀薄的一丁點兒血氣，都會觸動牠們敏感的嗅覺。牠們自沉睡中甦醒，天賦的野性如滴水在沸油般激起，告訴牠們一個強烈的訊息：

「食物來了！」

第一個人：賽流星經過時，他渾身汗水散發的濃濃血氣即刻驚醒牠們，饑餓感馬上填滿牠們的意識。

第二個人：阿瑞經過時，牠們已經貪婪的直往下撲去。

一時，阿瑞聽見後方彷彿有落雨聲。血氣快速蔓延，縱然身在遠方的所有夥伴們都因而迅速驚醒，紛紛離開藏身的葉背、枝幹，奮不顧身的從樹上掉下，目的只在延續牠們的生命。

錦衣衛們跑著跑著，忽然有許多黑色事物紛掉落，他們以為是毛蟲，或蜘蛛，或落葉，也不以為意，只是隨手揮刀，希望撥開那些東西。但刀刃對牠們絲毫不造成傷害，牠們柔軟無比的身軀，即使碰觸到刀刃，也像雁過寒潭，不留痕跡。

錦衣衛們追著跑著，不久，覺得身體有異樣，他們開始畏冷，山林的濕氣令他們覺得四肢酥軟，漸漸流失力氣。

他們已分路追趕，彼此間有一段距離，又隔了層層雜草矮樹，加上天色霾晦，陰雲散落著綿雨，看不分明對方。

看不清對方，只好看自己。錦衣衛吳長空走在正中間，覺得手背涼涼的，低頭一望，見手背上趴著一件事物，黑軟軟的泛著光澤，緊緊的吸著他手背，正慢慢的發脹起來。

他驚叫一聲，停步端詳，才發覺不只手背上，連頭髮上也趴了一隻，只聽「索」地一陣風，右耳忽地萬籟俱寂，用手一摸，才知那黑軟事物已緊吸在耳上，他想弄走牠，卻滑不溜丟的抓不著，才一遲疑，額頭上一陣涼快，又吸了一隻。

吳長空驚惶不已，抬頭仰視，一時之間，只見樹葉間有許多黑色飛涕也似的東西飛彈而出，精準的飛撲到皮膚上，馬上貪婪的吸吮起來。

他覺得心底發寒，拉起衣袖，才見黑壓壓的爬滿了手臂，正抽搐著肉囊似的身體，吸食吳長空的鮮血。

接著，一片黑色蒙上他的右眼，一瞬間，眼珠內液被吸食一乾，整顆眼珠扁塌下去。

他聽見自己慘叫的同時，也聽見其他錦衣衛的哀號聲。

錦衣衛們一時忘了追逐，沒命似的揮舞大刀，試圖趕走不知名的侵襲者，但侵襲者愈來愈多，牠們聞到愈來愈強烈的血氣，不，是真正的血，經過長時間奔跑而在血脈中奔流沸騰香噴噴的鮮血。牠們趨之若鶩，因為上一趟嚐到血味，已經是幾天前，一隻強壯的野豬誤闖山林，那一餐的鮮血畢竟僧多粥少，不似這回，是一頓扎扎實實的大餐。

阿瑞聽見後頭傳來淒厲的叫聲，不知發生了什麼事，又見前方賽流星拚命疾跑，他腳下也只好不敢稍作停歇，但好奇心驅使他回頭……

他才一回頭張望，便見到茂密樹葉下飛射出黑色的東西，紛墮如雨，後頭慘叫連連，一時差點令他停下腳步。

「別停！」賽流星大叫。

果然稍一遲緩，一隻黑色肉蟲打從上方飛射經過眼前。

「那東西會吸血的！」賽流星嚷道，「快跑！」

阿瑞趕忙邁開大步，另一隻黑蟲又掠過身邊。

「牠們鼻子靈得很，專嗅血氣的！」賽流星邊喘邊說。

兩人拚命跑，跑了不知多久，兩人鑽出密林，跑到一片空曠山澗邊，確定後無追兵，才敢止步歇息。

「那是什麼？」阿瑞追問。

「血蛭，聞到氣味就會跳下來吸血。」

阿瑞聽說過。

賽流星續道：「若在林中結隊而行，牠們在樹上聞見人味，第一人沒事，第二人經過時牠便飛下，第三人就被吸住了。」

阿瑞聽了，一身熱汗冒成冷汗。

「方才與俺一塊兒抬滑竿上山的，是俺姻親，他棄我而去，逃入山林時，我見他走的也是血蛭地帶，看來那位追捕他的官兵，也是凶多吉少了。」

阿瑞這才明白，山伕雖沒顯赫的武功，可通身是環境練就出來的武藝，而這片環境對他們而言也隨手都是武器，山是他們的祖神、林是他們的守護神、草是他們的兄弟。阿瑞大悟之際，當下作揖道：「多虧大哥指點！」

「先甭說指點，且轉過身來。」

賽流星這麼一說，阿瑞頓覺背脊一涼，原來背上也吸了幾隻血蛭，吸血盤口穿透衣服，連枕骨髮根上都有兩隻，血蛭業已吸飽，脹得像顆黑李子，彷彿吹彈得破。

由於被吸之處已經麻痺，阿瑞先前竟絲毫不覺，血蛭吸在頸靜脈的位置上，鮮血被吸食令他感到暈眩，意識開始出現模糊，他想抓走血蛭，卻被吸血盤口咬得緊緊的，怎麼也拉不開。

「要用火。」賽流星慌忙自腰囊中尋找火石和火摺子，一時三刻，還不知該如何迅速引火才好。

「需要貧道幫忙嗎？」高高大樹上，明鏡使傲然而立，拂塵在手上無風自飄，顯是有股真氣在暗中運行。他低吟一聲，飛身躍下，凌空中足踏禹步，在緩緩落下間竟已使了九九八十一式「純陽北斗步法」，攻守兼備，其中又可引出無窮無盡變化。

一波又起呀！

阿瑞感到體力漸弱，鼻息撩亂粗糙，視野出現重疊影子，他體會到追殺他的錦衣衛們的處境，心緒如狂風掃葉，根本顧不得師叔明鏡使是否在眼前了。

模糊中，只聞師叔對他說：「方才你以一敵五，還將大內高手尾指一一削下，可謂奇絕，只不過你有極大弱點，亦即擅於對付群攻，卻難以應付單打獨鬥。」師叔說的每一個字都溜進耳裡去了，卻不知師叔在說的是什麼意思。「方才在屋頂上，你還未露出真底子，現在讓師叔好好見識吧。」

耳中隱約聽見賽流星在說：「歹類！……乘人之危……」之類的。阿瑞眼珠子在眶裡骨碌碌打轉，四周天旋地轉，真個有口難言。

忽然，山中雷聲大震，不知打哪來的烏雲暴擁滿天，轉瞬間天色暗黑，如墮三更天中。四周迅速陷入沉靜，蟲也不響、鳥也不啼了，全在屏息靜待天色異變。

明鏡使的拂塵垂了下來，他嘆了口氣，冷冷道：「符十二公，區區小輩，何需勞動您老出手？」

賽流星一時也摸不清發生了什麼事，只見明鏡使在自問自答。

「也罷也罷，這兩人一個傷了肩，一個神志不清，貧道要是動手，江湖上還落人笑柄。」

濃雲壓低了天空，空氣愈發凝重，隨時有落雨之勢，此時，賽流星身邊一株枯草忽然冒出火花，燃起火頭，賽流星一時錯愕，隨即見機不可失，當下取出引火奴，湊近火頭。這引火奴是浸泡硫黃的厚紙片，一遇火星即燃起大火，賽流星用之輕觸血蛭，血蛭遇火，馬上縮成一團，自阿瑞身上掉落。

明鏡使又道：「您老不但阻撓，還出手相救，教我回宮如何向住持交代？」言畢，拂塵軟毛又再根根立起如尖刺。

賽流星沒聽見有人回答明鏡使，可明鏡使依然一古腦兒自問自答。

血蛭雖被火逐一燙死，可咬過的地方依然留下一個個圓坑血洞，潺潺的瀝著濁血，沒有止歇的意思。賽流星想起阿瑞給他的金創藥，確實對刀傷收口甚是有效，他將藥瓶從阿瑞身上搜出，拔開栓子，把藥粉悉倒在血蛭咬出的坑洞上，傷口馬上出現白色凝結物，過不久竟止血了。

賽流星抬頭望向明鏡使，明鏡使不過近在十步之外的光景，卻像沒注意到他們，只管眼神飄忽的東張西望。

阿瑞神智似乎清醒了幾分，他拍拍賽流星肩膀，感激他相救，也順勢指向明鏡使，輕聲道：「他看不見咱們。」

話才剛完，明鏡使忽地舉起拂塵，賽流星一驚，以為明鏡使欲攻擊他們，卻見他東指西刺，彷彿神不守舍的胡亂揮舞，像在與人對峙，又像乩童般眼神四顧。

明鏡使發出野獸般威脅的低吼聲：「符老！你跟我過不去！為什麼？為什麼？」

阿瑞在賽流星的扶持下，悄悄離開。虛弱的他回眸一望，再看了一眼踏著紛亂禹步的明鏡使，再看一眼青城山的翠綠山林，再看一眼山林後方望不見的長生宮。

想起方才看見師叔飛虹子被住持和明鏡使前後夾殺，生死不明，阿瑞頓時打了個寒噤。方才目睹這一幕時，他只有驚訝，現在他才真正覺得心寒，寒得雞皮疙瘩，萬念俱灰。

長生宮已經變得不再熟悉，連最後助他逃走的彩衣也面無表情，彷彿陌生人。

而今長生宮已動了刀兵、沾了血氣、染了世俗污穢，當初范長生得道仙地，仙氣盡散，不再是阿瑞留念之地。說不定，再過不久，青城山滿山遍野都是孤魂野鬼進駐之所了。

阿瑞不敢多想，眼下這條命是在如林高手中撿回來的，生逢亂世，活得幸福不再重要，要活得下去才是第一要緊！

中官誌

時地：崇禎十六年（一六四三年）七月中旬／北京順天府

多年來，他有一個小瓷盒，片刻不離身上，不論他前往何處，小瓷盒都如影隨形。

他瞭解人生無常，沒人對下一刻有把握，沒人知道自己最後會在什麼情況下死去。

想當年，魏公公權傾海內，一舉指、一瞪目都令人顫抖，死於其手者不計其數，其腳下血流成河，威權至極，朝中大官甚至有認他為父者。當時誰人能料到，一朝龍椅上換了主子，魏公公會以自縊收場，屍首還被寸寸分解，碎屍萬段，下場竟如此不堪？

世事無常至此，恁般不確定，所以，他唯一希望確定的，就是當他死去時，小瓷盒會伴隨在他身上。

今晚他會死去嗎？

不，總之不會是今晚。

他舉頭望月，再過兩晚，又是月圓，月色如此皎白，正是良辰吉日。

「今晚月光真亮。」他身旁的少年恭敬地說道。

「正是。」他回轉身，望向一群聚在他身後的人，個個頭戴武冠，手持鋼刀，刀上掩著紅巾，仍遮不去月色下的刀光。他輕聲道：「正好動手。」

眾人刷地一聲扯落紅巾，一時刀光閃爍，彷彿數十盞燈火。

他們腳踏底墊加厚的布鞋，無聲無息，一部分人翻過牆壁，先弄倒守門的家丁，裡應外合，開了厚重門枷，一擁而入。

「一個不留。」由他唇間吐出冷冰冰的字，殺人不沾血。

三更交二鼓，正是夜闌人靜，偌大的宅第裡安靜得很，只有憂國憂民憂前程憂朝廷鬥爭憂心如焚的周大同尚未入睡，正在書齋裡翻閱他最鍾愛的《貞觀政要》，尤其那篇〈杜讒邪〉，他已經翻過不知多少遍，書頁上的朱筆圈記也層層交錯，朱墨都堆疊得厚了起來。

大明江山，每下愈況，皇帝一個接一個不濟，一開始表現英明的崇禎帝最終還是一樣昏庸。周大同猶記得天啟年間，司禮太監魏忠賢肆虐之時，羅織大獄，朝中多少賢士死於其手，忠義大臣若楊漣、左光斗、魏大中、周朝瑞、袁化中、顧大章等六君子紛紛遇害。所幸天啟帝早早駕崩，當今崇禎皇上英明，滅了魏忠賢諸黨羽。可是這皇上英明也不過此一時、彼一時，魏忠賢亡，閹黨仍然固守宮中，才沒幾年，另一批太監坐大，依舊殘害忠良。

難道真的國家將亡嗎？眼下女真壓境，回想十四年前，崇禎帝才剛登極三年，竟連守邊疆最可靠的大將袁崇煥，都被「識破」私通女真「奴酋」皇太極，被皇上給「磔」了。

這「磔」就是通稱「凌遲」，將活生生的人千刀萬剮，直到斷氣為止，袁崇煥的首級還被傳去邊關以儆效尤。不過，袁崇煥通敵的消息也是由一位太監帶回來的，那位楊姓太監被女真所擄，在敵人營中聽見女真人說袁崇煥如何與他們合作等等，太監逃出後，火速報告皇上這消息，朝野震驚，許多與袁將軍有隙者更乘機構陷，皇上於是下旨，從邊境押回袁將軍，磔於西市。

回想袁將軍通敵的消息一出，百民視之如殺父仇人，於京城甘石橋行刑之日，還有人邊礫邊等著買他的肉來吃。但周大同心中有疑，那位揭發袁將軍的楊太監如何在女真千軍萬馬中逃出？焉知此非女真反間之計？

袁將軍死前有絕命詩，曰：「一生事業總成空，半世功名在夢中。死後不愁無將勇，忠魂依舊保遼東。」人之將死，其言也善，從絕命詩看來，周大同相信袁將軍絕非通敵之人！

然而袁將軍這一死，大明還能在各路稱孤道寡的土王和女真外患下苟延殘喘了十餘年，也算國運昌隆啊！

憂慮之間，周大同還不知今晚正是他的大限之日。

書齋的門砰砰作響，門外有人急促的喊道：「老爺！老爺！」聲音有些上氣不接下氣，彷彿喉嚨有東西哽住了。

這麼晚？他不是已經叫下人們都去睡了嗎？

周大同打開門，門外飛來一攤熱液，帶著濃濃腥味，潑在他臉上，隨即一個下人仆倒在他足前，脖子上裂開一道血口，血水很快浸濕了他的涼鞋。

周大同定睛一瞧，才看見門外站了七八人，個個紅衣握刀，為首的刀上沾了新血，正沿刀口流下，其餘的刀面反映著血色，顯是血跡剛乾不久。

「來者何人？」劇變橫生，周大同驚愕之餘，不減威嚴。

周大同睇了一眼來人腰間，掛了一方「衛」字木牌，頭戴武冠，分明是宮中衛士，稱「錦衣衛」的便是。

可是，來人的回應卻風馬牛不相及。

「強盜，」來人回道，「一夥強盜相中周宅，這是一樁滅門血案。」

滅門？周大同心中馬上浮現未滿一歲的兒子，還有正在學女紅的五歲女兒，還有身體孱弱的夫人，還有跟他曖昧不清的丫環紅袖……

方才剛道過晚安的他們，而今都可能已經命喪刀下。

周大同紅了眼：「是皇上要殺我嗎？」

分明是錦衣衛，卻硬說是強盜，是朝廷不想令人知曉，抑或是連朝廷都一無所知的借刀殺人，箇中隱情，恐怕周大同至死也弄不明白。

來人堅持道：「我們是強盜。」言罷，揮起鋼刀。

電光石火之間，周大同心思千迴萬轉，心想若為小人所毀，史冊上將不知如何記述他的事跡，恐怕永無清白之日。眼下辛勞十餘年才有今日的家庭、名望、藏書或將悉數灰飛煙滅，此時此刻不努力留下自身性命，更待何時？

鋼刀迎面，周大同不但不退避，反而奪身向前，閃過刀刃，腰下一沉，扭身擊出一拳，是少林基本拳法中「大撞碑手」。這一拳雖是少林拳入門，卻絲毫不得小覷，入門為一切後續武術變化之始祖，有入門方有登堂入室一窺堂奧的可能，拳有七式，七式綿綿不絕可擊出變化萬千。

這一拳大撞碑手經歷千錘百鍊，十年不間斷苦練，內勁可直透內臟。周大同這一拳勢猛非常，重重擊中來人心坎，來人未及吭聲，已軟倒在地，只因這心坎是人體致命點，東瀛人謂之「鳩尾」，甚為傳神，裡面有迷走神經，在強烈重擊之下能令心臟瞬間停止跳動，受擊者立時暈眩，或心臟落入失序狀況，甚至不再恢復跳動。

不想來人亦習少林拳，兩人師祖都是少林入室弟子，兩人可謂同源一家，可惜動手倉卒，未及使出第一式。何謂第一式？其式：左手握拳，右手拊左手拳背，腳下踏入中宮。若見此式，便知同門，若仍交手，是大不敬，永為祖宗家法所責。

然此刻凶險，正是性命相搏之時，豈容分秒差池？哪還計較同門不同門？間不容息之際，兩位遠房師兄弟未及相識，已傷對方性命。

前人軟倒，後人已搶上前來，舞起刀花。此人亦非小可，其乃南京「先天八卦刀」門下弟子駱從熙，因心地不純，愛生是非，不見容於名門正派，被逐出師門並不准以「先天八卦刀」弟子自稱。然而，已學武功套路豈會因此說忘就忘？

周大同見駱從熙刀花燦爛，照面而來，不容他多想，他忙下險棋，足踏中宮——亦即退三步，再進一步半——沉腰立馬，鑽入駱從熙兩肩之間，左手在迅雷間緊握駱從熙右腕，立即制住對方運刀，再用力一拉，駱從熙頓時腳步不穩，周大同馬上將右肘奮力頓向喉頭，此式又是殺著，一擊得手，頸竇立時內出血，或同前番鳩尾，迷走神經忽受抑制以致心跳停頓。

周大同招招殺著，用盡平素不用的狠毒招式，毫不留情，性命攸關之時，亦無留情之理。

「這廝礙事！」錦衣衛中有人嚷道，「大家一起上了！」

「不成！大人說要留下此人！」領隊的蒙指揮制止道。

「留什麼？」隨著一聲大嚷，只見一名錦衣衛自腰間拔出長刀，此刀甚長，刀身窄且彎如月牙，乃倭人所傳入，其刀以「百摺鋼」冶成，鋒利無比，用刀講究快準，該錦衣衛手起刀落，周大同竟完全躲避不及，右手手臂硬生生斬落，未待他慘叫，錦衣衛又是一刀，削去他左手三指，周大同二十年武藝、十年練拳，瞬時間化為夢幻泡影。

那錦衣衛還怕他發難攻擊，將刀柄反過來一敲，重擊周大同太陽穴，周大同立時昏絕倒地，無力動彈。

「左千戶！」蒙指揮慌忙道，「大人要留他……」

左千戶忿恨地說：「大人要留他一條小命，手臂是不需留的吧？」言罷，抖抖刀身，將刀刃上鮮血抖掉，隨即收刀入鞘。

千戶為錦衣衛中五品職位，這左千戶名喚尚武，自幼生性好殺，從軍後習得程宗猷所傳倭刀術，驚為天人，認為倭刀乃殺人之奇器，喜其殺人快捷，愛其刀不染血，入錦衣衛後，每有任務必以之殺人，殺人後必以清水淨之，稱該刀為「捷奴」。

左尚武收刀入鞘後，口中逕自呢喃：「殺就殺，哪來恁多囉嗦。」他步入周大同的書齋，游目看了一番，說：「這廝就是讀書太多，讀些什麼仁義，看吧，仁義的下場如何？」說著，拿起桌上蠟燭。

周大同在地上咬牙不令自己哀號，斷臂之處劇痛直透入心，血流不止令他體溫不斷下降，但此刻望見左尚武將燭火舉近藏書，心痛更劇，心寒更甚。只因這藏書多有絕版善本，更有僅存之孤本，本意年老時校考輯印成書，令其流傳後世，不料命途多舛，人已未及年老，眼下情形，這批古書也將化為灰骸，這教他比喪失生命更為沉痛。

「左千戶且慢！你想幹啥？」蒙指揮再度制止。

「燒了乾脆。」

「住手！」蒙指揮搶去他手上蠟燭，「此地近京城，屋宇密集，風乾物燥，萬一引發大火，你可擔當得起？」

左尚武一臉作臭，周大同則頓時鬆了口氣。

「指揮」一職為三品，地位是左尚武上司的上司，他哪敢不從？

蒙指揮命令其他錦衣衛離開去支援同夥，只留下他與地上兩位被周大同擊倒不知死活的錦衣衛。

周大同控制呼吸，令吸氣不致過速，一面仰首對蒙指揮說：「周某……今日死得不明不白，只怪老天無眼。」意思說，他不怨恨這些殺他的人，因為他心目中還有更重要的事，「只求世間有慧眼人，能妥善收藏好我這批古書，就是千秋功德了。」

蒙指揮不明白周大同的意思，只因他也不喜看書，他永遠也不會弄懂留下一堆又舊又臭又發黃的古書有何功德，幼時讀過的私塾，對他而言是一段不愉快且模糊的記憶，他從未對書產生過熱情，不過，他這趟任務倒是跟書有關。

蒙指揮半蹲下來，瞥了眼周大同流了一地的血泊，還有他蒼白的臉，知道他活不久了，所以必須爭取時間，蒙指揮於是指了指書架，道：「《靈龜八法》。」

周大同意識已臻模糊，眼神迷茫：「什……麼？」

「靈・龜・八・法。」

這就是他以及他全家人的死因嗎？

他的腦細胞在最後的一段血液供給中，揪出了那麼一抹往事：有人向他請教，奇經八脈氣血依日時干支變化，取穴用針部位便有不同，如此該如何運算？

他知道這人問的是《靈龜八法》，只不過他奇怪來人何出此問。

崇禎年間，周大同以國子監（國家學校）出身，於各部門撥歷（輪流實習）時，尤其在禮部頗受好評，因而受薦擔任禮部小官。當官後，他開始積極蒐集善本古書，偶得一部醫書《靈龜八法》，亦不見奇特之處，有人向他問起時，他還奇怪那人怎麼會知道他擁有此書呢？

事實上，該書並非刻意蒐集，而是一位少林同學所贈，該同學姓洪名蛟，天啟年間曾與他一同習武於少室山少林寺。兩人再遇時，洪蛟生計拮据，落魄潦倒，偶遇於「飲月軒」，只不過當時周大同是在飲月軒與同僚飲酒，而該位同學是在飯館門口演武賣藝。周大同接濟洪蛟，一個月內將他從瘦弱無力養成紅潤有肉，再贈與他一筆回鄉的盤纏，洪蛟感激涕零，臨行前將隨身攜帶的《靈龜八法》相贈，道：「莫道此書為尋常醫書，讀通之後，舉一反三，方知其妙。」

洪蛟走後，周大同翻閱此書，不見奇特，書未閱畢則置入書架，平日找書夜讀也不會再顧。

在他得書一年零三個月後，便有人問起書中門道。

他不願回答此人，只因他知道此人是與東廠太監們相好的吏部小官，他自恃正人君子，不屑與之多談，是以該人反覆探問，皆不得其所。周大同沒想到的是，該人回報司禮監之後，竟說：「該書之奧秘必定甚為高超，否則周大同絕不會支吾其詞，想必是懷寶自用。」

明朝宦官機構為中國歷朝最為龐大者，分設二十四衙門，共有十二監、四司、八局，統稱「內府衙門」，以「司禮監」為二十四衙門之首。宦官一般被稱為內官（以示服務內廷）、中官（以示服務禁中），唯有職位高者才稱為「太監」，而各監又以「掌印太監」為首。十二監之中，唯有司禮監在掌印太監之上另設有「提督太監」，在掌印太監之下又設有秉筆、隨堂太監數人，一同替皇帝批閱奏章，真的是位高權重。

魏忠賢最初掌權，便是擔任秉筆太監，問題在於秉筆太監同時掌管「東廠」，東廠專門負責警探及刑獄，為聲名狼藉的恐怖機構，權力幾無上限，令魏忠賢得權僅只七年，就幾乎殺光大明朝中菁英。

魏忠賢掌權期間，聽說同僚高寀到福建收稅時，有術士獻秘方，道是食用童男腦髓可令陽具再生，高寀因之高價收購童男腦髓，殺死孩童無數，魏忠賢知曉後，也吃了七名囚犯的腦子試試，想當然耳無效。

此時，宦官中有練武者告之魏忠賢，令陽具再生，除非行練氣之法，令陽氣聚集於會陰，日久必能見功，而這套練氣之法早已有之，記於解說奇經八脈依干支運行的《靈龜八法》之中，但世傳《靈龜八法》早已佚失此篇，必須少林秘藏《靈龜八法牛棚禪師注本》方可。

魏忠賢很心急想得到此書，遂派人秘訪少林，一無所獲，但也不敢造次，因為宦官對佛寺甚為尊重。但派去的人另得線索，說有一位少林俗家弟子已將醫書帶走，下落不明。

魏忠賢正欲廣搜天下之時，正巧天啟皇帝駕崩，崇禎帝登極，一干宦官不敢造次，專心試探皇帝心意，這事也就暫且擱下，直至崇禎帝翦除魏氏黨人，權力洗牌，另一批宦官坐大為止，才有人對東廠重提《靈龜八法》，當時距魏忠賢之死已逾十年。

而後得知周大同獲得此書，也是東廠廣佈天下的眼線向周大同家中乳母買得的消息。這乳母定期將家中聽來的大小事報知眼線，有用的消息就有賞，因此不論事情鉅細，她都一一報上，希望亂槍打鳥，言多必中，好博取多些賞錢。這一則消息，令東廠的人將前事聯想，猜測周大同手上的《靈龜八法》就是牛棚禪師注本。

這位報消息的乳母沒想到，這則消息會在一年後的一個明月將圓之夜奪去她的性命，也令她服侍的家庭遭到滅門。

周大同至死還不明白《靈龜八法》有什麼了得，要真有什麼了得，他理應早些看出才是，說不定早些看了，今晚就不會死在這書齋門前了。

他在嚥氣之前，還不忘用最後的一點神識懇求蒙指揮：「拜訪，莫負我一生藏書，千萬寄與有緣人……」

蒙指揮看他果真死了，還沒問出醫書去向，只好令人將書本全部搬走。

一夥錦衣衛殺人殺軟了手，還要搬走值錢細軟，佈置成強盜殺人模樣，個個都已筋疲力盡，何況周宅實在缺乏值錢之物，更令他們感到累上加累。

左尚武被蒙指揮叫來，蒙指揮指著地上的周大同屍身，叱道：「你看你這賣弄，東西還沒問出下落，人就失血而亡了，出門前你還說要將功贖罪，眼下不但贖罪無望，我看你還要罪加一等！」

左尚武一臉不服氣，又不敢吭聲，只好咬緊牙關，低頭不語。

為了避免惹人注目，他們將事先預備的驢子、騾子、牛車、手推車等裝上物件，還將被周大同打得死活不明的兩名錦衣衛搬上牛車，分路回錦衣衛和「外東廠」衙署，也有的是包裝在布袋帶走，待所有財物集合了才許分贓，就當成是一筆外快。至於周大同的藏書，為免落人口實，就直接運往東廠。

一切交代完畢後，待眾人全數撤離了，蒙指揮才從周宅內側鎖上門栓，翻牆而出，與等在街口一位眼線家中的主使者會合。那眼線正是向周家乳母買消息的人，他平日磨豆賣漿，勤在附近人家走動，樣貌不引人注目，加上四十歲依然孤家寡人，才會被錦衣衛收為眼線的。

蒙指揮在門板上敲了三次暗號，那眼線才狐疑的開了道小縫，一見是他，才放心的堆起笑臉。事實上，他家中有三位東廠的人，正是今晚行動的主使者，那名主使者跟兩名隨從深更半夜還坐在屋裡，也有夠令人不安的，他巴望他們速速離去，也免得一夜心驚膽戰。

蒙指揮進屋後，向坐在中間的人作了個揖，那人手上把玩著小瓷盒，一雙禿鷹般銳利的眼睛只管盯著牆上壁虎，期待那壁虎會將牆角那隻飛蛾吞下去。

「大人，」蒙指揮說，「已全部運回府上，需仔細查看。」他不直接說明白，也是不讓眼線聽明白的意思。

「沒當下找著麼？」那大人尖尖的嗓子問道。

「沒來得及。」

那大人一骨碌站起：「希望能找到，你才能算是交差了。」

「是，大人。」蒙指揮腳下已是流出一片冷汗。

那大人作勢要離去，兩名隨從忙緊跟上去，其中一人還向蒙指揮鞠了個躬，那大人臨出門前忽地止步，似是不經意的瞟了一眼那眼線，又看著蒙指揮，蒙指揮忙道：「還用得著。」那眼線不知道，在這三言兩語之間，他的小命已經被蒙指揮保下來了。

蒙指揮目送三人離去，心下知道今夜是不能睡覺了，剛才那三人，一人是他在錦衣衛的下屬，一人是小宦官，而居中被稱大人的，正是東廠太監鄭公公，是目前東廠炙手可熱的人物。

前面說過，司禮監秉筆太監兼管東廠，這「司禮監」是替皇帝管理奏章的職務，也就是說，百官寫在奏章要稟告皇上的話語，都會先經過司禮監的眼睛，由「掌印太監」將奏章整理，再由「秉筆太監」及「隨堂太監」拿硃筆替皇帝批奏章，儼如天子代言人，甚至根本就是皇帝本人。所以司禮監內挾奏章、外掌東廠，等於對朝野佈下天羅地網。

區區一個周大同，東廠要說是強盜殺人，就是強盜殺人，有誰膽敢質疑，只是凡事不可大意，還是需要佈置一番，在衙門檢察紀錄上才說得過去。

蒙指揮別過了那眼線，牽上繫在屋角的墨黑色駿馬，盤算著下屬們回到錦衣衛的時間，錦衣衛位於正陽門內、皇城南牆外，而「外東廠」位於皇城東牆外，相距也有半個時辰腳程，要不是騎馬，從這裡這一路去外東廠，腳步快的也必須走上一個時辰。

他不想這麼快回去。

反正他騎馬，絕對比下屬回得早。

一路緩行，路上無人，唯明月相伴，蒙指揮心中倍感寂寞，但他剛殺了人，需要這種寂寞，不然他的心志遲早會被血腥浸透，永世不得抽離。

此時，耳邊忽然傳來慘烈的尖叫聲，他陡地一驚，手撫刀鞘，作勢拔刀。他轉頭向叫聲傳來的方向，見有一戶人家燈光明亮，熱騰騰的正燒著水，從籬笆間隙望去，一名胖大漢子正舉起明亮亮屠刀，壓坐在豬隻身上，往脖子拉了一道裂口，豬隻狂踢著腿，無奈四肢已被綮綁，只好淚水橫流，拚命扭動噴血的脖子，在劇痛中與死亡角力。

蒙指揮忽感一陣心悸。

他何嘗不怕死？凡有生命皆畏死不是嗎？

今夜他主持二十名錦衣衛殺盡周家老小，從周大同的老娘殺至他幼女和男嬰，三代同堂，難道今晚他們是不怕死的嗎？

他忍不住想像，他們今晚入睡以前，有沒有計畫那個永遠不會來臨的明天要做些什麼事？

他忍不住想像，周家老小二十餘口，現在正靜靜的躺在家中，逐漸腐爛、發臭，跟那隻被殺的豬隻沒兩樣。

他忍不住唸起佛號，希望綿綿不絕的佛號能為他減去些許惡業，他知道其實不能，到頭來他終需負擔這一切，他希望的其實只是換取片刻的平靜。

曾有同僚酒後吐真言，道：「我輩苟存亂世，能保住自家性命為第一要緊事！其他人的命算老幾？」他不想苟同，不願苟同，也不能苟同。

但他必須同流合污。

「什麼人？」一聲叱喝喚醒了他的沉思。

是一小隊巡城的軍兵，這好辦，他亮出腰間木牌，上面刻了個「衛」字的，道：「錦衣衛蒙指揮。」來人馬上緩下臉色，恭恭敬敬的送他過去，一句話也不敢多問。

蒙指揮騎上馬，讓馬兒踏著輕盈的腳步回內城。

那邊廂，鄭公公與兩名隨從早已快馬回到外東廠，只等錦衣衛們將周大同的書運到。

鄭公公步入外東廠衙署，吩咐兩名隨從守候在正廳，自個兒經過正廳懸掛「朝廷心腹」四個御賜金漆大字的匾額下方，轉入偏堂，只見一位白衣秀士端坐在偏堂上，趺坐閉目，似在養神，鄭公公也不打擾，專等周大同藏書運到。

良久，白衣秀士才微啟雙目，見鄭公公坐在一旁，便起身作揖。

鄭公公也不多禮、不贅言，道：「呂道長，你說的書，還不知道有沒有呢？」

「若有，就是公公的福氣，貧道的造化。」這白衣秀士名喚呂寒松，不留鬢鬚，望去只有三十來許年紀，實際上已年近五十，長年靜修和練武令他看來神采奕奕，加上一身素服，大有神仙氣質。他露出一口白潔牙齒，總是呈微笑貌。

「這《靈龜八法》的好處你說多了，只不知以何為據？」鄭公公客氣的問道，「稍一不慎，會否走火入魔？」

「公公，這本書正是預防走火入魔的寶訣呀。」

呂寒松說明道，這人身上的經脈有分「十二經脈」和「奇經八脈」兩種：十二經脈分屬十二臟腑，循行於四肢；奇經八脈則不屬任何臟腑，別道奇行，分別為任、督、衝、帶、陰維、陽維、陰蹻、陽蹻，交錯循行分佈於十二經之間，將十二經之中鄰近者相互聯繫，宛如十二經之間的捷徑，可以統領協調全身氣血。

這奇經八脈交通十二經脈之穴位共有八個，分別為後溪、列缺、公孫、臨泣、照海、申脈、內關、外關，乃兩組經脈間的重要接口，然此八穴亦如關隘，並非永遠開啟，而是依照日時干支循序開穴。

《靈龜八法》正是計算這八穴何時開啟的方法。法為：八穴分屬八卦，日時干支相加計算，得出卦名，便知今日今時何穴正開？何穴正閉？故又稱「奇經納卦法」。

如果該時辰該穴未開，而妄然下針，則該穴所接通之十二經與奇經則無法貫通，下針難見效也。

若用之於練武，當八穴正開時，將真氣貫流於該穴所接二脈，自然收事半功倍之效也。然傳說中的「牛棚禪師注本」，則另有發揮。

重點在書中的注解。

據傳，一旦依牛棚禪師所注之法練氣，不僅輕功大進，可直飛沖天，其體內真氣亦可綿綿不絕，內功境界不可限量，屆時普天之下，幾無人能敵。又傳，一旦完全練成，更能易身形、變樣貌、延四肢，依此類推，斷肢者可重生四肢，受閹者自然亦可陽具再生了。

「這牛棚禪師何許人也？」鄭公公不禁奇道。

「牛棚禪師是假名，真名不傳也。」呂寒松神秘的笑道，似另有所思。

鄭公公等不及了，陽具再生，可是多少宦官的美夢啊！

失去了那個男人該有的東西，他感到自己已經不是男人，當他跟任何男人站在一起的時候，都會感受到一股強烈的屈辱。他沒有男人粗獷的嗓子，臉上長不出男人該有的鬍鬚，甚至連小解的時候，都無法筆直的站住，而且常常控制不住小便流出，所以宦官們的褲襠總是一股尿騷味，有錢的太監還能配掛香囊驅臭，沒錢的溫飽尚且有問題，一到冬天甚至十天半月不換褲子，下體長疹發臭亦為常事，鄭公公是領教過這種生活的。

他撫撫袖袋中的小瓷盒，裡頭是他的寶貝，已經用石灰浸過再風乾，萎縮成一小團乾巴巴灰褐色的東西，好像一小塊乾醃菜。他將寶貝隨身攜帶，為的正是萬一隨時死亡，好歹也能有個全屍。

如果他的陽具能再生？

他不禁遐想，以前當小宦官時，很羨慕大太監們能有個「對食」的宮女，他們生活如夫妻，一起用餐、聊天、嬉戲，但無論如何，他們都不能行夫妻之實，有的大太監還用假陽具強暴少女，將少女凌虐至死的事都曾聽聞，這已經是一種被自己逼得快要發瘋的心情，才會幹出這種事的。

要不是他有練武，讓腦袋沒多餘時間亂想，他也準會瘋的。

要不是他偶爾會殺幾個人，感受一下操縱人命的快感，消除一下在正常人面前的自卑感，他也準會瘋的。

現在他更期待的是當一個正常的男人，享受一下他從未感受過的當真正男人的滋味。

那本書，真的在周大同手上嗎？

話分兩頭，且說那蒙指揮雖不讓馬兒快跑，也很快就趕上了帶書的錦衣衛。

周大同的藏書不算少，用布包裹了五包才全部帶走，三名地位較低下的錦衣衛負責拎了走到外東廠，在路上走得氣喘如牛，蒙指揮將馬停下，對三人說：「且與我兩包，那你們可以走快些。」

「蒙指揮，不必了，」三名錦衣衛惶恐的說，「這些小的還拿得動。」

蒙指揮體恤的說：「沒什麼好客氣的，大家都想早點回去歇了吧？」他硬提走其中一位錦衣衛的兩包書，將兩個布包綁在一起，搭上馬背，如今三名錦衣衛一人一包書，腳下輕快許多，心裡對這位體貼的長官感激得很。

蒙指揮吆喝一聲，黑馬繞出二條胡同，轉入正陽門大街，朝正陽門奔去，過了正陽門便是進入內城棋盤街，距離錦衣衛衙署也不遠了。

他向守門戍卒出示腰牌，並說明後頭還有許多錦衣衛會進門，到時方便通過則可。但他本人並不穿過正陽門，而在城門內的一座小廟「觀音大士廟」止步，那裡有他相熟的廟祝，事實上也是他的眼線之一。

他繞到觀音大士廟側門，敲了幾下，不久有人帶著睡意回應了一聲：「誰呀？天黑著呢。」

蒙指揮輕聲說：「賣長壽豆腐的來了。」這暗語是指東廠的壽杖，由魏忠賢發明，此杖頭粗尾細，頭刻「壽」字，用於刑杖，幾杖子下去，皮不見傷，內頭已肉爛如豆腐。錦衣衛與東廠常共同行事，勾結已經幾代，是以一提東廠，往往又跟錦衣衛有關。

裡頭有老者聽了暗語，似是頃刻醒了幾分，忙問：「什麼貨色？」

「金毛巾白毛巾，任挑。」

老者匆匆開了門：「不知蒙指揮大駕光臨，老朽怠慢了。」

蒙指揮拎了布包闖入側門，將馬繩送到廟祝手上：「牽好馬，在外頭等我。」

老廟祝沒什麼好爭辯的，只得乖乖在睡眼惺忪中吹著冷風，還要牽牢蒙指揮的黑馬。

蒙指揮合上門，解開布包，將書本一本本查看標題。方才將書本打包時，他早已注意書本的分類，刻意將醫書集在一起，還將它交給一位錦衣衛，除非他們在路上有將布包交換，否則，只要是醫書，應該都在這位錦衣衛手上。

在燈火不明下快速翻看，「靈龜八法」四個字一點也不見蹤影。除了知曉是醫書之外，而且鄭公公不惜將周大同全家滅門以奪得此書，他只道這會是什麼武功秘笈，卻不知這書是跟經絡、針灸有關的，是以一時沒想到該從何找起。手上書本繁多，要是沒寫在封面上的話，一時三刻還真是茫無頭緒。

蒙指揮不敢多留，忙將書本包好，重新上馬，臨走不忘叮嚀廟祝忘了此事，只當作是場夜夢，而且的確是場夜夢，這才揚長而去。

他快馬加鞭前往外東廠，心裡七上八下，他可不想鄭公公獲得什麼秘笈，這對任何人都不會是一件好事，但驟時他無計可施，只得硬著頭皮回東廠。

運書的錦衣衛們陸續抵達外東廠時，已是四更天，正是夜霧縹緲、鳥獸寂靜時分，錦衣衛們衣服上結了露珠，寒透入心，歇下了布包，兀自顫抖著身子，要鬧病的模樣。
蒙指揮吩咐他們快回去歇了，明兒還得早起辦事，而他自己還得留下侍候著鄭公公呢。反而是鄭公公見他還站在那，臉色不悅道：「你在這兒幹嘛？」
「我……在等候鄭公公吩咐。」
「沒啥吩咐，你可以走了。」
蒙指揮不敢多言，他心裡惦念著周大同臨死前的要求，希望為這批書尋一個有緣人，他擔心鄭公公會將這些書燒了。但他也無可奈何，要是多說幾句，搞不好鄭公公還以為他有何企圖呢。
待蒙指揮去後，呂寒松才現身，面帶輕鬆的看著眼前這堆書。他方才觀察蒙指揮欲言又止，疑心他有什麼蹊蹺，但現下他是個不露臉的人物，也不能造次，只是心裡已記下要留意蒙指揮這個人。
這些周大同藏書共有一百四十四本，呂寒松一本本查看書名也有夠瞧的，費了一盞茶光景，他和蒙指揮一樣沒找到那個書名，心裡第一個念頭是書已被取走，而且第一個想到的是蒙指揮。這種事不該大意的，他應該在現場親自找書才是，要不是礙於身分，他早就這麼做了。
但呂寒松是何等人？他暫且壓下疑心，先假設《靈龜八法》確仍在這堆書中，只因《靈龜八法》不太可能是一本多厚的書，其法只消用一首詩便可背誦，只需再加兩三頁便可說得一清二楚，所以它要不是只有幾張紙，便是附在某本書裡頭，尤其是醫書。
於是，他又花個一頓飯光陰，細細翻開每一頁。他看書很快，有一目十行之功，在長生宮以博聞強記有名，然翻完了每一頁也不見「靈龜八法」四字。

呂寒松仔細想想，剛才有什麼蛛絲馬跡顯示《靈龜八法》的確在這堆書中沒有？他搜索醫書，約有十餘本，都是常見如《內經》、《肘後方》、《本草備急》、《傷寒雜病論》、《小兒藥證直訣》之類，不常見的倒有《丹溪心法》。無論如何，這裡頭沒有一本專論經絡，更罔論靈龜八法了。

呂寒松再度沉思，「靈龜」二字何以用於經絡之書？「靈龜」為占卦所用之龜殼，龜殼腹部平坦如地，而背隆起如穹蒼，凡天地之象，故用於占卦，「靈龜八法」又稱「奇經納卦法」，以八卦代表奇經八脈，故以「靈龜」喻八卦也。

周大同會不會誤以為此書為卦書，而歸入命術之類？呂寒松於是更詳細的翻看周大同僅有的三本命書，不過是《梅花易數演義》、《四時宜忌》、《青囊舉要》之類，甚至連對折的夾頁中間都不忘掀開來看看。

鄭公公見他弄了半天，沒得出個結果，不免心急：「呂道長，還沒找到嗎？」

「貧道沒見著任何靈龜八法四字。」呂寒松言罷，直視鄭公公，看他怎麼想。

「什麼意思？」

「要不是那個人沒那本書，就是那個人原本有那本書，可是正巧易手了，要不然就是那個人還是有那本書，不過眼下不在咱們手上。」

「什麼意思？」

「回公公，貧道沒什麼意思。」呂寒松狡詐的說，「倒是想知道公公的意思？」

鄭公公垂首一想，今夜實在關節太多、程序太繁、牽連太廣，雖說已將動手的最高人數縮減到二十，以求速決，但人多可能易生枝節，他最不希望的是，《靈龜八法》已落在錦衣衛手中，如此最後的線索就斷在周大同身上了。

此時此刻，他真希望當初魏忠賢有爭取到動手奪書的時機。

現在他必須想想下一步，今晚的錦衣衛中，何人最為可疑……？

另一方面，蒙指揮策馬朝南而去，經過錦衣衛衙署卻過門而不入，他不在意那些正在分贓的同僚們，也不在意他能分得多少，他只想回到周大同的宅院去。再度穿過正陽門，守門軍兵依然沒人敢多問，再說他的宅子也在外城，要是明日有人查問起來，他推說是回家就行了。

進了外城，他轉向西行，放緩馬步，抵達周宅不遠，便輕手輕腳將馬繩繫好，再提起一口氣，施展輕功，躍入周宅。現在宅院之內已無人阻擋，要有的話，大概只有一個時辰前剛剛寃死尚混沌不明的新鬼吧。

蒙指揮躡手躡腳穿過宅院，直往周大同的書齋走去，他對周家宅院的地形及廂房分佈瞭如指掌，因為他們早在出發動手前就研究透徹、事先演練過了。周大同依舊俯躺在書齋門邊，夜寒沾露，屍身已冷，死不瞑目的臉側視著星斗，慘白的肌膚在月光下凝若冰霜。雖說蒙指揮看慣死人，也不免低聲呢喃了句「阿彌陀佛」才跨過屍身。

他找到桌上的蠟燭，用火摺子點了火，憑著微弱且在夜風下搖晃不定的燭光查看書架，架上想當然耳已是空空如也。他將手探入書架邊緣，又摸摸書架上層，看有遺漏什麼沒有，他又查了桌子、椅子、櫃子以及牆上的字畫後面等等，一無所獲。

妨。

他看見角落有一個大瓷缸，擺了幾幅捲軸，不知是字畫還是什麼，反正來了，但看無

蒙指揮將捲軸在桌上展開，映入眼中的是一幅細密小字行楷，寫的是諸葛武侯《出師表》，到捲軸末端只寫了一部分，可見其他幾幅應該是要在牆上掛成一排才能完成《出師表》全文的。此時蒙指揮想起，周大同家中的乳母給他消息時，曾說是一位落魄的流浪漢在家中住了個把月，臨走才贈書的，試想一位流浪漢如何攜帶捲軸行走四方？雖非不可能，但委實不便。

燭火一陣暗一陣明，已近燃盡，蒙指揮要找新蠟燭，才發現書齋不起眼的角落，竟供有一片木牌，湊近一看，上刻「恩師海潮法師之靈位」。木牌後方擺了幾根新蠟燭，蒙指揮用手一摸，摸到了幾本書，心中陡地一驚：「這裡還有漏網之魚！」摸起來是經折裝的書本，顯是佛經之類。

蒙指揮立刻換上新蠟燭，將經本拿到桌上攤開，共有五本，是常見早晚課用的《阿彌陀經》、《地藏菩薩本願經》、《觀世音普門品》、《金剛經》以及《十牛圖》。

等等，《十牛圖》名字與其他經本大異，是啥來著？

他在弱光下翻看，果然有圖，圖中的確有牛，每圖附一詩，書明「普明禪師頌」。第一圖有小題「未牧」，畫一牧童意圖用草繩馴伏黑牛。隨著小題目「初調」、「受制」，變成「迴首」、「馴伏」，畫中黑牛漸次轉白，也無需牧童用繩子繫著，到了「無礙」、「任運」諸圖，人牛已相處無礙，隨後「相忘」之圖，人牛已互不牽制，到了「獨照」

之圖，牛兒已無蹤影，只餘牧童在山間明月下拍手高歌，最後第十圖僅畫一空白大圓，題曰「雙泯」，旁有普明禪師頌曰：「人牛不見杳無蹤，明月光含萬象空，若問其中端的意，野花芳草自叢叢。」

十圖充滿禪意，顯見是禪宗之書。

蒙指揮望了一眼周大同屍身，心中感慨萬千，殺了一位飽學之士，自感罪孽深重，但他不可作如是想，否則就當不成錦衣衛指揮，甚至當不成錦衣衛了。

他再搜查了一陣，將牆上所掛字畫也悉數捲起，包紮妥當，確定已無餘下一書一紙，這才將所有經書、捲軸運出周宅，揚長而去。

他不知道的是，馬蹄聲未遠，周宅中便有一人自一小室輕步走出，他方才一直躲在陰影中，鼻息微細幾如龜息，為的是監視蒙指揮的一舉一動。事實上，他沒預期出現的會是蒙指揮，心中是又驚又喜。

那人腰間掛了把細長倭刀，正是錦衣衛千戶左尚武，他看著掉在周大同屍身旁的斷臂與斷指，得意的抽出倭刀，再往屍身劈了兩刀，再吐口涎沫，叱道：「如此方解我心頭之恨！」

鄭公公知人善任，他知道左尚武心機深、愛出頭，在錦衣衛中並無知交，這種人用於監探錦衣衛內部最為有用，就如饞嘴得永不滿足的狗兒，只消一點小利就可指使他言聽計從。

左尚武方才快步回到錦衣衛衙署，便依鄭公公事前所吩咐回到周宅，看有何人回頭潛入，見是蒙指揮，左尚武雀躍萬分，只道這是扳倒蒙指揮的大好機會，恨不得馬上回去稟報鄭公公。然時近五更初，天角已露魚肚色，也有木輪滾動的聲音在牆外經過，正是凌晨酣睡之佳時，恐怕鄭公公正準備著早朝的事前工夫，不便打擾。

好不容易候到天色露白，左尚武才偷偷越過高牆，趕路回衙署，一日一夜的操勞已使他累得骨髓發冷，腦袋沉重，兩眼昏花，想到待會又要工作，便恨不得再斬周大同幾刀，以懲其害他一夜無眠。

鄭公公也很累。

他必須準備向另一位鄭公公報告昨晚的事，那另一位鄭公公單名一個惠字，是當今皇上親自考選的秉筆太監，其位雖重，卻對東廠事務不甚熟手，因此實權是在他這位鄭公公手裡。

明朝對司禮監秉筆、隨堂太監的學識要求很高，因為他們必須助皇上批閱奏章，歷任秉筆太監只有魏忠賢例外的不識字，到了崇禎帝又恢復重視，因此皇上親自出題「事君能致其身」，由鄭惠及曹化淳兩太監考中，這麼一來無疑干擾了東廠原本的運作。

鄭公公當然也希望考上，可是他識字不多，當小宦官時也沒機會被選進內書堂讀書，更甭說考試了。但是鄭公公並不擔心，權力的運作不就那麼回事？沒考上秉筆太監不打緊，反正能者多勞，只消每月定期俸銀給鄭惠太監，他也會樂得清閒，懶得插手這些瑣務。

早朝過後，秉筆太監鄭惠終於進入東廠辦公，鄭公公向他報告：「昨夜外城有禮部周大同家，遭強盜血洗，恐怕已無活口。」

「哦？朝中尚未聽說。」鄭惠用茶水漱漱口，一副不在乎的樣子。

「公公說笑了，有誰消息較咱靈通？」

「有何線索？」

「廣勝鏢局近日強徒聚集，怕是脫不了關係。」

「廣勝的名聲不錯。」

「廣勝鏢局的當家馮勝，平日素喜結交豪傑，門下弟子眾多，京城內有這種人物在，只怕對皇上不利。」

「怎麼說？」

「張賊、闖賊勢不可擋，迫近京城，廣勝鏢局與闖賊麾下人物有來往，只怕到時來個裡應外合……」

鄭惠太監兩眼一瞪，拍案道：「那還得了？」

「依照消息，昨晚周大同家血案，正是有城外強盜與馮勝勾結，恐怕這些強人尚在城內，或乘清早城門開啟時出城去了。」

「既有消息，為何還不逮人？」

「如公所言，廣勝鏢局在京城頗有名氣，不太方便……」

鄭惠太監瞇目道：「這不太方便，似乎從來不是你的作風呢？」

「公公言笑了。」

「你要什麼方便？」

「只消公公點個頭罷了。」

「去吧。」鄭惠太監擺手道，「眼下邊防告急，人心惶惶，只要與通敵有關，皇上也必定會便宜行事。」

原來如此，這通敵果然是翦除任何人的好帽子呢。

鄭惠太監喝了口茶，又道：「王娘娘的壽禮可備妥了？」

「還沒，王娘娘可不是五月才辦過壽辰嗎？現下才七月呢。」

鄭惠太監要鄭公公靠近些，然後湊在他耳邊說道：「王娘娘對我們的禮滿意得不得了，她私下問我，能不能多得幾件呢。」

鄭公公面帶難色：「此非尋常之物，還望公公容我多耗些時日。」

「我也知道你的能耐，」鄭惠太監嘆息道，「你說不容易，那就不會容易，只不過，王娘娘是咱重要的護身符，決不可怠慢了。」

鄭公公頓感壓力，他何嘗不知王娘娘的重要性？只是命令別人再容易不過，難就難在實行罷了。

要不是這樣，他也無需在這個時機拿廣勝鏢局開刀。

廣勝鏢局被他記恨在心的其中一個原因，正是因為不答應幫他到遠地廣西去辦壽禮。想這廣西之地偏遠，他雖在京中頗有勢力，對鞭長莫及的廣西自然是一籌莫展，有些宦官同僚被派往該地管理稅務，對當地情況也不太熟，要得到王娘娘所欲之壽禮，談何容易？因此才要求助於平日護貨至遠地最有名望的鏢局。

然而廣勝鏢局不識抬舉，要不殺一儆百，以後還有誰願替他做事？

回想至此，鄭公公又不禁對自己的謀略得意起來：這叫一舉三得，殺周大同得《靈龜八法》，以周宅血案誣殺廣勝鏢局馮勝，再以殺馮勝警戒其他鏢局。

況且，廣勝鏢局欠他的，還不只這件事呢。

廣勝鏢局被他懷恨最重要的原因，恐怕連他們自己也弄不清楚。

鄭公公正在分神，正好鄭惠太監用完茶，起身欲離去，回頭又說：「你託我在『慈恩寺』設的靈位，經已辦妥，有空去燒支香吧。」

這句話觸動了他沉積在心底已久的記憶。

靈位是義父的。

每位小宦官初入宮時，必拜一位老宦官為義父，一般上都是拜「大璫」為義父，但他的義父不同，只是一位職位卑下的「淨軍」。

宦官中有權勢者稱之「大璫」，而「淨軍」則是一群被皇上一家子挑選個人侍者後剩下、掙扎不到上游的宦者，幹的是勞力工作如打掃、澆花、搬運等力氣活兒的苦役。

回想起義父，鄭公公是又悲又憤。

鄭惠太監離開後，鄭公公回到外東廠署偏室，那是他平日休憩所在，為了消去他的悲憤，他除下外袍，在偏室打了一套拳，這是他每日都會打上幾回的拳路，不是呂寒松教他的「青城十八式」長生宮基本套路，而是他義父所教的無名拳路。

他義父身為卑下的淨軍，竟身藏武藝，等閒不輕易示人，只在私下時授予他。

他足踏九宮，依五行生剋移步，依陰陽消長立馬運臂出拳，依天地氣勢吐納，足足用了半支香工夫運完一百零八式拳路。

但是，他並不知道這拳路中內含五行生剋、陰陽消長、天地吐納，他義父也沒說，只教他一五一十依樣演練，且務必切記每式吐納氣息之緩急。

演完拳路後，鄭公公已是大汗淋漓，悲憤也被發洩了大半，意猶未盡，便繼續演練「青城十八式」，這是與義父所教完全不同的路子。

義父之拳剛強有勁，如石擊山，而青城十八式則柔中帶韌，如水推舟。

他對拳腳有些兒慧根，或許是因為自幼義父教導有方，打下的基礎夠扎實，是以呂寒松一教他青城十八式，雖然剛柔之理完全不同，他也能極快上手。這兩套拳一剛一柔、一陽一陰、一顯一晦，每日演練之下，雖不諳拳理，卻也能交替運用，只不過在交替之間不甚順暢，尚未稱得上自如，這一點他並未向呂寒松討教，事實上，他還打從心裡有點瞧不起呂寒松。

演完兩套拳後，鄭公公才發現他的徒弟忠兒正在一旁候著。

那忠兒是個唇紅齒白的小宦官，前年才收為徒的，年方十四也不知哪兒人家，很是伶俐，常常摸得著鄭公公的心思。鄭公公不喜歡被人知道他的心思，唯有忠兒例外。

「你久候多時啦？」鄭公公邊拭汗邊問。

「回義父，徒兒沒來多久。」

「啥事兒？」

「蒙指揮在廳外候著呢，他倒是久等了。」

「嗯？」蒙指揮怎麼又來了？他還未計畫該如何整倒廣勝鏢局，還不需要蒙指揮呢。

來到偏廳，只見蒙指揮挽了個布包，裡頭竟是五本經書和幾幅捲軸。

「公公，我昨夜怕因倉卒而有餘漏，於是回周宅一趟，在書齋陰暗處見著這些書，給您帶回來了。」

鄭公公心思一轉，環顧偏廳，只見桌上還擺著昨晚的一大堆書，唯獨不見呂寒松人影。

「呂道長呢？」他問忠兒。

「回顯佑宮去了。」呂寒松遠從青城山來京，鄭公公安排他暫住在城北海子旁的道觀顯佑宮，靠近外東廠，方便召喚。

他是在慈恩寺遇上呂寒松的，聽人說這位道士常在寺院走動，又聽聞很有些本事，相談之下，才漸漸熟悉的。鄭公公想說這人用得著，便常常來往，還從他身上得了不少見識，可是，他看人看多了，老覺得呂寒松另有圖謀，不太可以信任。

「他有帶走什麼書沒有？」

「回義父，如果有，徒兒也沒看見。」

鄭公公點點頭，道：「蒙指揮，你翻查過了嗎？」

「只是尋常經書和字畫，看不出什麼玄機。」

「那將它們留下，沒你的事兒了。」

蒙指揮欲言又止，正如昨晚一般，鄭公公注意到了，便問：「還有什麼事？」

蒙揮揖手道：「實不相瞞，周大同死前曾託我一事。」

「哦？」這倒有趣，不過也挺危險。

鄭公公頓時對蒙指揮增了三分警戒。

「他說這些都是古書，死前再三咐囑將書託給有心人收藏。」

「哦？」他不念家人，只念古書，這倒有趣，不過也挺無情。

鄭公公想了一想，說：「司禮監蒐集各種版本古書，整理刻版付印，這些書進入司禮監，自然是最好的歸宿了。」

蒙指揮臉上一陣喜色：「公公說得是，公公說得是，我怎麼忘了？」言罷，遂告退而去。

這麼一點事可以高興成這個樣子嗎？鄭公公有時候真搞不懂這些人，古書就是舊書，有何價值可言？況且是一位被殺的人對殺人者的託付？

鄭公公細心翻看這批新送來的經本、字畫，期待在呂寒松再來之前發現些什麼。如果可以，他不希望跟呂寒松分享《靈龜八法》。

鄭公公看了一陣，便覺心浮氣躁，他畢竟不常看書，識字也少，何況佛經，讀之幾如天書，唯有《十牛圖》雖書頁泛黃，但薄薄一本、字稀圖大，尚可忍受。他不經意的將《十牛圖》收入袖袋，心裡掛念著待會繞去慈恩寺為義父上支香，順道買個謝禮給鄭惠太監。

鄭公公吩咐忠兒準備去慈恩寺。

「要準備三牲祭品嗎？」

「那是寺院，不沾葷的，備個一百兩銀子去布施吧。」

慈恩寺距東廠不遠，鄭公公騎著慢馬，忠兒走路尾隨，輕騎前往慈恩寺。

一路上，鄭公公思潮澎湃，一會兒想起小時候在家鄉，媽媽溫暖的懷抱，總是在他受人欺侮後提供最好的安慰，一會兒又想起當小宦官時，差點發燒死去，而義父只要一沒值班就寸步不離在旁照顧。

鄭公公忍不住了，他暗自流淚。

他老家在廣東鄉下小斗村，出生時未足月，自幼體弱多病，瘦小的他常成為鄰居小孩調戲作弄的對象，只要他一出現，他們便作聲道：「娘兒來了！」他爹想，底子弱沒關係，將來也能做生意賺錢，因此取名榮發，乳名阿發。

阿發雖遭頑童們百般戲弄，他還是很想跟他們一起玩，而他們也總是惡意的抓弄他，常弄得他一身髒臭或皮破血流的號哭回家，而他在次日還是找死似的去找他們玩耍。

終於有一次，其中一位叫阿丙的小孩起了惡念：「阿發長得娘、走路也娘，不如讓他當個真正的娘兒吧？」

他們見他來了，一鬨聲將阿發包圍，兩人從背後抓住他，一人脫下他的褲子，一人拿了兩根樹枝夾住他的嬌小的陽具，口中直嚷：「刀兒匠淨手，刀來！」或許是小兒們見過、聽過專替人閹割的刀兒匠如何替人動刀，進而模仿嬉鬧，也沒真正要傷人的意思，但今天阿發慌了，他用力踢腳，意圖掙脫，拿樹枝的小兒手中不由得一緊，阿發慘叫一聲，下體潺潺流出血來。

大家見有血流出，一霎時慌了，匆匆逃回家去，遺下阿發倒在空地一角，他聽見自己羸弱的哭聲，時至今日，他仍記得當時因恐懼而漸感發冷的皮膚。

他恐懼失去化身為男子應有的東西，他恐懼不斷流出的鮮血，他恐懼死亡。

弱小的他突然記起媽媽的話：「孩子，你要勇敢。」這一瞬間，他體內生起一股暖流，決定爬起來面對他的命運，用兩手緊握住創口，一步一步蹣跚的走回家，路上被村人碰到，趕緊將冰冷的阿發抱回他家。

他母親嚇慌了，只能用厚布壓住傷口，半根陽具只跟身體連著一道皮，看起來像花生，他那種荔枝樹的莊稼漢父親趕回家來，見傳宗接代是沒指望了，便找到小斗村後的刀兒匠——舉凡村中閹人、閹狗、閹牛、閹豬全由他包下——他經驗最豐富，最可能救下阿發的小命。

刀兒匠先吩咐阿發之父取來辣椒，加水搗碎塗抹在阿發私處，令他陽具和腎囊皆感麻痺了，才取出一把又薄又利的彎刀，以熟練刀法將陽具連同腎囊全部割去，在尿道插上白蠟針以維持尿道通暢，再包紮傷口，令阿發父母扶著他緩步一個時辰才准臥下休息，緩步是為了令氣血暢通，如此四肢才不致因失血而僵硬。

隨後刀兒匠取來一張黃紙，寫上當時年月日干支及閹割時辰等，交給阿發父母：「這是他新的生辰八字，從今以後，他就是一個全新的人了。」

全新的阿發經過三天不得飲食和大小便，刀兒匠阿炳又來將白蠟針拔走，吩咐可以喝水小便了，只是仍吹不得風，所以必須在不通風的房間住上一百天，房間像養蠶寶寶的蠶室一般悶熱，但這是吐絲蛻變必經的過程。

阿發像木偶般被禁閉了一百天，每日只曉得吃喝拉撒和睡覺。這段期間，弱小的他已經在思考未來，失去陽具的他還能像父親一般在荔枝樹園裡幹活嗎？一百天後的他還能面對每一個在小斗村認識他的人嗎？

他不知道，他的父母早有了打算。

當時在嶺南、閩中一帶是宦官的重要供應區，在朝中禁止「私白」（私自閹割）的時代，由於這裡被視為化外，不禁私白，所以又產生了代理、轉手宦官的牙人。又，萬曆十一年禮部曾有旨意：「民間有四五子以上者，願將一子閹割的，可申報淨身然後登記在案」，因此阿發在這條件下已成了合法閹人。

每隔幾年，朝廷禮部和司禮監便會選取一批已淨身者成為正式宦官，屆時禮部會先出榜昭告天下。此時，代理宦官的牙人便開始出動，將小閹人們帶上京城。

父母為他收拾好衣物，給了他一些盤纏，又將積年蓄儲交給一位牙人，託他帶了阿發上路。

這是阿發最後一次看見父母的臉。

他們在天未亮的清早上路，母親匆匆送來幾張餅，便回頭去幫他爹搬運樹苗了，連不捨的最後一眼也來不及看見。

他完全不知道那牙人是誰？他將去何處？他只知道他已被完全遺棄，被最能依靠的父母遺棄，被所有村人遺棄，被自己的性別遺棄。

他已經蛻變，成為一種非男非女的人類。

牙人一路上逗留幾個小鎮，蒐集了幾名小宦官，有免不了哭哭啼啼離別父母的，也有夢想入宮當了宦官能告別三餐不繼的窮鄉僻壤的，總之大夥兒一路上晝行夜伏。起初阿發幼小體弱不耐長途，才走了半天早已腿肚子瘦痛得無法行走，牙人也不憐恤，直催他上路，否則就將他遺棄云云。年幼的他早已寒了心，他知道他已經沒有撒嬌的對象，也沒有任何可以保護他的人，如今他唯一需要確定的是要活下去。

到了京城，先在禮部登記，那一年擠入禮部登記的閹人便有三萬人，而需要錄取的僅只一千六百人。禮部官員和司禮監太監照例十分頭痛，錄取率只有半成，亦即每百人只選五人左右，所以負責挑選者不能手軟，稍有形貌不端正、眼神不定、身體羸弱的，在初次面試就被刷掉了。當然，除了那些事先疏通關節的閹人們，早在這之前就被列入受選名冊了。

輪到阿發面試時，他已經完全瞭解自己的命運。

在來京這幾天裡，他被牙人帶去皇城外的寺院暫住，京城寺院多由宦官修建，與宦官關係良好。阿發在寺院看見許多落魄的閹人，他們沒被選入宮，又無家可歸、無處可去，只有活一天算一天，這些人被稱為「無名白」。白，淨身也，閹割也，無名白就是沒名分的閹人。無名白們有集眾鬧事的，也有的無名白體弱，只好在寺外、城門等地向人伸手討錢。

阿發不想變成這樣。

他只有唯一的一條活路，就是進宮。

於是，他的獸類本能在絕境中甦醒。

鄭公公想著想著，只聞忠兒一聲吆喝，拉緊馬繩，馬兒已停在慈恩寺門前。

他進了寺院，直接走去放置靈位的偏堂，一位知客僧忙上來問安，並指點靈位所在，還備了茶水點心奉上。

鄭公公遙視義父靈位，想起義父病逝於安樂堂，他竟不在身邊，當時的心如刀割感覺猶存。

義父呀！義父！他拈著香，心中吶喊。

大仇將報，大仇將報呀！

靈位上簡單寫著「王用之靈」，安放在眾多靈位之間，每一個都是過去曾在宮中服務的宦官，且在世時有參加宦官「義會」者。那是一種互助會，宦官每月定期繳費，平日用於維修寺院、買墓地、聘請掌墓人，死後用在買棺、請人唸佛等。義父是地位最卑下的苦工「淨軍」，生前一貧如洗，每日除了生活用度，根本無餘錢參加義會，這些死後的方便都是鄭公公得了權勢後才為他打點的，其時已是義父死後多年，屍骨都已難尋去向。

鄭公公拈著香，強忍淚水，不欲讓忠兒看見，忠兒也識趣，兀自逛著逛著就逛出偏堂去了，守候在不遠的角落，等待鄭公公吩咐。

義父的仇，他時刻記在心上。

眼看醞釀多年，此番總算逮到機會為義父一雪怨恨，而且時間上不偏不倚，正好在得知義父靈位安置之日。

「廣勝鏢局，」鄭公公在心裡說道，他不希望有任何人聽見，「義父放心，我要他們絕子絕孫，跟你我一般。」

天啟三年，鄭榮發正式進宮，正逢魏忠賢叱吒風雲之時。

年紀較長、身體較壯的宦官，會被選去訓練抬轎、舉旗等等禮儀，年幼聰明的，就會被選去隨醫官學醫，或到「內書堂」讀書。

但阿發兩種都不是。

「怎麼會選上他呢？」連負責分配的太監也不明白，這小宦官除了一對堅毅的眼神，便一無是處，既無家世背景，又瘦小無力，當初是怎麼被挑上的呀？

於是，他被分入「直殿監」。

直殿監是二十四衙門中最勞苦之處，連一個公署都沒有，專門負責打掃皇宮各殿庭、樓閣、廊廡，每日從晨起打掃至入夜，亦即所謂的「淨軍」。他們將小阿發分配去那兒，作意要累死他，如此有額無員，便可占用領薪，直至他年再召宦官時才詐稱病故，報上缺額。

十一歲才剛進宮就當淨軍，是一條死胡同的不歸路。明宮有宮女九千、宦官十萬，每日錢糧根本不足發給每位宦官，宦官餓死時有所聞，淨軍又是下之又下者，阿發等於已將半身沒入了枉死城。

但阿發很頑強，他不願白白在宮中死去。

這時候，他遇上了同是淨軍的王用。

其時王用約莫四十來歲，當的是「混堂司」的淨軍。混堂司乃宮中浴堂，王用負責挑水、生火燒水、洗擦浴堂，還為太監們擦背。王用容貌蒼霜落魄，卻有一身硬實肌肉，人一立起，彷若銅牆鐵壁，其為太監擦背按摩時，手含內勁，特別舒筋活血，是以頗受中貴人們歡迎，時有得賞錢。

平日太監常到宮外佛寺設有澡堂者入浴，那兒有進不了宮的無名白替他們擦背討賞，自從混堂司有了王用，有的中貴人雖嫌在宮中浴堂與其他地位較低的宦官們共浴不太自在，也常會專為找王用按摩而在宮中沐浴。

一日天寒地凍，前夜剛落雪，王用被派往「御藥房」搬大包的藥材，路經「文華殿」，正值阿發灑掃階梯。他衣衫單薄，不耐天寒，又自早未進食，餓了一日，不禁頭昏眼花，腳下一滑，眼看就要報銷，王用眼明手快，飛身上前接住了，阿發已然手足冰冷，氣若游絲。

王用一時動了憐憫之心，腹中運了一口氣，指頭運勁，連點阿發背上五個穴位。

這一手，稱「梅花穴手」，為洛陽王家探花掌家傳絕學，傳子不傳女，由王氏祖上出過一位探花所創。

王氏世代文武並重，是以子孫多有讀書得功名、江湖得聲名之輩，到了王用曾祖父，殿試奪得探花，位至吏部侍郎，平日勤讀醫書，又曾上少林學點穴手法，因此創下十五式「探花掌」，其中包含了一式梅花穴手，為連點五穴、穴穴得氣之手法，且五穴有其先後輕重，效用有生、止、殘、殺之別，其手法之精闢，非熟讀經絡之子弟絕不輕傳。

王用露的這一手，是梅花穴手中的「生」著，救人於急，於瞬間活人氣血，連心跳剛停止者也能再度恢復跳動。

阿發一被點穴，肚也不饑、腳也不軟了，心中又驚又奇。

王用又從衣中摸出一個冷硬饅頭，遞給阿發：「權作充饑，免得餓壞了。」

「我不餓。」他倔強地道。

「你只是暫時不餓。」王用說，「若想活到看春燈，就給我吃了它。」

阿發接受了饅頭，心中不勝感激。

「要活下去。」言畢，王用掉頭就走，輕快的踏過厚雪，雪地上只留下淺跡。

阿發從來沒見過這麼神奇的人物，他在小斗村也聽說過武林高手，在他爹工作的果園就曾有兩位村中高手大打出手，在他看來，那充其量只是兩個粗人在打架。

以後每當他到文華殿打掃時，都盼望見到王用經過。

他努力的活到春天，可王用一次都沒再經過。

直殿監太監見阿發不但沒累死，還長了些肉，便加重他的工作，減少他的糧食，讓他每日打掃工作結束後還要被派去其他衙門，所以當混堂司需要人手時，他也被派過去幫忙了。

在混堂司遇見恩人，阿發當場一撲通跪倒，磕頭道：「我活到春天了。」

王用摸摸他的頭：「很好。」

「不過恩人還需幫我。」

「幫你什麼？」

「幫我活到長大。」

鄭公公在慈恩寺用過茶，不知不覺中，茶的味道變鹹了。

他吸了吸鼻水，回復一臉冷酷，直視義父王用的靈位，心裡盤算著如何對付廣勝鏢局。

慈恩寺的知客僧前來問道：「公公，午時已近，不知可願留下用膳否？」

鄭公公雖不嗜大魚大肉，也不排斥吃素，況且昨夜還剛主使了一場滅門任務呢。廣勝鏢局也快遭殃了，在這之前，還是先吃個素積些陰德吧。

他被請到另一間小房等待用飯，無聊之際，摸到袖囊中有本薄書，拿出一瞧，是方才隨手拿的《十牛圖》。

他翻開書看了一回，發現詩文與圖畫有關聯，便將詩文小聲朗讀，生怕讀錯了字。他讀得特別專心，不知不覺中，念頭便隨著字句打轉起來。

他看見圖中牧童將芒繩穿過牛鼻，下有普明禪師頌曰：「漸調漸伏息奔馳，渡水穿雲步步隨，手把芒繩無少緩，牧童終日自忘疲。」

鄭公公想像小時候在小斗村見年紀較大的小孩牧牛，他們牽牛慢步的樣子……鄭公公不禁緩緩吐納，回想剛才演練過的一百零八式拳路和青城十八式，每一招每一式在腦中彷如游雲飄動，手雖不動，足雖不移，卻意導氣流，氣流於經絡。此刻先感手腕高骨上方有微麻之感，此乃「列缺」穴之所在，接通手太陰經與任脈，在他不覺之間，二脈業已接通。

正逢時辰轉移，鄭公公讀到「日久功深始轉頭，顛狂心力漸調柔。」只見圖中牧童將芒繩綁在樹幹上，這一剎那，他感到尾指背「後溪」穴小痛，已接通手太陽經與督脈。先前圖中黑牛身軀已有部分轉白，到了「柳岸春波夕照中，淡烟芳草綠茸茸。」圖中白牛只剩尾巴依舊黑色，奇經八脈中之任督二脈已漸接通，鄭公公只覺原先的氣血滯礙全然消失，通體舒暢，神清氣爽，全然不覺自昨晚至今未曾稍息的疲憊。

鄭公公不知，這體內真氣於任督二脈接通周流，就叫「小周天」。一旦真氣自在通行於十二經脈，才是煉氣化神的「大周天」，他距離這一步尚遠，但已足以令他驚訝不已。

「這本書是什麼？」鄭公公驚覺身體的變化，卻又捨不得停下，他貪求更強烈的感受，於是凝神讀書。沒想到，此念一生，那種通身真氣周流的感覺驟然消失，四肢的沉重感又回來了。

鄭公公後悔莫及，忙將《十牛圖》翻回第一頁再讀，卻已找不回那種境界了。

此時，正好忠兒也領了知客僧來帶他去用膳，鄭公公乘機詢問《十牛圖》來歷，以及寫詩的普明禪師是何等人氏？知客僧靦腆的回道：「在下只知此書乃助人禪修，流傳甚廣，民間多有善人印贈，在下才疏學淺，不識普明禪師何人也。」

鄭公公滿腹疑雲，又不想詢問呂寒松，怕被他得了便宜，不禁心中惱恨。

義父教他一百零八式拳路，卻不說明運氣之理，更不說出拳路名稱，令他只知其一不知其二，直到呂寒松教他青城十八式，還教他打坐行氣之法，略說些經絡之理，他才有了粗淺的瞭解。

話說回來，義父不說明也有他的道理，因為阿發只要求活到長大，義父壓根兒不想展露武功，所以他只求阿發能練武強身，不求他在武術上有何發展。不想當年的小阿發，日後竟在東廠舉足輕重，還殺人不眨眼，這恐怕是王用始料未及的。

鄭公公再翻開《十牛圖》，赫然想起剛才知客僧的話，忖道：「這本書是手抄本！」知客僧說此書多有善人印贈，若此書能令人閱之而得氣，豈非全天下都有內功高手？然而手上這本是手抄而非印本，可見不是坊間俗本，然而是何人所抄？為何而抄？與印本有何不同？鄭公公將問題存在心上，不動聲色將書收好。

用齋後，他與忠兒回到外東廠衙署，錦衣衛千戶左尚武已在偏廳等候，一臉急著領功的樣子。他知道，左尚武必定是要報告昨晚所見來了。

左尚武說蒙指揮當晚怎麼阻止他殺害周大同，又怎麼將他調開，不讓他參與運書工作，「更狡猾的是，」左尚武瞪目道，「蒙指揮還在一個時辰後偷溜回周家宅院，大肆搜索，我還親眼看見他拿走了幾本書和卷子。」

鄭公公不作聲，故作一臉深慮的模樣。

「還懇請公公不要說破，否則蒙指揮可能會對屬下不利。」

鄭公公心裡冷笑兩聲，他沒告訴左尚武，蒙指揮不但來報告過了，還將找到的書悉數交給他。雖然如此，鄭公公依然讚揚他有功勞，暗示將來必有升遷良機，讓他甘心受用。看倌需知，此乃騎驢之法，吊一根大胡蘿蔔於驢前，雖咬不到，刁驢又豈有不任由擺佈的？

鄭公公正是用人之時，他需要左尚武的知識：「左千戶，我有一事請教。」

「惶恐！」左尚武慌忙道，「公公問便是，怎能說請教？」

「你可知馮勝？」

「是廣勝鏢局的當家嗎？」

鄭公公頷首道：「你認得？」如果相熟，就不方便辦事了。

「與他手下鏢師喝過幾杯，不算認得。」事實上是左尚武以錦衣衛身分作威作福，硬向他人討酒喝的。

「你可知馮勝擅於何種兵器或武功？」

這可問倒左尚武了：「屬下委實不知，若公公意欲知道，我可以去探查。」

「很急。」

「這……」

「你只有一天，明日早朝後，午時正刻之前，我要知道。」

左尚武硬著頭皮：「屬下鼎力去查！」言畢，趕緊告辭。鄭公公這麼急，想必又有大事，可今天要回錦衣衛衙署辦事，還排了班看守監獄，他得盡快去偵查才能向鄭公公交差。

鄭公公一面翻看文檔，一面盤算明晚抄查廣勝鏢局的佈局。

明晚月圓，是殺馮勝的良辰吉日。

對不起他義父王用的人，已經一個個魂歸黃泉，眼下只剩馮勝了。

他不斷想起王用在「安樂堂」臨終的畫面，王用病得瘦骨嶙峋、兩眼深陷、氣若游絲，連阿發好不容易弄來的湯藥都吞不下去。明明是鐵打的漢子，怎麼落得這個田地？

阿發想起義父說過：「我王用自問一生沒對不起人，無奈總是劫難連連。」

先是「混堂司」僉書太監丘京誣諂義父，說他犯了在宮中不准講方言的嚴例，害義父被打壽杖，義父有底子，憑著一股內氣，內傷不重，復原得也快。

丘京心有不甘，勾結「司禮監」六科廊掌司太監李兆元派義父去「更鼓房」，宮中犯事者會被派去更鼓房打更，這裡是專門累死人的地方，沒吃沒喝，夏暑冬寒，被宦官們視為絕命之途。但義父沒被整死，熬到刑期滿了，羸弱的回到混堂司，如常工作，夜晚偷偷練氣，不久又復原了。

丘京、李兆元等人心中納悶，王用怎麼整不死？

王用不加入任何一個宦官派系，不繳納敬奉司禮監太監的例錢，不向上級打小報告，這麼不識抬舉的一個人，為何整不死？

阿發也很納悶：「義父，您一身絕技，為何不向他們報仇？為何不用來掙得更高的地位？」他覺得義父猶如深藏珠玉而不露，實在是暴殄天物，有這般能耐，理應揚名立萬才是。

「榮發呀榮發，你未涉足江湖，豈知義父之心？」

王用告訴他一個故事，一個他原本沒打算要說的故事，一個他原打算隨他入土不再令其流傳於人間的故事。

他這番起意講出這個不想說的故事，有分教：萬念本自心起，心為無明所生，口中雖無惡意，言下血流成河。

不說還罷，這一說，引發了十年後馮勝家破人亡，男丁充軍，婦女沒入樂戶，淪為軍妓或歌伎，造孽無端。

原來王用出自世代出朝官的洛陽王氏，自幼熟讀醫書，深諳經絡之學，又習得家傳「探花掌」，以及曾祖父於少林所學之「八仙迷陣拳」，十八歲鄉試雖未中舉，卻頗受考官好評，父親因其文武兼優，因而傳其絕學「梅花穴手」。

十九歲恰逢流民作亂，闖入王家，王用以單人擊倒五十餘名流民，名震洛陽，一時志得意滿，豪傑交往絡繹不絕。王用年少得志，眼中不可方物，自恃武勢高強，常為人出頭，以為英雄行徑。

其時天下紛亂，內憂外患加上天災，許多遭到兵燹水旱的府縣，居民紛紛逃走，尤其洛陽東南的安徽地方連年流民四竄，其流民更是以「鳳陽歌」、「鳳陽花鼓」等名滿天下，幾有鳳陽專出流民乞丐的誤解。

某年又逢安徽大饑，洛陽城內外流民眾多，偷搶之事時有所聞。王用聽說流民聚眾鬧事，而且還是在當地強豪朱士雄宅第門前滋事，朱士雄正巧是他諸多拜把兄弟之一，王用當然義不容辭趕去幫忙。

到了朱士雄家，只見十多名流民在喧叫，用力拍門者有之，往牆後拋石塊者有之，也有人在門前拉屎撒尿的。王用見之大怒，衝上前去，不由分說先拎起一名流民：「此地尚有王法！爾等竟敢光天化日之下鬧事？」

流民見同伴被抓，作一聲喊衝向王用，但又豈是王用對手？王用如搏嬰兒，揮掌運拳，將他們全數打倒在地，只餘一名老者，瑟縮在牆邊發抖。

王用向老者怒道：「你們可知這是何人宅第？豈可胡來？」

老者身後發出一聲冷笑，冷笑聲十分稚嫩，王用一楞，見老者後方走出一名孩童，衣衫襤褸，不過十二歲年紀，老氣橫秋的說：「老子只知這是下三濫人的府上。」

王用聽了，不知是好氣還是好笑好：「這小乞兒，誰教你胡說？」

「不是胡說，是我親眼所見。」

「這朱士雄大人是地方上的……」王用尚未說完，小男孩已一撲而上，口中作喊：「你袒護那廝，也不是好人！」

王用一來未有準備，二來欺他年幼，只伸手擋住男孩，不想男孩人小力大，竟兩腳飛步踏上王用大腿，一拳擊向兩根鎖骨之間，王用察覺時，陡地大驚，忙後退三步，火速運氣，使出「八仙迷陣拳」中「國舅上朝」，這是一式護身招數，所幸他反應快，才暫免一劫。

王用驚問：「這小子乃何人？」

「你爺姓馮名勝，千萬記住了！」男孩出手不凡，招數狠辣，一招不著，下一招又至，此時王用已有心理準備，但仍然認為倘若出盡全力就是以大欺小，又怕出手過重會打死男孩，所以只求速戰速決，只要男孩肯停手求饒就好。

但男孩毫無罷休之意，他身手短小靈活，在王用身邊纏繞不休，見機攻擊，王用竟無還手空隙，只能不斷採取守勢。他失去耐性，翻手一式「果老下驢」，欲一手抓住男孩衣襟，這一著大露破綻，男孩眼明手快，使出「翔鷹式」，從王用褲襠下鑽去後方。

這「翔鷹式」乃專攻下陰狠招，王用慘號一聲，冷汗直湧，臉色翻白，痛倒在地，再無還手之力。他下體疼痛非常，陰囊已然爆裂，血水正浸透褲襠，腦中一片混亂，想不起剛才是怎麼回事，唯一記得的是緊抓自己的下陰，希望它不再痛。

男孩見有大片血水染紅，也慌了手腳，他自幼好武，專愛學習狠招，好在從未闖過大禍，這次不但闖禍，還是天大的禍事！一旁的流民老者也慌張大叫：「不好了！這下子我女兒該如何討回來呀？」

王用聽了，迷迷糊糊昏死過去，腦中迴盪著一池問號。

醒過來時，他已躺在自家寢室，老母在一旁陪著，哭紅了眼。一名家僮見他醒來，便跑出去找人，帶回兩名家丁，要將他扶起。

他老母哭道：「再歇一會也不行嗎？」

「夫人，您知道老爺吩咐少爺只要一睜眼就得帶出去大堂，老爺的話誰敢不從？」家丁說罷，就將王用抬著兩肩扶出去了。

王用覺得下體陣陣作痛，渾身發燒，兩眼模糊，家丁帶他進入大堂，大堂裡人影幢幢，他看不分明，不懂發生了什麼事。

大堂正位上坐著王用的父親王聰，他在江湖上雖無顯赫武名，但仗著上一代王探花的餘威，也博得些鄉人的尊重，更何況其子王用一雙拳打出了名堂，王聰自然也沾光不少。事實上，洛陽王家探花掌在江湖上向無顯名，主因是王家家訓：「子弟當文武並重，但練武旨在強身助國，寧可留文名於世間，不可以武功求聲名」，世人或知王家也有武功，但因其不輕易示人，故罕有知其武功虛實者，直到王用之後才被人知曉。

大堂上另有一漢子，雖衣衫襤褸卻樣貌莊嚴，威風凜凜，顯非等閒人物，他身邊跪著的是傷害王用的男孩馮勝，在朱士雄家門外聚眾鬧事的老者也躲在他身後，還有一位藍衣老人氣定神閒的背著手站著，四人身上發出陣陣臭味，看來距上一次洗澡是很久以前的事了。

王用不知的是，剛才那莊嚴漢子已與父親王聰互通名姓，原來該漢子是男孩馮勝之父，鳳陽「猛拳」傳人馮虛。猛拳雖名為拳，實則拳、掌、腿並用，乃演自東漢華佗「五禽戲」，仿走獸、飛鳥、游魚掠食之勢，故拳路多攻少守，凡攻必取致命之處。

這次全家流落此地，正因鳳陽連年旱潦之災，家無粒米，權且四下走難，待環境好了再回鄉。馮家在外走難，一路上盜賊、軍兵、林獸必不缺少，鎮日風吹雨打也是常事，因此「猛拳」特別適合流民保護身家性命，又兼強身健體。

鳳陽流民大多全家出走，方才那流民老者攜有一女，年方二八，雖流離失所也難掩其花容月貌，也是機緣巧合，被洛陽強豪朱士雄看見且看上了，硬搶回家，打算洗淨打扮好了，當晚即日成親，給他來個生米煮熟，看她父親還有啥話可說，再給錢打發了事，反正流民的事沒人想理，有事也是活該。

誰知鳳陽流民常年在外，自有其團結本能，何況鳳陽猛拳名家也在流民之中，因此老者的女兒被奪，大家便鼎力相助，為他討個公道。朱士雄尚不知自己惹上了何等人物，以為他們鬧了鬧便走，大不了多花幾個子兒便可請走。誰知王用多事，強為出頭，又誰知馮勝年幼無知，鬥性熾烈，兩個八竿子拉不上關係的人，竟在頃刻之間改變了對方的一生。

話說王聰命令家丁將其子王用扶穩，取來布幕遮住王用，然後王聰、馮虛以及藍衣老人三人一同入幕，脫了王用褲子查看。

「陰囊已裂。」藍衣老人說。

藍衣老人乃隨馮虛一同前來的流民，本是鳳陽名醫，此番隨同馮虛流落他鄉，也是為報馮虛過去救命之恩，為他在途中照顧家人。他為王用審視生殖器官，發現陰囊已無回生之機，陰莖雖有，徒具形式。

王聰鎮靜的問道：「大夫怎麼看？」

「若不盡速切除，恐怕發炎腫大，會傷性命。」藍衣老人說。

馮虛忿然問道：「可會絕後？」

藍衣老人點點頭。

馮虛大怒走出布幕，揚起大手，朝跪在地上的馮勝便是一個耳光，力道之大，馮勝翻身跌出五步之外，一聲哼也不敢發出。

「你這孬種！」馮虛指著兒子怒罵，「誰教你跌倒的？你的站樁練去爪哇國了？給我回來跪好！」

馮勝被打得頭昏眼花，依然乖乖的爬起來回到原位跪下。

布幕放下，王用已穿好褲子，依舊架在家丁身上，否則一坐下可是會痛不欲生的。馮虛咚一聲屈膝跪下，朝王聰用力磕頭，王聰一驚，慌忙躲過，只聞馮虛嚷道：「血債血償，我兒傷了你兒，令他無後，老夫當即閹了我兒馮勝，還你一個公道！」

王聰上前扶他起來，馮虛則硬是跪地不動，下盤穩定如老樹纏根，王聰無法，只得站著說：「公道公道，公道真的那麼重要嗎？你我是明白人，這是咱們兒子血氣方剛，做下了無法挽回的事，我們又何必重蹈覆轍呢？」

馮虛是烈性漢子，不禁當場大哭：「兒子幹下這種事，你又如此大家風範，我馮虛愧對祖宗呀！」說著，起身走向兒子，道：「站起來。」

馮勝默然起立。

「站穩了，別再丟馮家的臉。」馮虛冷冷說完，隨即一個耳光，兩個耳光，連二接三刮在馮勝左臉上，打得啪啪作響，打得齒斷嗝血，打得左臉黑腫，馮勝兩膝微屈，穩住下盤，不動如山，圓睜兩眼，用左臉硬接父親的巴掌，直到王聰奮力抓住馮虛的手，求他停止，他才不情願的停下了手。

後來馮勝左眼視線不清呈半盲，有「獨眼龍」之稱，且左目轉動不順，與右目無法同步，便是因著父親這趟好打。雖然如此，馮勝痛定思痛，往後不敢再恃著一股怒氣妄然行事，凡事必仔細審度，分寸之間拿捏恰好，成為一代武林大家，四方尊崇其武儀，以致在京城開設廣勝鏢局而名震天下，便是緣於這段往事。此是後話。

洛陽強豪朱士雄為息事寧人，偷偷放了那女孩，其家丁心有不甘，時而乘機騷擾流民。此又是後話。

重點是王用。

話說王用的下體受傷，在鳳陽名醫藍衣老人醫治下，先令其飲酒昏迷，再為他施行了閹割術，整個過程中，王用雖心知肚明，身體卻無力動彈，任人擺佈。待他於蠶室養傷百日已盡，父親馬上傳令他去相見。

父親王聽在書房見他，問道：「經過百日閉關，你有什麼想法？」

王用的確有不少想法。

他這麼年輕，怎麼知道平日跟他飲酒吃肉、稱兄道弟的朱士雄是這等人物？他這一受傷，別說朱士雄不聞不問，其他好友們也頓時消失，似是從來沒存在過。

如今他失去了男人該有的東西，包括以前有的和以後應該有的，他不可能再娶妻生子，不可能享受天倫之樂，不可能求取功名，甚至不可能再長出鬍子。

他不再是這世間人，除非他忍辱度過一生，但絕不是留在洛陽王家。

他好不容易習得家傳絕學，卻只學得武功而未學得武德，父親雖然從未這麼說，但他已失去將武功再傳的資格。

「我……」他欲言又止，於是先行跪下，向父親磕了三個響頭，「感謝父親多年養育之恩，王用問心有愧。」

王聰嘆了口氣，道：「養子不教，我也有錯。」

「求父親准我離家，日後我將不再示人家傳武功，更不令人知我來自洛陽王探花家。」

在父親默許下，王用漏夜離家，為的是不令老母知曉。

這趟離家，他就沒再回過家，甚至沒再回過洛陽。

他只帶了少許盤纏，餐風宿露，販賣勞力，變賣衣物，才勉強活下來，一路上頑強的跟從未體驗過的肚餓、疾病等困苦掙扎著，才好不容易抵達京城，經人指點，才知京城內的佛寺多與宦官有關，於是便住入佛寺等機會進宮。

三年後，王用終於被選進宮當宦官，因力氣大而選為淨軍，終其一生都是卑微的淨軍。

「江湖路險，動輒殘害人命，」王用對阿發下結論說，「我這一生，正因為看輕了江湖，才有今天。」

可是阿發並不作此想。

「義父，你說在讀書如何了得，鄉試又如何了得，為何不在這條路上爭取，要是當初你願意，現在說不好也是司禮太監！」

「榮發，義父的心情你可明白？」王用靜靜的說，「義父要的是『隱』，大隱隱於市，我隱於皇宮，要的是永絕江湖之路。」

「可是義父吃這許多苦頭，怎麼會甘心呢？」

「阿發，受苦就是了苦，只當我上輩子造孽過多，這趟是專來受苦的。」

王用對阿發說出這番話時，已是風中殘燭，再過兩個月入冬，他便在北安門內的安樂堂過世，死時才五十五歲。那安樂堂是專門安置有病宦官之地，病好就離開，病死呢，生前有參加棺木會、壽地會的就有棺木、墓地、超渡儀式，沒錢參加的，便由負責送終的宦官送去西直門外淨樂堂焚化，沒家屬認領的骨灰便存放在眢井之中。

其實王用在宮中三十年，難道真的心如止水？彼非聖非賢，更非寡慾之人，又曾在洛陽地方闖出過萬兒，是以其所言之隱心是蠶室百日所悟之初衷，抑或只是人之將死其言也善？

王用入宮後不久，覓得無人隱密處，每日偷偷練武，畢竟武功是他所引以為榮的才華，日復一日，其武功比在洛陽時愈加精進，但由於乏人指點，他終於遇上了瓶頸，關鍵就在「靈龜八法」。

話說約百年以前，王用的曾祖父未考取探花之前，年幼時曾在少室山少林寺學藝五年，以其天資聰敏，不久已盡得師父真傳。其師圓性乃一禪師，專門指點少林寺僧兵一套「八仙迷陣拳」，這套拳路本非一人所使，其意本是至少四人分占四方克敵，若有八人則是最佳陣形，能分封敵人每一條去路、每一式變化，以達「不戰而屈人之兵」的兵家最高境界。

圓性禪師為了令八仙迷陣拳更臻完美，將多年練武學醫心得融入其中，尤其是將全身經絡接通的「靈龜八法」，他要求生徒先背熟口訣，再逐一演練八個關鍵穴位。靈龜八法的原旨是計算八個穴位開啟的時間，好讓針灸時氣血通暢，而圓性禪師的目的在久練之後，八穴可任意開合，不需再計算時間！

但要練成八穴任意開合，亦需日久功深，愚鈍之人甚難有成。

圓性禪師另闢蹊徑，將「靈龜八法」練功之法融入禪門流傳《十牛圖》之中，其手法奧妙，非諳禪理之人不能察覺，偏偏學禪有成之人也已經不在乎這種事，唯有用心學者，字字細讀，圖圖細看，氣血便自然而然被引導運行。其中機關，第一圖為氣血啟運，隨之八圖為靈龜八法之八穴關鍵，需依時辰演練，因此鄭公公讀《十牛圖》正是機緣巧合讀到列缺、後溪二穴的關鍵圖，又時機湊巧於正確時辰，手太陰肺經、手太陽小腸經才接通了任、督二脈；最末第十圖乃運氣歸元，若不將第十圖完成，就會有氣血狂奔、走火入魔之險。

世傳《十牛圖》不只一種版本、一位作者，唯普明禪師版本能作此安排，即使得到圓性禪師手繪《十牛圖》者，若無人指點，甚易走火，有經脈分離、武功盡廢的可能。圓性禪師共有手抄十本，非禪師所繪者則無效，為免世人得訊後圖取此書，圓性禪師另抄數本，內容玄虛夾雜，以亂人耳目，題名「牛棚禪師注本」，又有指謎的作用。

牛者，喻無明心性，引牛入棚，喻令其心不亂，亦遙指《十牛圖》也。

王探花曾與少林僧兵一起演習八仙迷陣拳，亦習靈龜八法，也看過圓性禪師手抄本，他下山後，將八仙迷陣拳化為單人拳法，將圓性禪師十牛圖手法化入其中，子孫需逐步學習方有大成，但因無書亦無人指點，後世王家子孫只得其骨，未能得其髓。

是以王用在宮中自習八仙迷陣拳遇上瓶頸時，記得曾祖父的故事中有那麼一段，然而曾祖父嚴守師父教誨，並未透露該書真名，所以後代子孫只知「牛棚禪師注本」。

王用欲求此書，然苦無良方，左思右想，想起大璫魏忠賢常來混堂司叫他推拿，又聞魏忠賢欲求還陽秘方，便乘機向他獻策，告知少林寺有靈龜八法能打通全身經絡，以致陽具再生，魏忠賢聞之興奮不已，忙問其詳，王用推說不知，只是耳聞。

魏忠賢不久失勢，王用亦再無機會，直到無意之間告訴小阿發那段往事為止。

依照當初與父親的約定，王用沒告訴阿發諸如八仙迷陣拳、探花掌、梅花穴手、猛拳等武功名稱，也沒提及《靈龜八法牛棚禪師注本》，僅說自己是洛陽人。他以為阿發只不過一個小宦官，終將老死宮廷，誰能料到弱小的阿發會當上東廠太監？沒想到言者無心，聽者有意，阿發將馮勝記恨在心，久候多年，伺機而動。

至於靈龜八法的傳說，是鄭公公加入東廠後聽司禮監太監們所說，又遇上青城山長生宮來的呂寒松在尋找此書，兩人經人介紹認識，加深了他對這本傳說中的書的興趣。

他不知道，這件事也是義父起的頭！更不知誤打誤撞，加深了他所學無名拳路的功力。

想到大仇將報，鄭公公不禁摩拳擦掌，想當年在司禮監聽見廣勝鏢局當家姓馮名勝時，心裡有多震撼！他不知道此馮勝是否彼馮勝，如果真是那位令義父絕後的馮勝，這是因果報應的時機來了，而他就是操刀的那個「果」。

折磨過義父的太監李兆元和丘京都已經死了。李兆元被鄭公公暗中安排他被降級，再誣其犯事，以內犯身分貶去更鼓房，一如他當初對待義父般，不同的是他被鄭公公派人活生生打死。丘京呢，他職責較低，所以比較簡單，只消待他在混堂司當值時，派人將他按入浴盆，不需一盞茶工夫便了帳。

在胡思亂想間，鄭公公眼角瞟見忠兒搬來一盆菊花，花朵肥滿，煞是可愛，心情頓然輕鬆不少，表情也溫和多了：「忠兒，哪來的菊花？」

「義父，這是忠兒送您的壽禮。」

「壽禮？」他從未慶祝過生日，也沒想過要慶祝，因為宦官的誕辰日是以閹割那天為準，表示他在那天以新形態的生命重生，過生日對他而言是逼他回憶那個痛苦的日子。

可忠兒是個體貼的孩子，很多宦官們都喜愛菊花，忠兒準備的菊花尤其漂亮。只聽他伶俐的小口說：「我家是種花的，這是我託家人種的壽菊，特地為義父您養了一年了。」

是的，忠兒是有家人的，哪像他，自從娘那天送別塞給他幾張餅之後，他就沒再聽過任何小斗村的事了。

「忠兒，你為何會入宮呢？」他憐愛的問道。

「家裡兄弟多，家貧養不起。」忠兒輕鬆的回道。

鄭公公點頭，道：「你去取我十金，備好酒菜，義父明晚有大事，事成之後，咱再慶祝壽辰，如何？」

「敢情好。」

「那好。」

這一天他早早休息，也吩咐錦衣衛們早些休息，錦衣衛們聽了吩咐，知道又有大事要辦了，但鄭公公向來不明說何時、何地、何事，口風甚緊，所以他們也只好隨時戒備，隨時上陣。

鄭公公聽秉筆太監鄭惠說過一些古書，道是有位孫子被譽為兵聖，他說「兵貴神速」，要先審清敵方虛實，再出其不意，一舉克之，方能令己方損失最少。他十分同意，因此連己方的人員都不信任，不敢透露許多，以防事機洩密。

那一晚他睡得不香，因為他有點興奮，他將會遇上強過義父的人，而且那人才十二歲就已勝過當時二十餘歲的義父。他真希望那位左尚武能為他打聽得馮勝的虛實，明早給他帶來好消息。

次日一早，左尚武果然已在外東廠偏廠等候，他雙目發紅，顯然是忙了一整晚。

「回公公的吩咐，」左尚武語氣浮躁的說，「小的打聽廣勝鏢局馮勝使的是猛拳，除此之外，一概不知。」

鄭公公不悅道：「可用兵器？」

「未有聽說。」

「那你到底忙了什麼，才打聽到這麼一點兒？」

「小的另有收穫。」

「快說。」鄭公公最討厭人家賣關子了，尤其是左尚武那副小人得志的表情。

「本署有新進錦衣衛一名，名喚馬慶。」左尚武掩不住喜色，「他本是街頭惡少，將近一年前，因打人滋事而犯官非，我見他可造之材，才吸收進錦衣衛。小的查明，他本姓馮，正是馮勝的侄子，因為被馮勝逐出家門，才改名換姓的。」

鄭公公沉靜下來，心裡頭在打轉：「你的意思是什麼？他會肯透露家事嗎？」

「他可能不會，畢竟血濃於水。」左尚武終於要抖出結論了，「但他的武功會。」只要讓錦衣衛中的高手與馬慶過招，馬慶學過的猛拳，不就顯露出來了？

「他人呢？」

「在錦衣衛衙署，有十名弟兄看守著。」

鄭公公喚來忠兒：「備馬。」

前往錦衣衛的路上，他興奮得很。

自從隨義父學藝以來，他從未與人真正交過手。

這次是他真正小試身手的機會，而且是在安全的情況下進行。

十名錦衣衛拔出大刀，團團圍著新入署不久的馬慶，馬慶驚愕莫名，不知今天招誰惹誰？何處飛來橫禍？沒來由的被同僚這般對待。他耳聞同僚們前日剛幹了件大事，只不知是何事，沒想到這「大事」也會落在他身上。

馬慶聽見腳步聲，有人來了，從腳步聲聽出來人習武，每步皆五指微屈，足板九成貼地，這是自小聽慣了的，練家子的跫音與平凡人就是不同。抬頭一看，來人竟是東廠鄭公公，更是訝異，他的地位與鄭公公相距甚遠，素無交談，罕有照面，不知何事犯上他了？

「你是馮勝的侄子？」鄭公公劈頭就問，不待回答，又問：「那猛拳一定不會陌生了？」

馬慶大驚，他改名換姓，是受伯父馮勝懲罰，也是依馮家規矩行事，現在身分已被查明，在公在私，他都不能連累伯父，但他覺得無論承認與否，這場禍事都是免不了了。

馬慶選擇裝傻：「公公，屬下完全不明白公公的意思。」

「不明白嗎？」鄭公公脫下大袍，給左尚武拿著，「不明白也沒關係。」

左尚武拿著大袍，感到在同僚面前很是光榮，一臉喜色：「公公，你要弟兄們動手了嗎？」

「來吧，收刀，」鄭公公向錦衣衛們道，「你們在旁看好，別殺他，別讓他跑了。」

一名錦衣衛問道：「公公的意思是？」

「我親自試試他身手。」

「不行！哪能勞駕公公呢？」左尚武驚道。

鄭公公早已擺出起手式，馬慶一瞧，只見其周身上下無一破綻，心知不妙，錦衣衛們從未見過鄭公公出手，這番見其架式，原本對他有些藐視的，也生起了三分敬意，

馬慶雖然愛跟一夥習武的朋友們惹是生非，可是眼前攸關個人生死，平日孟浪的他也不禁嚴肅起來，況且鄭公公顯然是衝著伯父來的，他有必要殺出重圍去通知家人。他腦袋飛快運轉，回想沒聽過這鄭公公有什麼功夫，吉凶難卜，又不知鄭公公與伯父有啥過節？想來想去，的確去年有東廠的人去過鏢局，他年紀輕輩分低，不清楚發生了什麼事。

馬慶已經沒空擔心害怕，今晚與紅袖樓小鳳之約，恐難兌現矣。

好個馬慶，不愧鳳陽馮家之後，馮家世代歷經苦難，很注意弟子的體魄教育，只見馬慶眼神一亮，眉梢沖天，下盤一沉，穩如磐石，兩拳一握，堅如鐵錘，鄭公公見此架式，心中叫好，也不禁暗暗擔憂，畢竟這是曾將他義父去勢的武功。

馬慶不打話，一踏步衝上，耳旁有錦衣衛大嚷：「放肆！」去他的！生死關頭，放什麼肆？他撲到鄭公公眼前，待拳路已落在鄭公公視野之外了，他才出拳。

「猛拳」多攻少守，攻於對峙之機先，不容對手有思考餘緒，馬慶這一式「躍蛙式」正是箇中精華，他撲近之後，拳路一轉成「猿抱式」，右攻肋骨、左攻腋下，右為碎骨裂臟、左為麻筋廢臂，鄭公公只覺兇險，忙使出「國舅上朝」，正是義父對馮勝時所使第一招，不想當時馮勝攻取中路，而今馬慶左右開弓，所謂「差之毫釐，謬以千里」，鄭公公閃避不及，硬生生被擊中兩側，但未被擊中正處，雖然疼痛，未及傷筋碎骨。

一擊未得，馬慶忙使出「鶴行式」，一膝由下直衝而上，欲攻鄭公公柔軟的腹部，鄭公公回以八仙迷陣拳「鐵拐步」，此乃依奇門九宮在腳下尋求生路的步法，果然一晃眼之間，鄭公公已繞去馬慶側邊。馬慶在街上常找人打架，對戰經驗豐富，鄭公公初次與其他武功對仗，反應不如馬慶之快，他才剛以為「鐵拐步」令他躲過攻擊之際，馬慶的拳頭已照面而來，直逼眼前。

原來馬慶見鄭公公採守勢，也不容他有機會轉成攻勢，於是早在「鶴行式」中暗藏「兔脫式」，兔子善於疾跑中轉彎，馬慶亦在頃刻間緊隨鄭公公轉身，擊出「餓狼式」，直取喉頭。

鄭公公習武二十年，幾招下來，已知對峙之要訣，他見馬慶攻喉，便順勢以「仙姑問訊」往下一推，馬慶拳到半空，竟遭化解，未及錯愕，鄭公公隨即一記「頑驢點頭」，食指、中指屈起，以指關節硬處敲其額頭，馬慶一閃，額頭上竟破皮一道。

馬慶投鼠忌器，一面還要擔心十名錦衣衛暗箭傷人，心中著急，只求以速取勝，反之鄭公公以逸待勞，是以轉眼之間兩人已成平手。

鄭公公一招得手，信心大增，迫不及待使出殺著「韓湘舉簫」，直取馬慶雙睛。鄭公公比馬慶矮一些，指其兩目必令肩膀抬起，禁穴大露，兩方對壘，不在出招前後，而在誰奪機先，馬慶見機不可失，整個人往後一倒，足尖彈起直刺鄭公公腋窩，為猛拳中的「醉猴式」。

馬慶果然搶得先機，鄭公公腋下一麻，右臂陡地無法舉起，馬慶毫不猶豫的連發攻擊，右手一式「熊踞式」取其丹田，以求亂其氣血，左手一式「撲蝶式」取其鼻梁，以求碎其鼻骨，令其眼淚橫流，毫無還手之力。

「猛拳」之奇，在以能一身兩式，左右、前後、上下可各出不同招式，有以一敵十之能。眼看馬慶拳頭已觸至鄭公公表皮，內勁尚未透入之際，馬慶忽然軟倒，俯倒在地，口中流出白沫，兩眼翻白，兩臂微顫，似乎企圖要爬起來。

鄭公公驚魂未定，也知這其中有蹺蹊，於是後退一步，掃視眾錦衣衛，冷然問道：「誰幹的？」

一名錦衣衛上前揖手道：「鄭公公身負大任，豈可意氣用事？」此人雙姓端木，單名雄，長得枯黃瘦削，兩眼深陷，竚立如竿，乃錦衣衛中擅於用毒的高手。

「不需你插手！」鄭公公忿怒道，他還想要多探知猛拳虛實呢。

「屬下若不出手，現在躺在地上的就是公公您了。」說著，端木雄上前握著鄭公公右臂，稍一推拿，很快就恢復了知覺。

鄭公公怒氣稍平，問道：「你用了什麼手法？」

端木雄拿出一支短笛，道：「區區吹針而已，屬下用的是『煮豆螫針』，螫針極細，中之不覺，若運息不休，則七步成『屍』矣。」

「你用的毒還真奇呀。」鄭公公用腳尖踹馬慶，不禁對端木雄有所避忌。

「不敢，屬下興趣使然。」言罷，便退了下去。

左尚武忙指著馬慶問：「公公，這廝當作何處理？」

「死了就扔掉，若尚未死，且先留他一天命，待辦完事再說。」說完便離開錦衣衛衙署。

端木雄見鄭公公走了，便道：「左千戶，權將馬慶交予我一日，我還有幾種毒沒在人身上試過呢。」

左尚武聽了很是高興，便答應了。

話說鄭公公騎馬回東廠，只覺右腋仍有些麻痺，不禁忖道：「區區小輩已如此了得，我又豈是憑勝對手？」不僅如此，要抄查馮勝一家，需要面對多少位猛拳高手？又需要多少位錦衣衛才足夠呢？

如今箭在弦上，不得不發，要發則必須中的，否則夜長夢多。

隨著馬匹步伐的上下起伏，鄭公公紛亂的思緒逐漸理成了一條線，他原本綳緊的嘴唇放鬆了，臉色也柔和了些。

對於今晚廣勝鏢局的抄家行動，他已經有了八成把握。

夜晚，尤其是夜闌人靜時，是抄家逮人的最佳時分，一來不易驚動街坊，事後惹人爭議，又可避免有人通風報信；二來事主應已返家，想抓的人都已回巢，較易一網打盡。

今晚十五，月色正圓，皎白無瑕。

鄭公公暗自撫摸小瓷盒，希望今晚就像每一晚這般，可以平安回家。

廣勝鏢局大門深鎖，似在迎接他們的來臨。

今晚出動的錦衣衛人數是前晚的兩倍，每人皆以黑布掩住刀光，因為今晚月色更亮，以致刀光更為奪目。

依照慣例，先派兩名擅輕功的錦衣衛翻過牆後去開門，一人行動一人把風。

錦衣衛才剛翻過牆，就碰上守門的馮家子弟，只聽他們立刻作喊：「有毛賊！」隨即刀聲霍然，馬上是場惡鬥。

「露風了，放雷。」蒙指揮下令道。

數名錦衣衛搶上前去，在鏢局大門放置火藥，轟隆一聲，炸開厚重門枷，震落了門上「廣勝鏢局」匾額。錦衣衛們也不出聲，輕快的奔入鏢局，亮出大刀，見人便斬。

大門外，鄭公公高高騎在馬上，四邊有錦衣衛守護著。

這次行動，他依舊讓蒙指揮領隊，雖然此人有婦人之仁，不夠心狠手辣，但能冷靜審度，不易出差錯。記得下午告訴蒙指揮整個計畫時，蒙指揮曾憂心的問道：「既然是抄家，理應有皇上聖旨才顯名正言順。」

鄭公公不耐煩的回道：「時間緊迫，聖旨事後準備就好了。」此刻崇禎皇帝已完全信賴宦官，一如其兄其父，因為經過雷厲風行的整頓之後，他覺得自幼陪他長大的宦官有如飼養的忠狗，還是宦官值得信任，所以鄭公公也有恃無恐。

蒙指揮還是不放心：「既然是抄家，不應設計如周宅遇劫一般入門就殺，女眷幼兒應收押綑綁才是。」

鄭公公想了一回，覺得不無道理，前天剛殺了一票，他也不是鐵石心腸，心底深隱處也些微感到罪孽，是以蒙指揮這一言、鄭公公這一念，保住了馮家不知多少條人命。

鄭公公頓首小聲道：「依你所言吧。」

明月下吹起陣陰風，像是無數冤魂在啾聲窸窣，鄭公公騎在馬上打了個冷顫，不禁心中發毛，偷偷轉眼四顧，被月光抹上一層銀亮的黑屋瓦，連一隻貓兒也沒，他仍不放心的看了又看。

「降者不殺！降者不殺！」蒙指揮舉刀衝入正堂，放聲大喊。他麾下的錦衣衛聽著了，將臥房中揪出的家僕、乳母、小兒等帶來正堂，令他們俯首跪下，而左尚武麾下的錦衣衛則偷殺數人，名曰「試刀」，或遇婦女則偷摸一把，名曰「驗身」。

為了加速抵抗者的死亡，鄭公公已教端木雄替每人刀刃上餵毒，端木雄於是建議使用「逍遙遊」，見血即麻，手臂上中了一刀，先是手麻，續之於肩麻，若運氣使力，不消多時就心臟麻痺。馮家男丁中多有反抗的，有的當則被殺，有的力戰數人，掙扎了好一會才被斬上幾刀，力歇而亡，畢竟雙手是肉，怎奈何得了刀兵？就這樣，許多男丁連猛拳都尚未發揮就倒地了。

殺了一陣，鏢局裡頭逐漸安靜下來，只剩小孩的號哭和女人的哽咽。

鄭公公不安的等著。

不久，蒙指揮快步走出，揖手道：「公公，部下們搜查不著馮勝。」

鄭公公背脊一寒，忖道：「正主兒沒拿著，打草驚蛇，以後該怎生尋他去好？」他想了想，隨即放大聲量，向四方嚷道：「難道江湖傳聞中的英雄人物，竟膽小如鼠，棄家中婦女而逃？」

「公公？」蒙指揮駭然道，拔刀出鞘。

包圍守護鄭公公的數名錦衣衛也亮出大刀，面朝鄭公公。

「馮勝！」有人屏息道。

馮勝已經坐在馬背上，一手從背後抱著鄭公公的腰，一手橫著匕首抵在鄭公公喉頭，其喉頭上無喉結，更容易切入氣管。

鄭公公覺得後面有一股酸氣吹來，是馮勝鼻中微呼出的細密氣味，他怎麼來到後方的，鄭公公是一點也不知道。

「你為什麼要這麼做？」馮勝冷冷的問。

鄭公公看不見馮勝，但從義父的敘述看來，他也該有六十歲年紀了，可跨在眼前的一隻手臂粗硬得像鋼煉的一般，他的身材該是十分壯碩的吧，但多了他騎在馬上，卻不覺得馬兒感到特別吃力。

鄭公公怎麼知道，十二歲已成猛拳高手的馮勝，二十歲便將猛拳使得變化無窮，這之後四十年怎麼可能再無進展？

原來，猛拳為外家功夫，重的是力、狠、準，而馮勝外家功夫已至極境，領悟到內外圓融的重要，因此四處訪師學習內家心法，將渾身筋肉氣血修練得運用自如，武學上已臻化境。是以他才剛訪友回家，發覺滅門慘禍，當下決定先尋找主兇，此刻雖橫刀在鄭公公頸上，語氣仍能不慍不火，非僅內外兼學，還需在心境修為下過極大功夫。

「你為什麼要這麼做？」馮勝再問。

蒙指揮喊道：「我們是奉朝廷之命來捉拿你的！我們訪得殺害周大同家的強盜，被你窩藏在此，你還勾結闖賊，意圖謀反！」

「放屁！」馮勝聲音不大，卻能讓方圓五十尺內之人聽得如雷貫耳，足見其內力修為，「欲加之罪，何患無辭？快說，為什麼？」

鄭公公一眼也不看脖子上的匕首，因為他不希望自己害怕，打從入宮那一天起，他就決定不要害怕了。相反的，他冷笑道：「你很想知道嗎？」

「莫非是為了上次，我不答應替你們當走狗，去廣西盜人祖神石像？」

鄭公公道：「那是後話，尚有一道破題兒。」

「啥破題兒？」

「待你臨終，再與你說。」鄭公公話猶未盡，已發動攻勢。他一式「呂祖伸腰」，身形一軟，竟從馮勝刀下滑了出去。這招用得極險，是八仙迷陣拳中之奇招，不攻不守不進不退，專以銜接各招之用，看似無用，鄭公公卻以無用之用化解危機。

馮勝雖有錯愕，畢竟江湖老成，他也馬上搶先攻擊，因為一旦被錦衣衛們迫近，他便失先機矣。馮勝先是一式「孔雀開屏」從馬背上衝天而起，兩手在空中畫了個半圓，緊接著「暴雷手」一連攻取鄭公公太陽穴、眼珠、鼻粱左右五個致命處，鄭公公一足下馬，半身仍在馬上，措手不及，下意識揚手「仙姑問訊」，仍抵不住馮勝猛烈的攻擊，鼻粱被擊中，頓時淚水暴湧，腦袋昏花，翻滾落馬。

錦衣衛們原本還投鼠忌器，不敢拔刀助陣，生怕失手傷了公公，如今見鄭公公落馬，正是天賜良機，便一古腦兒衝上前圍攻馮勝。馮勝又豈是省油的燈？他以「翔鷹式」飛身下馬，直撲鄭公公，一膝直朝他肚上撞去，鄭公公閃避不及，雖未正中要害，也被折斷了一條肋骨，痛徹心腑。

眾錦衣衛見鄭公公在馮勝手上，即刻止步，蒙指揮不顧生死，揮刀上前直取馮勝，馮勝反手「躍魚式」，將蒙指揮刀面一轉，蒙指揮只覺手心一麻，似有電流，大刀已在馮勝手上。馮勝鼻子一皺，敏銳的嗅覺聞到一陣異味，驚道：「有毒？」隨即將刀架在鄭公公脖子上：「我與你何冤何仇，你為何要這般待我家人？」

蒙指揮心中暗呼不妙，刀刃上的「逍遙遊」一旦見血，鄭公公的命便頓時只剩半條了，若身軀保持不動，也只能苟活半個時辰，即使端木雄的解藥施給迅速，也是半個廢人了。

鄭公公也知道「逍遙遊」的厲害，此時此刻他開始後悔倉卒行事，他已經等了那麼久，何不再等一等呢？他不甘心，他還未向許多人算帳，他還未懲罰自小傷害他的直殿監太監，他還未找到帶他上京的牙人，還有令他陷入這痛苦深淵的童年玩伴，決定拋棄他的父母等等等等等。

驟地，他發狂似的大喝一聲，一手抓住馮勝的刀柄，意圖阻止刀刃碰觸，可馮勝自幼習外家拳，練就銅筋鐵骨，鄭公公焉能以力取勝？

錦衣衛們衝上前，揮刀斬去馮勝背部，馮勝不得不挪出手，他舉臂將大刀一橫，輕輕格走錦衣衛的數把刀，赫然又是內家柔術，另一手抓住鄭公公右手，將其反轉在背，令其不得動彈，如此一手執人、一手持刀反擊錦衣衛。

馮勝心知不可久戰，腳下一蹬，拔地擎天而起，單手扣緊鄭公公脖子，意欲一手抓斷，留得自身性命，日後再追查這場慘事的根源。

忽然，他覺得自己的脖子刺刺癢癢的。

馮勝圓目一瞪，摸摸頸側，摸到一根刺，手才一碰，竟完全潛入皮肉，再無蹤跡。

他游目掃視，看見錦衣衛端木雄手上拿了根笛子，馬上明白是怎麼一回事，他怒喝一聲，正欲握碎鄭公公脖子，手指竟難以控制，速度遲緩了一點，力道又小了一點，這麼一點，已經讓鄭公公見機遁出其指間，被錦衣衛們趕忙拉走。

「天亡我也。」馮勝小聲告訴自己。

端木雄用的正是「煮豆螯針」，此針取自毒蜂，將毒蜂以毒花粉餵養，欲用之時，殺蜂取針，針需連其毒囊，方能見效，其針極細，其毒極烈，刺入皮表之際，先將皮肉消溶，人手一摸，則整根沒入。

馮勝不知道自己中了什麼毒，但他也清楚每一秒鐘都可能是最後一秒鐘，他只有盡量爭取那麼一丁點的時間。這麼一想，他方才湧起的怒意又消失了，此刻他心如湖面微波，對死亡的覺悟，令其完全專注於眼前的最後一件事。

馮勝凝視著被錦衣衛重重護衛的鄭公公，體內緩緩運息，將真氣凝聚，大步邁向錦衣衛們的層層兵刃，月光在兵刃上反映著血光，那是他家人的血跡，他已沒時間細究那是誰的血，只管朝錦衣衛筆直走去。

「不需動他，也會七步自斃。」端木雄在一旁警示大家。

馮勝迫近第一層錦衣衛，他們揮刀直劈，突覺虎口一震，刀柄脫手，肩膀劇痛，整條手臂忽然垂落，自肩胛骨硬生生震脫。

蒙指揮大驚：「保護公公！」

錦衣衛們紛紛搶攻，刀刃才剛觸及馮勝，竟如泥牛入海，頓失力道，隨即發生一股強大反彈力，令他們刀落臂脫。此時馮勝全身發脹，皮膚下血脈鼓起，粗壯的手臂彷彿吹氣的豬腸，像是隨時都會脹破。

猛拳是以命相搏的拳法，命尚可捨，何事難成？是以馮家子弟護鏢奮不顧身，江湖讚嘆，盜賊閃避。

這「捨命」的學問有三個層次，一者乃猛拳初級，前面說過乃源自華陀五禽戲，以鳥蟲禽獸掠食搏命之勢而成；二者猛拳高級，如前述「暴雷手」者，仿天地變幻，動態萬千，有和光同塵、化歸塵土之勢；三者猛拳最終一式「玉碎式」，為等閒不傳之秘，弟子非奮勇且學成十年者，不輕易告之，何也？「同歸於盡」也，無必死決心者，難行必死之術也。

而今馮勝志在必死，他將真氣灌滿全身，皮肉堅如鐵石，刀劍加身時，還自然生出一股反作用力，此刻他五臟六腑疾速燃燒消耗，再不多時，也會油枯燈歇。

他終於迫到鄭公公跟前，這次不扣脖子，只是拉起他的領子，因為馮勝要他回答。馮勝低聲道：「現在你可以說了，因為我已經快死了。」

鄭公公肝膽俱裂，他從未如此害怕，死亡的氣息從未如此接近，如今想來，在直殿監當小宦官時的飢寒交迫，也只像是小兒科。但他不認輸，硬在臉上擠出笑容，企圖從容道：「記得王用嗎？」

馮勝先是想了一下，隨即臉色大變：「你是王用什麼人？」

「王用一生落魄，棲身宮中當了四十年淨軍，你可知道？」鄭公公慘笑道。

馮勝一臉錯愕，誰會想到十二歲時犯下的錯，會連累他在這四十年間結識的妻子、出生的兒女、兒女的兒女、兄弟的兒女……王用這個四十年未聞但無時無刻不記掛在心的名字，誰料會在今晚、在這種情形下再次聽見？

他為人護鏢，在路上救人性命無數，對他而言，這正是為當年的錯誤贖罪。

馮勝瞠目道：「難道我用一生贖罪，還不夠嗎？」

「只要你死，就剛好夠了。」

馮勝聽了，臉色再度恢復平靜。

他雙目半合，兩唇緊閉，若有所思貌。

剎那間，馮勝體形暴脹，轟隆一聲，馮勝整個人炸開，血肉橫飛。此乃猛拳最後一擊

「玉碎式」，其式乃將真氣集中自爆，爆炸之勢，震得鄭公公五內移位、氣血紛亂，一口鮮血湧出喉頭，四肢癱瘓，再也爬不起來，身旁的錦衣衛們亦紛紛不支倒地，還有被震暈過去的。

馮勝三十歲已習得「玉碎式」，謹記在心，每日皆以最後一日過活，隨時可用，一旦使用，便是第一次也是最後一次使用。他用玉碎式將自己化為碎屍，將血肉撒在敵人身上，在中了「煮豆螢針」之後仍能撐上這許多時，也不枉其一世英名了。

鄭公公躺在地上，口不能言，只有眼珠子能滾動，一干錦衣衛從馮宅奔出，趕忙扶起他，蒙指揮將他送上馬背，命令部下快騎送回外東廠。

錦衣衛們將馮家存活的老幼點算，一一綑綁後，蒙指揮命令左尚武以及另一位千戶將他們押回大牢，並咐囑道：「人犯不得有閃失，這些人要是有受傷、受辱的，唯你倆是問！」蒙指揮很清楚左千戶的為人，他要另一位千戶與他一同押送人犯，一來可互相牽制，二來可防止左尚武看到他接下來要做的事。

待所有人離開，只留下一位準備為大門貼上封條的錦衣衛，蒙指揮命令他在門外等待，自個兒步入大堂，用燭火四下搜尋一陣，果然在大堂側牆找到掛著一塊水牌，用粉筆寫了許多潦草文字。

那是正在外頭護鏢的馮家子弟，水牌上詳列了人名、地點、預定回程日等等，蒙指揮默記在心，取了水牌下方桌上一塊濕抹布，將水牌上的字悉數抹除。明天，他將找他江湖上的朋友幫忙，去通知這些馮家人遠遁埋名，他人小力微，只能做到這樣了。

話分兩頭，錦衣衛們將鄭公公抬回錦衣衛衙署，先安排他躺在一間靜室，沒受傷的錦衣衛趕緊去找相熟的大夫，這趟任務中重傷的同僚有十餘名，好幾位的手臂脫臼，尚未接回去，這樣下去是會廢掉手臂的。

過了許多時候，大夫還沒找到，蒙指揮倒是趕回來了。問起鄭公公的情況，下屬向他報告說：「鄭公公傷勢太重，恐怕不行了。」

鄭公公在東廠的權勢不小，要是出事，又將是一場權力洗牌。蒙指揮心中躊躇，應該坐視鄭公公死去呢？還是傾力找大夫醫治呢？

下屬又來報告，某大夫家人說他出城應診未歸，某大夫來是來了，可是看見錦衣衛們兇神惡煞，嚇得腳軟，不敢處理。大家還在商量，有什麼靠得住又相熟的大夫。

蒙指揮又在考慮，能請御醫嗎？以鄭公公的權勢，恐怕還請不動御醫，況且也與禮不合。

鄭公公在靜室中躺著，不知道外面還對他的生死沒有把握，也不知道已經過了多少時候，只知道外頭天尚未亮，錦衣衛還未找來大夫，這種凌晨時分，會有大夫來嗎？會的，錦衣衛和東廠所向無敵，他的命又那麼重要，誰敢不從？

他的腰直不起來，方才他們搬動他時，好幾次弄得他痛不欲生，全身關節隨便動一動都會痛，他靜仰在長椅上，此刻心中所掛念的，竟是忠兒為他準備的小菜，說好要事成之後慶祝壽辰的。

此刻他全身劇痛，四肢、胸、腹、頸、背每一寸肌肉都像要脹得炸開，眼球暴脹像要迸出眼眶，連牙齒內部都脹痛得要裂開。這痛，痛得他痛入骨髓，遍身冷汗，恐怕過刀山下油鍋都不比這痛。

他腦海中不斷出現馮勝爆開的畫面，仍然心有餘悸，止不住害怕顫抖，說不定再過不久，他也會同樣爆裂，然後跟馮勝在黃泉路上相遇。

他不知道，此刻他的經絡已全部震裂，穴道錯位，全身氣血凝滯不通，的確離死不遠了，他還能活下來，憑的是那一念不甘心，他原本還計畫下一步要對小斗村復仇，計畫要被派去家鄉廣東徵鐵稅……

他不知道，今日壽辰，明年今日則可能是忌辰了。

一隻蚊子逮到機會，停在他無法動彈的手臂上忘情吸食，他想舉手驅蚊，手臂稍一動，即刻痛徹心腑，他不想喊叫令錦衣衛們聽見，於是咬著牙硬忍了下來。

然後，他看見一件事物。

剛才他移臂趕蚊時，從袖囊中掉出來的。

是那本泛黃，而今還沾了他汗臭的《十牛圖》。

他用指尖輕輕挑開書頁，在微弱晃動的燭火下，他別無他事，只有靜靜看書，令自己暫時忘記疼痛，等待不知何時才會出現的大夫來醫治。

他翻看第一圖，圖中是隻奔跑不馴的黑牛，牧童正拿著芒繩欲牽制，有普明禪師頌曰：

「一片黑雲橫谷口，誰知步步犯佳苗。」

他專心凝視，細心讀誦。

然後，他的四肢開始發癢。

他心無旁騖，繼續閱讀、思考。

然後，他的氣血開始緩緩在皮肉間蠕動、流動，尋找新的路徑。

那種渾身氣血奔流的感覺又回來了，這次愈加暢快、愈加舒服，全身像被清氣吹得脹滿，彷彿凌空飛翔。

他沒有像第一次那麼興奮，只是靜靜躺著，任由事情發生。

他的身體和意識沒有一點用力、一絲勉強，氣血在他體內通行無阻，將打斷得七零八落的穴道重新連繫。

蒙指揮終於將大夫帶進來的時候，鄭公公早已經抬起身體在床上打坐，正好完畢，下床、整衣、步出靜室，氣定神閒，完全不像剛經過一場激戰，更不像之前行將步入鬼門關的模樣。

他驚愕的看著這個不一樣的鄭公公，他比以往更瘦、更冷酷，眼眶子較以前更深陷，四肢比以前更堅硬。

最大的不同是，他渾身正散發出一般陰寒之氣。

在《靈龜八法牛棚禪師注本》的引導之下，他的十二經脈和奇經八脈互相尋找、重新連接、分配，但已經不是原來的路徑，而是嶄新的、獨一無二的經絡，醫家不傳，因為史無前例。

蒙指揮看到眼前的鄭公公巍然矗立，面目猙獰，由不得打從內心生出一股恐懼，不寒而慄。

他又活下來了，因為他還不願意死，除非他心中不再有恨意。

對他而言，這是個由仇恨構成的世間，如果哪天沒有了仇恨，他還很可能找不到活下去的意義。

與其說他有仇恨，不如說他需要仇恨。

壽辰之日，紀念他從人類蛻變成閹人之日。

然而今日誕辰，阿發再度蛻變了。

這次，他蛻變成一隻怪物。

弈士誌

時地：崇禎十七年（一六四四年）七月下旬／四川灌縣都江堰

雨水開始打在頭上了。

阿瑞在黑夜中走過索橋，由粗繩和木板搭成的橋身搖晃不已，腳底下的大河水聲滾騰，有千軍萬馬的氣勢，阿瑞聽了，不免暗自心驚。

長長的索橋越過遼闊的河面，遠看恍若在風雨中扭擺的巨蛇，阿瑞留心著腳下，生怕不小心踏空了，下面是天寒水急的河面，可不是鬧著玩的。

走過了索橋中央，總算看見對面依稀有燈光，在灰沉沉的風雨中若隱若現，阿瑞想像著燈光所帶來的溫暖，腳下忍不住加快了步伐。

根據他的經驗，再過不久，雨勢就會變得更大了。

果然，雨水毫無預警的傾盆而下，忽來的大片雨水令他以為山洪暴發了，淋得他頭上的笠帽都差點被沖下來。

雨勢好大，眼看一時三刻不會有停雨的意思。

他運起輕功，好不容易走上滑溜溜的山道，才發現燈火來自山道邊的一間破屋，亮光自土牆破洞穿出，雨聲很吵，聽不到屋裡的動靜。

阿瑞抖了抖簑衣，決定進去躲雨。

他推開破門，一股潮濕的暖意湧出，才知道破屋裡已經來了不少人，顯然都是躲雨的。眾人席地而坐，門邊堆了一地的簑笠，一名破衣男子四處穿梭，手上提了個大壺，直呼：「招待不周，招待不周。」看來，這裡不僅是間破屋，還是間客棧，不過他不記得門外掛有酒帘之類的。

滿屋是人，大約有三十名男子，老少皆有，卻沒人搭理阿瑞，連覷他一眼也沒興趣。阿瑞退出門外，將簑衣抖乾了些，才再度進去。眼看除了門邊之外，再沒個放簑笠的地方，他只好將簑笠跟眾人的堆在一塊。

「招待不周呀。」破衣男子滿臉堆笑，靈巧的穿過人群，來到阿瑞面前，「裡頭有位子，客人要點些什麼？」

阿瑞瞄了瞄裡頭，只見角落依稀有一小方塊空間，牆上還破了個洞，透風，不時飄進些雨。

「要點些什麼？」破衣男子又問。

阿瑞左顧右看，看不見櫃檯，當然也沒掌櫃，端的是家徒四壁：「你們有什麼？」

破衣男子提了提大壺：「熱茶，五文錢一杯。」

「還有呢？」

「熱茶五文一杯。」

阿瑞楞了半晌，才道：「那我不要了。」

破衣男子依然滿臉笑意，露出一口鬆動的黑牙：「不喝茶的客人沒位子，客官請罷。」

說著，男子已推開破門，嘩啦嘩啦的雨聲夾著響雷，一湧而入。

眾人中有人忍不住說話了：「你行行好，有位子就坐下吧。」

阿瑞環顧眾人，見有的人朝他點點頭，他只好摸摸囊袋，翻出一枚五文錢，破衣男子收了錢，從懷中摸出個髒兮兮的小杯，熟巧的倒了一杯給阿瑞，向他指指角落的空位，便一溜煙走到屋角，跟眾人一塊兒呆坐。

阿瑞小心地踏步，生怕踩到人，也怕杯裡的水濺到人，他尋找人與人之間的縫隙，用腳尖踱過去，好不容易才熬到了角落。

角落僅能容他曲腿坐下，牆上還有個洞，壁洞外野風呼呼在颳，吵得教人心煩，他喝掉手中那一小杯茶，將杯子塞入壁洞，又歇下肩上的布袋擋著壁洞，才算能將就休息。

阿瑞旁邊瑟縮著一個男人，鬢鬚雜亂，蓬鬆的頭髮用根麻繩隨便綁著，滿臉落魄，看上去有五十許，或者其實年紀沒那麼大，無神的眼睛望也不望阿瑞一下，只管用指尖在兩腿間比劃著不知什麼。

阿瑞沉下氣，這下才有機會好好觀察眾人。

四周全是些和他一般髒兮兮的男人，身上都結了層垢，衣服也有一搭沒一搭的，跟乞丐相差不遠。眾人暮氣沉沉，好似只管齊心合力等雨停歇。

「嘿嘿……」阿瑞身邊的人忽然自顧自的笑起來，洋洋得意的連連點頭。

阿瑞再仔細打量，才發現那人穿的是尋常讀書人穿的儒鞋，身上衣裳雖破舊不堪，也還看得出是儒服，只不過人看起來有點兒風狂。

「秋風殘葉，而今是何局？」那人自言自語道。

阿瑞沒理會他，只當沒聽見。

不料，人群中竟有人回答：「不管什麼局，總之是個殘局。」

此人只聞其聲，不見其人，其聲彷彿耳語般細密，卻字字清楚傳入阿瑞耳中，有如正在身邊。阿瑞心下覺得蹊蹺，此處顯然臥虎藏龍，說不定是亂民或盜匪的窠穴，一個不小心，不知又會陷入什麼亂局。

那儒生又道：「何以見得？」

那聲音又傳來了：「而今天下紛紜，大局未定，彷如殘局，未見先機，不知何年何日方能定局？」

「兄台差矣，天下已定，何來殘局？」

「此話怎講？」

「闖王進京，穩坐寶座，天下已是李家所有。」

大明江山百年腐敗，民變四起，其中最強勁的兩股勢力就是張獻忠和「闖王」李自成，李自成攻入北京，崇禎皇帝眾叛親離，無路可逃，只好跑去皇城北側的煤山上吊。

那聲音嗤笑一聲，道：「老兄耳目不靈光，那老李早已落荒而逃，現在天子寶座上坐的是胡人。」

儒生雙目圓睜，披髮一抖，顫聲道：「願聞其詳。」

「鎮守山海關的吳將軍大開國門，引胡人長驅直入，打敗李自成，許多大明將領紛紛投入胡人麾下，胡人大軍，大半是漢人，咱漢人自毀長城，淪喪至此，大明江山這方，已是死局難解。」

儒生聽了，不發一言，良久方說：「兄台是觀棋者矣？下棋者矣？」

那聲音冷笑道：「人言觀棋不語真君子，在下，是個偽君子。」

「如此，敢問名諱？」

「你敢問，我可不敢答。」

「何必藏頭露尾？」

「我說過，我是偽君子。」

阿瑞聽著那兩人對話，只覺暗潮洶湧，一來一往如劍拔弩張，令人窒息。不知兩人是何等人物，會在這破屋裡一塊兒躲雨？

忽然，那儒生轉頭瞪住阿瑞，阿瑞眼神畏縮了一下，忙閃去一邊。儒生察覺阿瑞聽見他們對話，便不再說話，依然以兩指在腿間比劃，彷彿在畫符，偶爾嘆氣或嘿然一兩聲。

外頭雨聲吵鬧，聽在耳中有催眠作用，阿瑞聽著聽著，竟然昏昏欲睡，他強打起精神，抱緊布袋，睡意卻愈來愈濃。他擔心四周的人來歷不明，這種亂世還是得提防的好，可睡意真的驅之不去，逐漸披蓋上他的四肢。

就睡一覺吧……他鼓勵自己。

終於，他毫不抵抗的合上雙眼。

他有好多日子沒有好好睡過了，很奇怪，如今天下這麼混亂，又身處於一大堆不認識的人之中，他竟能睡得那麼深沉。

在夢中，這數月來的混亂日子如激流般飛快掠過。

有人說，只有淺睡才會有夢。

有人說，夢會將當天吸收進腦子的資訊整理一遍。

可是阿瑞已經太久沒好好睡過，連淺睡都沒有機會，自從一味堂那一戰之後，他往往才剛要入睡就驚醒，生怕有人會乘他熟睡捅他一刀，或許這也是因為他總是沒辦法找到一個安穩睡處之故。

夢中，他又回到了一味堂。

一味堂二樓，奄奄一息的老布摩喘著腥氣，趺坐運息，臉色猙獰的鄭公公也同樣席地吐納，聽見京城淪陷、皇帝自縊消息的當兒，由不得一臉錯愕，因為大明等於是滅亡了。不過，才沒多久，鄭公公卻面露笑意，大聲向他的部屬們說：「我們自己再推舉一位皇上，不就得了？」

阿瑞聽了大吃一驚，這不是謀逆嗎？

不，不，夢中的他比醒著的時候更加冷靜，這不是謀逆。

如果大明皇帝仍在、朝廷仍在，這是謀逆。

而今皇宮已被李自成占領，文武朝臣自動失業，沒人再能為大明江山立個皇帝，所以這不算謀逆。

相反的，這鄭公公能在強敵圍繞、身受重創之際，還能當場想出擁立另一位皇帝，這是何等謀略？何等氣魄？如此一來，他還成了延續朱明血脈的功臣！

目標已定，鄭公公也無意再奪走廣西人祖神像，也不屑再取龔師傅性命，他站在小宦官的屍身上，對一干錦衣衛們指揮若定，令他們護送他離開一味堂。

如今他不再是皇城內侍，因為他服侍的對象已亡，他也不再是東廠太監，因為東廠已在李自成攻入北京城的那一刻永遠消失。

如今，他是保國大臣！

在這場夢中，阿瑞的思緒更加敏銳、更加緻密，洞澈了許多他以往看不分明的事情，釐清了許多過去糾纏不清的想法。

他看見他跟一味堂老闆以及眾師傅、學徒們告別，他跟這些人相處三年，吃大鍋飯、睡大鋪床，同甘共苦，想起此生可能永不再見，不免唏噓。

道別後，平日與他最為親近的龔師傅拉他去一角，給他一個小瓶，告訴他：「此藥名喚『無腸散』，少則令人四肢無力甚至心跳暫停，多則令人入口封喉，無色無味，難以令人察覺。」

阿瑞驚道：「師傅為何給我此物？」

「此乃我護身之物，方才差點用在那公公身上，為顧及一味堂聲譽，故而不用，然而你此去，必定為解決你身上那未了之事……這三年相處，我知你本性敦厚，但江湖路險，說不定此藥能助你一臂之力。」

「龔師傅，用毒終非正路。」

「你可知天下無藥不毒？」

「師傅之意，阿瑞不明。」

「少則是藥，多就是毒，端看用量之多少。」

「莫非此藥也可救人？」

龔師傅點點頭，並告訴他「無腸散」乃蛤蟆毒，以一指甲中之用量，可令人吐沫不止狀如螃蟹，需半個時辰自解；以二指間一撮之量，可令人當場全身麻痺、啞口難言，需半日自解；若三撮之量，則四肢扭曲如螃蟹受紮，入口即亡，絕無生機。

他只用過一次，目的在令抬鄭公公上山的山伕軟倒，以窺鄭公公虛實。

他一路跟蹤鄭公公一行人，想弄明白為何師叔呂寒松會扯上關係，是否又跟他在長生宮的住持朱九淵有關？

沒想到，回到四年未歸的長生宮，見到的竟是更可怕的惡夢。

阿瑞在夢中看見飛虹子的臉孔愈放愈大，一臉驚訝和不解，望著朱九淵的火犁掌印在他胸前的一團火焰，望著明鏡使刺入他背後那鐵一般堅硬的拂塵，飛虹子弄不明白，為何夾殺他的會是這兩人？

「輪到你了！」住持的火犁掌霍地一聲掃來，迎面撲來一道烈火。

阿瑞猛地驚醒，氣喘吁吁。

他一定神，發覺原本滿屋的人走得一乾二淨，只剩他一人。

外頭天色未白，正是晨光熹微，屋內陰暗，只從破牆瓦隙中透入昏光，照出破屋內一張翻倒的破桌子，除此之外，端的是只有四面土壁。

阿瑞感到頭裡面有一點淤塞，像在顱底沉了一塊鉛塊，他馬上反應：剛才敢情是被餵了蒙汗藥！那破衣男子提著大茶壺問他要什麼？顯然是試探他的暗號，他回答得出來，就是自己人，否則就要被蒙汗藥睡倒。

阿瑞責怪自己怎麼如此不慎？趕忙檢查身上，發覺鉅細各物一樣不缺，布袋仍在，腰囊中的兩瓶藥仍在，腰間的兩把庖刀仍在，連門邊的簑衣也仍在！所以並沒人要搶他身上之物，也沒人要取他性命。那他們究竟是什麼人？要行什麼事？為何要將他藥倒？

如今命還在，財物也不失，阿瑞放下心來，伸展身體，還要慶幸自己睡了這麼好、這麼長又這麼安全的一覺，他聽外頭無雨無風，作意探望一下外面，瞧看是否該啟程了。

他推開門，門被頂住，打不開。

門邊那面牆也破了，掉落的黃土塊露出土牆內的竹架子。阿瑞將牆壁再剜開一些，透過竹架望去外面，看是什麼頂住了門。

外頭是一片山林，稀疏的樹木在晨光下只有黑色輪廓，遙望可見粼粼河光，在山下曲折流過。低頭一看，竹架外有個人垂著頭，一頭亂髮，一動也不動。

阿瑞腦中掠過一陣不祥，他見過這種姿態，這人肯定不會只是睡著了。

他伸手去推那人，手上沾到一點黏濕的液體，馬上撲鼻而來的是一股醒目的腥臭。

陽光漸漸增強，鋪照入山林，照清了地面。

阿瑞看清楚了，外頭地面上橫七豎八的躺了許多人，全都以奇怪的姿勢躺著。

這只能有一個答案：他們都死了。

在他昏睡之間，周遭肯定發生了很多事情，他卻一點也不知道。

他不知道這樣子走出去安不安全？也不知道現在留在破屋內安不安全？

阿瑞退回屋內，集中精神凝聽……

外頭沒有風聲，沒有蟲聲、鳥聲，此刻正值大地未暖、萬物未甦醒、鳥兒未覓食之時，靜得只聽見自己的呼吸聲在屋內迴響。

阿瑞退到方才睡覺的牆角，那兒有一角破洞，被他用杯子塞住了，昨晚雨後的水澤仍積在洞旁。他從那破洞望出去，只見雜草叢生，擋住了視線，看不分明外頭的狀況。

陽光緩緩打從牆洞爬入屋中，在地面拉出長長的一道光帶子。

光帶子閃了一下。

阿瑞雙目一睜，馬上警戒起來：「外頭果然有人！」

光帶子又閃了幾下，看來外面經過的人還不只一位。

阿瑞正驚疑間，外面有人大聲喊話了：「姜人龍！你還在縮著頭嗎？」

如果屋外的人是朝破屋喊話，那麼阿瑞放眼四望，破屋內一眼看盡，除了他沒有其他人，顯然是搞錯了。那麼，他還是趕緊出去澄清吧。

「嚓——」地一聲，一枝長箭穿射入屋，深深插入阿瑞腳邊的泥地上。

他大吃一驚，遲疑半晌，將箭自地上拔出，但箭插得很緊，費了一番工夫才將箭拔出，定睛一瞧，箭頭有兩列利齒倒勾，怪道這麼難拔出，如果穿入人體，可是連腸子都會被拉出的。

這下子，他可要考慮該不該出去了。

「姜人龍，你再不出來，老子就將你連殼帶肉烤熟了下酒！」

言猶未畢，外頭「嚓——嚓——」數聲，牆上、屋頂上「嗒嗒」中箭，一枝帶火的長箭穿入牆上破洞，那火焰落地四散，顯然是包了燃油的。

「這下可好了，」阿瑞忖道，「無端受累，也不知沾了哪個人的光。」

雖然昨晚剛下了場大雨，破屋卻很快的燒發起來，短短數息之間，烈焰已經包圍了破屋。

需知那箭頭油包乃特製之油，黏稠易燃，能聚水面，雖潮濕之物，照樣先被烈火烤乾，接著再被火燒盡。

「你們弄錯人了！」阿瑞嚷道，但火焰的高熱燃燒了他的聲音。

「不，他們沒弄錯。」

阿瑞又吃一驚。這把聲音彷如在耳邊，但身邊又不見人，他猛一醒悟，抬頭一看，果然，屋樑上坐了一人，在滿屋頂烈火中自在的搖腳。

不，他看似自在，事實上正游目四顧，手中正捻著指訣，心中正飛快運算。

這人，正是昨晚在阿瑞身邊那儒服狂生。

「小兄弟，」那人自屋樑上說，「你可有逃脫之法？」

「什麼？」

「那看來是沒有了，」那人自言自語，「那麼，我只好自個兒逃了。」
「你就是他們要找的人嗎？」
那人正欲從屋樑站起，聽阿瑞這一問，又坐了下來：「你不認得我？那你是什麼人？」
大火燒上屋樑，正吞噬著屋樑的支柱。
「你才是什麼人？為什麼我得認識你？」
「我是姜人龍！」那人一臉受辱的表情，似乎很驚訝有人不知他是誰，「我乃灌縣都江堰總工頭是也！」
「總工頭又怎麼樣？我被你所累，如今要一同葬身火海了！」
「豈有此理！」那姜人龍火大了，頭髮都被火焰的熱氣沖了上來，髮梢開始焦臭捲曲，「你瞧不起我？」他發怒之餘，還東張西望，然後指指阿瑞腳下：「你往左走三步，後退一步。」
「為什麼？」
「我要救你一命，你信不信？」
阿瑞不知該怎麼反應才好。
姜人龍道：「我數到三！一！二！」
阿瑞聽見了，姜人龍所坐的屋樑發出斷裂聲，他即刻左三步退一步，屋樑整支倒下，在空中打轉了四十五度，不偏不倚朝阿瑞剛才站的地方墜下，屋樑斷成兩段，一段翻到阿瑞前方停下，一段撞上牆壁，而姜人龍在屋樑正好擊上地面時躍下，毫髮未傷。

阿瑞一身冷汗。

姜人龍得意的望著他，似乎很滿意阿瑞身上冒出的冷汗。

此人洞燭機先，將屋樑倒下的過程掌握得一清二楚，令阿瑞又是驚奇又是嘆服。

「姜人龍，我看你是姜人蟲！」外頭的叫罵聲響若洪鐘，清澈可聞，「你比烏龜不如！」

姜人龍臉色一沉，道：「外面有二十七人，為首的是白額狼，乃張獻忠黨羽，他站在坤位上，是個死位，其餘八方各占數人，方位我已一一記清……」顯然他是剛才從屋樑上望出去看清楚的，「現在他們正在移動，其走位之法，是盤死局，無論怎麼看都隨時可以將軍。」

火勢越來越強，破屋四壁已近崩塌。

姜人龍搖首道：「不，這是誘餌，此局暗藏後著九步，死中求活，白額狼是個老粗，哪有這種腦筋，必有高人指點！」

「所以呢？」阿瑞眼看要被烤熟，急道，「你到底想不想逃？」

姜人龍嘿然道：「棋逢對手，有對手，值得會會！」

姜人龍推開那張翻倒的桌子，用手撥了地面幾下，竟露出一方木板。他提起木板，下方是條僅容一人的狹窄地道，姜人龍馬上一躍而入，阿瑞不敢多想，也跳了進去。

破屋倒塌，大火覆蓋了地道入口，照亮地道內部。

「不許多話，只管快走。」姜人龍沉聲說。

大火正掠奪地道內的氧氣，會令他們窒息，成為地底乾屍。

阿瑞不知這地道有多深多遠，只知道兩人不停在朝下走，漸漸遠離入口的光線，遁入純淨的黑暗。

這黑暗中有潮濕的泥味，是一種腐敗的氣味。阿瑞兩手摸著泥壁走，生怕腳下會踏空，他聽見姜人龍的跫音，但聲音在地道裡詭異的迴盪，令他分辨不清姜人龍是否仍在他前方。

有那麼一瞬間，地道的寧靜令他幾乎以為自己已經被埋入地底，等待腐爛。他還在想，這樣一直往下走，會不會抵達陰曹地府？

「到了。」姜人龍的聲音將他拉回人間，只聽一聲木門嘰咕聲，一股新鮮空氣湧入，強光照入，阿瑞一時睜不開眼。

待眼睛適應了光線，阿瑞才看清這是一處柴房，窗口欄柵正穿入晨光，鳥聲啾啾，還有水聲泠泠，這才知道他們已到達山下。

「好了，我救了你，現在你該報答我了。」姜人龍拉住他的衣領，「在你報恩之前，告訴我，你是誰？打哪兒來？來幹什麼？」

阿瑞根本不認識眼前這人，聽他一連串說話，兀自暈頭轉向不知該如何回答是好。他原本以為這人是瘋子，但又不像全瘋，所以瘋子的問題，該不該回答呢？

「救命之恩，感激不盡。」阿瑞輕輕推開他，說，「可在下只是路過，不想捲入你的是非。」

「我的是非？」姜人龍嗤道，「張獻忠快逼到咱們灌縣了，這是我的是非？」他把阿瑞的衣領抓得更緊了：「張獻忠所過之處，如蝗蟲過境，只要見活人則通通殺盡，四川諸縣聞風喪膽，兩個月前重慶被屠，男女老幼豬羊雞狗無一倖免，如今正全力攻打成都，成都一落陷，沿河而上就是咱灌縣啦！」

阿瑞完全不知道這些消息。

自逃離長生宮後，他隨賽流星在山上待了半個月，前日才剛下山，來到青城山下、岷江分流的灌縣城邊，因大雨傾盆，才暫棲山上破屋的。

他原本想在灌縣找個渡口，到下游的成都府去打聽一件要事，如今不但張獻忠正在攻城，他想要找的人可能已經在戰亂中被殺死，而且張獻忠的手下白額狼已先行來到灌縣，可能是來探路準備攻擊的。

「先生，」阿瑞見他身著儒服，似為讀書人，故敬稱先生，「在下身小力微，不知有什麼可以幫忙的？恕罪了。」言罷，阿瑞兩手一撥，意欲扯開姜人龍的糾纏。

不想，沒撇開姜人龍，反被他順勢一抓，將阿瑞衣領抓得更緊，姜人龍雙目圓睜：「『千葉白蓮』？你剛才使的是青城十八式，你是長生宮的什麼人？」

區區一招，竟遭道破來歷，阿瑞頓時啞口無言。

不過，既然來歷已露，不如就乾脆劃清界線。

阿瑞再使出「千葉白蓮」，此式兩腕相貼、手掌互轉，一如舞蹈中的「雲手」，在轉腕之間化解對方手勁，他希望擺脫此人，一來怕多牽扯，二來心中尚有未了之事，希望能盡快去完成。

姜人龍也不可小看，他也使出奇妙手法，將阿瑞一擋，兩手如猿猴上樹，糾纏不清，阿瑞馬上使出「順水推舟」，不退反進，將全身側邊推進姜人龍懷中，腳下使出「仙人步」，一移一送，從姜人龍腋下彎腰脫出他的範圍。

姜人龍見阿瑞逃出他手心，興奮的嗤笑，直盯著阿瑞：「果真是長生宮的！你是哪一門？依手法看來，不是艮門就是巽門，我說得對不對？」

阿瑞不能說對，因為他已被逐出師門，不能再被稱為長生宮的弟子；但也不能說錯，因為他的業師柳嵐煙的確是艮門，而他也曾受教於巽門的飛虹子，領教過一些劍法。於是，他不置可否，反問道：「閣下內功修為挺高，不知上下諱何？師門何處？」

「諱何？諱何？不是早告訴你我叫姜人龍？師門？師門？我師住你師隔壁，我師在你長生宮西邊的丈人觀！」

丈人觀？阿瑞知道，那是「寧封真君」的道場，他聽師父柳嵐煙說過，丈人觀的道士很愛下棋，又輸不起棋，一旦下棋，非要下贏不可。

記得柳嵐煙曾向師祖司華容解釋，他因何遲歸：「我原本只是去丈人觀借儀軌經文，卻被他拉住下盤棋，不知不覺竟下了一整天，他說他險勝，不算數，所以迫我重下，我故意讓棋，好圖脫身，他發現了，又要我重下，如此不斷重下，到第四天他大獲全勝，才放我回來。」

「如此看來，他的棋力並不高。」司華容道。

「我可不敢這麼說，」柳嵐煙道，「那最後一局，我是真的一敗塗地，毫無反擊之機。」

阿瑞忖著，不知師父所說的那個人，會是眼前的姜人龍呢？還是姜人龍的師父？

姜人龍喜道：「你我同是道門出身，憑著這場情誼，你不幫我可就不夠意思了！」

阿瑞怒道：「我管你丈人觀什麼人？我有急事要走，刻不容緩，請別再苦苦相逼。」

「天下大亂，你有何處可走？」

「你管我？」

「我管定你了，」姜人龍咧嘴一笑，滿臉鬢鬚如風吹雜草亂擺，「你既非走不可，看在道門分上，說不定可以指點你一條好走的路呢？你要去哪裡？」

阿瑞想了一想，天大地大，告別此人，今後也難再見，告訴他也無妨：「我正要去的是成都。」

「不是告訴你張獻忠正在攻打成都嗎？」

「去了再說。」

「那你別走水路了，走陸路比較好躲，在水上難防冷箭。」姜人龍一開口就長篇大論，「沿走馬河而下，先過郫縣，便是成都，記得勿近河岸，於林中徐行，當心伏兵。」

阿瑞心想，此乃老生常談，謝了一聲，便步出柴房。

步出外面，才知這是一所廟宇，轉到正門，才見「二郎廟」漆金匾額，原來是自幼聽聞的「灌口二郎神」傳說所在，他回身朝神案上二郎神像拜了拜，口中言：「二郎神深明大義，願祝我此去無風無浪，早日成事。」

言罷，阿瑞大步邁出二郎廟，步下高高的石階，放眼望去，只見山下的岷江分成兩道，昨晚經過的索橋正在分流上方。

岷江上有一塊很大的人工沙洲「金剛堤」，金剛堤尖端被稱為「魚嘴」，將岷江切割成內、外兩河。這分水工程乃秦代蜀郡守李冰的功勞，此一工程令整個下游平原永絕旱潦之災，並灌溉該地，使其年年收成不斷。

早晨的陽光照上河面，其時仲秋八月，水位頗高，河水滚滚，涼風陣陣，正是下游田地收成季節。

阿瑞走下二郎廟高高的石階後，穿過一片斜坡，斜坡上樹木稀疏，有小徑通往河邊。行不多遠，見有渡口，停泊有小船一艘，獨不見船夫，正納悶著，忽然山上傳來尖哨聲，阿瑞陡然一驚，遙望山林，並沒見人影動靜。

他豎耳傾聽，隱然之中確有細微聲息，岸邊風弱，山上風勢稍強，林葉微晃，但有些葉叢晃動得不甚自然，可猜出有一群人正分頭下山。他們腳步輕盈，身體擺動小心，顯然是受過特殊訓練，若真如姜人龍所言，來者是張獻忠手下啥麼狼者，他們很可能是進攻前的先遣部隊。

他摸摸腰間兩把庖刀，心裡盤算該不該回頭，以避凶險。

正在猶豫不決之間，有東西霍地一聲穿林而出，阿瑞下意識一轉身，一物劃過胸前，衣裳瞬間被割裂一道，皮肉猶存有火辣辣的感覺，一轉眼，渡口的小船熊熊地燃燒起來，很快被燒成灰炭，冉冉沉入河中。

阿瑞驚覺，是剛才在山上遇到的火箭！

他仰首望向山林，不見動靜，正驚惶間，兩枝火箭筆直飛來，速度之快，阿瑞根本來不及多想，抽刀擋箭，刀身撞上箭頭油包，燃油四濺，燒著阿瑞的衣服，阿瑞馬上直奔河邊，跳入河中。這時他才發現另一枝箭早已射中一人，那人大概是船夫，剛才躲在樹叢中，被火箭射中全身著火，發狂慘叫，也跳入河中試圖滅火。

阿瑞見那人落水，忙游過去想救他，不想那人已浮出水面，頭上草笠斜插著箭，口道：「不礙事！」一回身則朝上游逆流游去。

游不多遠，他又回頭看阿瑞：「好漢不吃眼前虧，小心箭來了！」

阿瑞忙沉入水中，正好火箭射入水中，箭頭的火雖然觸水即滅，飛箭力道依然入水三尺，才停止前進。

那人雖逆流游水，身手卻是十分敏捷，在水中左右穿梭，不一會兒，便與阿瑞有大段距離。阿瑞自幼在山上長大，不諳水性，自然追不上他，這麼一遲疑，山上已出現變化。

林中不再射出火箭，但山林的騷亂更加明顯了，他們已經不怕露出痕跡，在林中直往上游方向奔跑了，這麼一來，他們將會比阿瑞更早抵達姜人龍之處。

此時此地，阿瑞有兩個選擇。

一者，獨善其身，繼續朝下游找船，將方才的紛爭置之腦後。

二者，蹚這渾水，幫助姜人龍，那麼這趟即可能是有去無回之路。

他甘心放棄到成都去尋找真相嗎？

阿瑞抽出兩把庖刀，在水中刷刷兩下，爬出水面，不待抖乾衣服，便提一口氣，拔起腿沿岸飛奔。

此去凶險，可一旦決定了，則義無反顧。

林中發現了他，馬上不客氣的送出幾枝箭，箭上無火，卻發出尖銳的哨聲，彷若風旋電轉，懾人心魄。阿瑞腳下施展「仙人步」，左彎右拐，難辨虛實，飛箭紛紛錯身而過。

林中諸人耐不住性子，終於跳出一人，手執長槍，直奔而來。

那人滿腮亂鬚刺蝟也似，血紅的眼珠子深陷在粗短的鼻梁兩側，上頭插了兩道刀眉，沖天亂髮結了層厚塵和油脂，彷若從地獄活生生跳出來的鬼卒。他橫著長槍，口角流涎，咆哮如獸，衝過山坡草地、越過河岸碎石，長槍一揮，直刺阿瑞胸口。

阿瑞定睛一看，長槍來處，後方尚有一箭破空而來，此箭與前者大為不同，來得無聲無息，若他只注意長槍，此箭將乘其不備，取其背部。

阿瑞心緒百轉，瞬息之間看出端倪：此人放箭，有倒勾箭置人必死，有火箭遇人焚人、遇物焚物，有響箭亂人心神，如今放的無聲冷箭，取人性命於不備，端的是小人之心難防，相較之下，眼前狂人，還算是君子長槍。

張獻忠麾下，真有如此許多能人？

阿瑞看準長槍來勢已老，躲過槍鋒，用右手菜刀將槍身一壓，緩其來勢，左手剁肉刀看準來箭一格，箭速一慢，插入岸邊石子地中。

阿瑞眼觀八方，果然！另一箭已隨後而至，他又以刀格箭，同時眼前狂人業已抽回長槍，舞了個槍花，大喝一聲，欲取阿瑞。

阿瑞心知他們是要將他困在此處，如果能殺了他更好，如此便能削弱姜人龍的助力，因此他下結論：不宜戀戰！

當下，阿瑞也大吼一聲，揮起兩刀，舞個虛招，轉身便逃。

「驢毬子入你媽的！你敢逃？」使長槍的狂人啞聲嘶喊，也追上前去。

山上傳來哨子聲，令那狂人馬上止步，他急躁的望望山林，又望望阿瑞的背影，情急喊道：「不殺這廝，老子不回去！」說時遲，那時快，一枝響箭已插在他兩腿之間的地上，警告他不得違令，他這才不甘心的亂叫一通，跑回山林加入夥伴。

阿瑞的衣服沾了水，沉重得令他跑得不快，他見那狂人已不再追來，但山林中有許多人正朝二郎廟方向移動。再看河中，他已快追上剛才游泳逃去的船夫。

遠遠望去，姜人龍兀自高高站在二郎廟門外，背剪雙手，遙視河面。

「姜人龍！」阿瑞喊道，「他們殺過來了！」他飛步奔上石階，擔心姜人龍被人從背後的山林暗算。

姜人龍沒聽見阿瑞似的，只瞧他捻指一算，頷首道：「時辰正好，生門開，杜門絕，青龍回首，只待風平浪靜。」

阿瑞完全不懂他在說什麼。

「你願意幫我了嗎？」姜人龍忽然問他。

「怎麼幫？」他回來正是要幫忙的。

「你信任我嗎？」

想起剛才在破屋，姜人龍露的一手，對細微變化預料奇準，阿瑞點點頭：「信。」

「你必須完完全全信任我，我說的指令要馬上去做，如果我說不能動，即使刀劍加身也不能動，你能辦到嗎？」

阿瑞遲疑了一下。

「那麼你不能幫我，」姜人龍說，「因為稍一猶豫會害死很多人。你不想有人死，對嗎？」

「我完全信任你。」

「除非我死，否則請一定要聽我的指令。」

「好。」阿瑞用力點頭。

「好！」姜人龍大喊，「佈局！」

剎那間，二郎廟四周騷動起來，不知從哪冒出來的許多人，站在廟前、廟側、廟頂、樹下、草邊，一一站定。阿瑞一瞧，昨晚的破衣男子依然拎著大茶壺，站在二郎廟門前，這裡的每一個人，都是昨晚在破屋看過的熟面孔。

二郎廟後方山林中人尚未現身，先有火箭、響箭、無聲箭交替射出，一時滿天哨聲響耳，火光四溢。

姜人龍口中喃喃有辭，阿瑞聽不見他在說什麼，此時眾人紛紛動作，或移動身形，或舉起棍子格開來箭，或跳或蹲，皆一一避開箭鋒。

四周飛箭如雨，阿瑞依舊不敢妄動，因為他答應過姜人龍。忽然，姜人龍的聲音拂過耳際：「右手抽刀直舉朝天！」阿瑞不假思索，依言執行，只聞刀面「噹」的一聲，力道強勁得令他差點後退，原來是枝無聲箭，姜人龍馬上邁上前來，搶走該箭，端詳箭尾羽毛。

「果然是他！」姜人龍咬牙道。

「果然是誰？」阿瑞才剛動念，姜人龍已傳令：「白浪濤天！」他指示的是長生宮「青城十八式」中的招式。阿瑞隨即雙刀齊出，左前右後，右上左下，腳跟一蹬，跳起三尺翻身揮刀，舞成一個中空大球，將他保護在內，卻將一切近身來箭斬斷。

這是青城十八式中的絕招。

「平步青雲！」姜人龍一聲令下，又是青城十八式。

這是十八式中唯一需與仙人步結合的招式，未習仙人步者，難以使得淋漓盡致。阿瑞一聽是「平步青雲」，馬上運臂施拳，但他手上握刀非拳，青城十八式乃拳、掌合一之法，並非刀法，沒想到在姜人龍指令之下，阿瑞雙刀竟能發揮原武功料想不到的效果，將連續飛來三枝火箭格去一旁，插入地面。

阿瑞大吃一驚，姜人龍居然比他還瞭解如何運用他的招數。

回觀姜人龍，他只在手上拿了根長杖，隨興揮動，每一枝箭都在迫近他之前被撥走，毫無懼色，這種從容態度和武功之高，令阿瑞胸中生起一股暖流，深深感到敬佩。姜人龍還在口中不停呢喃，但除了要給阿瑞的指令之外，阿瑞聽不到他其他的話語。

再看其他人，明明都是各路好手，紛紛使出拿手絕活抵抗飛箭，當下，阿瑞忽然明白，姜人龍的喃喃自語，其實是在對每一個人發號施令。

這是不可能辦到的事！一個人怎麼可能同時驅敵、觀察八方、號令少說有二十餘人的每一個人呢？

除非他是仙人！仙人能達到這種境界嗎？

二郎廟前方石磚地面，燃油濺了一地，焚燒起來，一團團火焰冒起白煙，熏人眼鼻。忽然，一批火箭射向二郎廟方向，專門射去屋頂，萬一火箭插上屋瓦，燃油帶火從屋頂流下，或穿透屋瓦間隙，流入廟中，那歷史悠久的二郎廟必定很快付之一炬。

守在廟門的破衣男子提著大茶壺，飛身上屋頂，大茶壺左右開弓，竟將火箭全部撈進壺中，將箭尾拆斷、壺口一蓋，燃油失去氧氣供給，火焰很快就熄滅了。

山林中衝出三個人，啞聲作喊，各人手上拿著大刀，衝向姜人龍。

眾人見狀，紛紛嚴陣以待，阿瑞亦施出護身架式，意欲保護姜人龍。

「且慢，」姜人龍小聲道，「注意他們左手擺動不自然，恐怕是已經廢了，他們的喊聲沒有力氣，他們的表情充滿恐懼，他們的腳步很遲疑。」

「所以？」

「不能殺他們，搶他們的刀應該不難。」

阿瑞定睛一瞧，果然如姜人龍所言，那些人左邊袖子染了大片黑褐色，顯是乾了的血跡。他跨上前去，那三人竟驚惶的停步，阿瑞只消輕輕一拿，便將他們手上大刀一一取走，再看大刀，刀口已鈍，刀身已鏽，根本無法傷人。

「你們是誰？」阿瑞一問，那三個人隨即跪下，用羸弱的哭聲哀求道：「大爺，饒命……」

阿瑞翻開他的袖子，裡頭手臂已斷了半截，搖搖欲墜，再看另一人，兩耳已被割去，創口遮在頭髮下，結了厚大血塊，還有一人被挖去一目，只剩一個窟窿半遮在披髮下。

「他們撤退了。」姜人龍望著山林說，「這幾個人是他們放出的警告，就跟昨晚一樣……」

昨晚，阿瑞昏睡之時，白額狼在雨中發動攻擊。十餘名刀客持刀衝向破屋，雙目暴紅，像野獸般嗥叫嘶喊。與此同時，破屋中也有六人抄出武器迎戰。此六人肥瘦高矮不一，唯眸子是一致的炯炯有神，肌膚經風吹日曬得如黑鐵般堅實。

這六人都是安徽鳳陽縣人，乃鳳陽「猛拳」馮氏後人，其大家長馮勝在京城開辦「廣勝鏢局」，名聞遐邇，不想去年以謀反罪抄家，馮勝及馮家弟子等慘死，留得幾位在外護鏢的沒遇害，江湖上有人通知他們不得回京，只得四處流離，這六人正巧護鏢至四川，便順勢加入姜人龍的行列。

猛拳一出，十餘名刀客如雛雞遇上老鷹，頃刻之間，刀客中有折斷臂骨的，有腕骨碎裂的，也有肋骨斷裂的，倒地呻吟，在雨中弱聲呼救。

「怎地如此不濟？」姜人龍迷惑不已，令馮家六人將他們帶回來審問。忽然間飛箭夾著雨勢飛來，六人閃避之時，方才倒地的刀客已紛紛中箭，然後白額狼則不再派人攻擊，只在外頭叫陣。

待日出時分，姜人龍爬上破屋樑，才從縫隙看清楚，那些刀客全瘦骨如柴，手上大刀也都或鏽或鈍，分明只是來送死的。

姜人龍內疚不已，然夜黑兼風雨，倉卒間又如何能認清？但害死無辜者的事實已在他心中投下極大陰影。

如今他們又派人來送死，目的何在？姜人龍咬牙告訴阿瑞：「……也像他們對付其他縣城一樣。」

過去張獻忠每攻一城，便大肆屠殺，只留下些青壯男丁，斬手削鼻割耳，送他們到附近縣城，告訴他們不投降的下場。有的縣城被嚇得人心惶惶，軍民自發殺死縣官而開門投降的，也不在少數。

眼前這三人看起來有氣無力，想必沿途上都被凌虐。

三人搖搖擺擺，阿瑞正欲扶他們坐下，三人忽然全身抽搐，兩眼雙白，鼻孔溢出鮮血。

「中毒！」姜人龍嚷道，「王道長！」

一位衣衫襤褸、灰頭土臉的中年男子自人群中迸出，很難想像他是位道士。此人專攻丹道，對毒物頗有心得，他端詳三人，隨即點他們穴道，只有一人口吐黑血，倒地喘息，其餘二人有出息無入息，抽搐動作也愈來愈小，王道士再把一把脈，搗頭如蒜：「毒入膏肓，沒戲唱了。」

「可惡，」姜人龍道，「他們怕被洩漏。」

「洩漏什麼？」阿瑞問道。

「人數、武器、行程等等一切有用的消息。」姜人龍說，「用兵之計，貴在先機，要得先機，需審度一切手上情報，少了情報，便如瞎子領軍、嬰兒帶路。」

王道長拍拍姜人龍：「他們尚有一人未死，待我將他治好，再審問不遲。他們這一撤退，咱正好休息養神。」

姜人龍點頭道：「諸位退回廟中，留下小二把守屋頂、馮家六子分占四角。」

眾人聽罷，紛紛依言行動，迅速退入二郎廟。

一入廟裡，姜人龍馬上拿根樹枝，在鼎爐滿滿的香灰中畫出四周地形：「咱們在山陰面，中午之前，我們都未占優勢。」

眾人全部點頭，唯有阿瑞完全不明白：「什麼意思？」

旁有一人小聲道：「咱們面向陽光，敵暗我明。」

此人乃峨嵋山隱士，年紀四十上下，真名不具，來歷不明，自稱「老山樵」。然其雙目炯炯，音聲沉穩清楚，雖滿臉風霜灰土，仍掩不住一股浩然之氣。

姜人龍又說：「其間神射手僅有一人，其餘五人皆非射箭高手。」

「何……何以見得？」阿瑞又忍不住問了。

姜人龍不回答他，忙碌的在香爐中畫來畫去。旁邊有位老者小聲解釋道：「射一枝箭，從取箭、搭箭、拉弓、瞄準、放箭必有其時間，方才箭如雨下，至少五人不停射箭才有可能，但因射箭倉卒，飛箭飛得並不筆直，箭身旋轉擺動，有失準頭，然而每隔一息，必有一凌厲之箭飛來，此箭勁道特強，殺氣特重，目標明確，足見其中必有一名神射手。」

阿瑞聽他詳細解說，大為嘆服，於是揖手道：「承教！敢問前輩何人？」

「不敢，只是總工頭手下敗將而已。」

「手下敗將？」

「四川峨嵋、青城山各路好漢，都是總工頭弈棋的手下敗將，對他敬仰，甘為其指揮，保護都江堰，共同為四川生靈出一分力！」

阿瑞不知，此人乃青城山隱居的道士朱朔，乃明太祖庶系後裔，年幼家道中落，因機緣入山求道，內功造詣甚高，不為世人所知，若非張獻忠迫境，也將老死山中不存片紙紀錄。

姜人龍叱道：「那邊噤聲！生死關頭，哪容你們天南地北？」

「總工頭恕罪啦。」那跟阿瑞說話的道士朱朔趕忙陪笑作揖，對於被比他年輕的姜人龍叱喝，一點也沒有不高興的意思。

「白額狼隨時會攻擊，敵暗我明，不可妄動，」那位「老山樵」作聲道，「然守勢對咱也不利，咱們似乎不該按兵不動，不知總工頭以為如何？」

「白額狼早就正在攻擊了，」姜人龍道，「是吧，王道長？」

眾人不約而同轉頭，尋找王道長的蹤跡，只見在二郎神塑像之下，方才從山上衝下的三人中沒死的那名男子，王道長正五指緊扣著他的脖子，另一手橫了一把在他頸上，那男子滿臉兇狠，一點也不似方才羸弱的模樣。

王道長冷冷道：「總工頭果然料對了，此人指頭結繭，是拉弓的老手。」那男子雙手不敢稍動，一雙眼珠子滾溜的掃視眾人，彷彿要記清每一個人的容貌。

姜人龍覷了眼男子的手，拉弓的指節上結了厚繭，還有剛磨破紅腫的，顯然剛才在山上放箭的，他也有分。

他看穿了他們的伎倆，昨晚的十多名刀客是計謀的第一部分，目的在讓他對現在的三人不起殺機，讓他們的間諜能成功混入敵營。

姜人龍道：「看你不像生間，莫非是個死間？」

那人聽了，反倒一臉困惑。

「敢情你來了不打算活著回去，那就是個死間啦。」

間，間諜也，《孫子》曰：「故用間有五：有鄉間、有內間、有反間、有死間、有生間。」

姜人龍想，這人利用兩個俘虜作犧牲，使苦肉計混入他們，大多數是為了試探，然後乘機開溜。如果真是個死間，就是為了給他們假消息，或打算以性命相搏，直接摧毀他們的核心（而姜人龍本身就是核心），或在重要時刻裡應外合。但對方是一支僅有二十餘人的先驅部隊，旨在探敵，不在攻堅，尚沒必要出動死間……

除非成都已陷，大軍已迫近灌縣。

除非他們真的想先除掉姜人龍，好減少日後的阻撓。

這不像張獻忠的作風。

這用計太深，不是張獻忠的作風。

姜人龍覺得這裡頭太多變數，太多假設，頭緒太亂，如今他想知道，這男子是什麼人？

什麼地位？混進來的目的是什麼？還有，何人在主使這一切？

他繼續用語言壓迫眼前這男子：「既然是死間，也沒有讓你白死的道理。」他令人用繩索綑綁男子，不令他有四肢伸展的機會，將他架到二郎廟門去。

「老山樵」說得對，如今攻、守皆難，要能死中求活，必須另闢新局，而這男子不管是誰，都是這新局不可或缺的一步棋。

他將男子綁在二郎廟門外，要令對方能看得見他，如果這男子是重要人物，對方當然會投鼠忌器，如果他不重要，說不定馬上會有枝啞箭結束掉他性命。

姜人龍道：「你且為我們當個門神，要是當得好，二郎君也許會多賞你兩年命。」

那人驚恐的環顧四方，唯四肢被五花大綁，絲毫動彈不得，口中想要說話，又硬生生的吞了進去。二郎廟背山臨江，山門正朝岷江，廟門外有一根繫馬繩的柱子，那人被倚靠在柱上，看不見後方山林，由不得心驚膽戰，不知何時何方會有飛箭奪命。

他知道自己的地位並不高，充其量只是張獻忠手下的三流角色，所以這趟派他來，的確是要他送死，還要他送上一個假消息。可是，死亡的恐懼令他改變了想法，他或許可以不死，或許只要他透露正確的消息。

「你想背叛？」一把清楚的聲音在耳邊響起，令他頓時不寒而慄。

他知道這是誰的聲音，也知道此人正在山林中盯住他，搞不好一枝箭已經搭在弓上，瞄準了他的背後，他猜想是一枝火箭，因為那會讓他在講出任何消息之前更迅速死亡。

死亡的陰影覆蓋上來，他過去的記憶混亂的湧現。

他想起，他是四川永川人，因遊手好閒而不見容於家人，便思出外去闖個萬兒，在外鄉游蕩了許多時日，遇上張獻忠招兵，便加入軍隊，學習耍刀射箭等殺人之術，四處攻城，見財便搶，見人便殺，常常還能姦淫婦女，姦了就殺，過著無法無天的日子，很是快活。

他周遭的所有人都以殺人為常事，剛開始他還會良心不安，久之殺順了手，也殺上了癮，還覺得無論怎麼殺，都比不上大頭目張獻忠來得厲害。他強暴了不知多少婦女，但記憶最深的一次，還是不久前攻打到家鄉那一次。

大軍迫近永川時，他已經在想，以前喜歡的鄰家姑娘嫁給了一位讀書人，他恨得牙癢癢的，這趟是個好機會，他豈能放過？於是在破城時，他刻意殺去那讀書人家裡，強暴了那以往的心上人。

當他將大刀橫在心上人脖子上時，她狂亂迷惘的眼神，忽然令他覺得噁心，覺得她跟任何一個女人沒什麼不同，於是，他無需狠下心就抹了她脖子一刀，就如他做過千百次的同一件事一般。

但在事後，在屠殺完成後，在殺戮的瘋狂平靜下來之後，只要一回想起那一幕，他便會嘔吐不已。

他又吐又哭，還會忍不住全身發抖，在炎夏烈日下發抖得像埋在冬雪之中。

而今，那種嘔吐的感覺又回來了，雖然自昨晚粒米未進，原本預備當早餐的乾米糰還留隨身行囊中，掛在山林中的一棵樹上，但胃裡頭好像總有點東西要翻出來。

如今死亡已經貼近他眼前，他才忽然明白那些被他殺死的人，臨死前的眼神是什麼意義。

他聽見了！他聽見樹葉穿破的聲音了，他聽見箭尖割破空氣，這些細微的聲音他太熟悉了，因為這些聲音已經在他手中不知發出過多少次了。他緊閉兩眼，心中恐怖萬分，等待死亡前的劇痛。

在他身後傳來「剛！剛！剛！」三聲，原來是守在廟頂上的破衣男子小二用大茶壺收了來箭，三枝啞箭被他收去。

這破衣男子的確曾是位酒樓小二，原本在湖南的酒樓工作。

去年春天，張獻忠從武昌出兵，一路朝南打去，連破湖南的岳州、長沙、衡州諸府，攻入廣東境內時，遇上左良玉率領的軍兵，大敗張獻忠，張獻忠不想與左良玉衝突，遂撤退改攻四川，將湖南船隻和居民悉數擄走，從夷陵乘船，企圖逆流而上進入四川。

這位酒樓小二也在被擄之列，同時被抓的湖南居民數十萬人，因船行逆流，速度緩慢，糧食不足，竟餓死大半人。小二乘他們沿河棄屍時，偷偷跳水脫身，跟他一塊兒逃走的還有一名白淨男子，該人十分善泳，自稱「浪裏蛟」，原來是世居洞庭湖東岸，在張獻忠路經岳州時被擄的。

兩人目睹張獻忠所過之處寸草不留，知曉張獻忠欲攻四川，於是相約抗張，趕過張軍沿河而上，直至灌縣才遇上姜人龍。

閒話少扯，且說小二收了箭，確認再無來箭，則翻身下屋頂，將箭給那男子看：「這是老子為你擋下的，你欠我一條命了。」

那男子被嚇得渾身發軟，因為眼前的箭頭是尖細的倒勾，他知道此箭一旦貫穿身體，絕無生路！

小二繼續說：「我只為你擋三次，三次之後，我就要回廟裡休息去了。」

「好……好漢饒命，」那男子腿軟，只愁雙腿被綁，想跪也跪不下來，「我會說出一切，只望留我一條狗命。」

小二一招手，守住屋角的馮家子弟步上前來，將男子推回二郎廟，小二才再躍回屋頂，嚴防火箭襲擊。

圍著鼎爐的眾人將男子拉近，問他：「你有什麼話要說？」

「張……張大王的船隊已經接近這裡，再過三五日，就要攻下灌縣城了。」

旁邊一名頭戴草笠的白淨男子步上前來，他打著赤膊，正是方才阿瑞在河邊遇上的船夫「浪裏蛟」，他揖手道：「諸位前輩，我剛才在河邊守船，看見他們只有用腳走的，沒半艘船影兒。」

「是嗎？」姜人龍說，「那麼再推他出去。」

男子大驚，驚惶之間又被拖了出去，依然背對山林被倚靠在柱上。

阿瑞忙道：「你還沒弄清楚他說的話對不對呢。」

「對不對並不重要，」姜人龍道，「重要的是他必須再出去一趟。」

「什麼？」阿瑞惱道，口中忍住不說，他認為姜人龍在陷人於難。但轉念一想，周圍的人來自五湖四海，卻都那麼敬佩他，其中必有緣故。

山上咻咻幾枝火箭，嚇得那男子想跑，但雙腿被綁令他仆倒在地。雖有火箭飛來，廟頂上的小二並無動作，守住四角的馮家六人也沒反應，因為箭不是朝著人而是朝四周地上射的。

飛箭勁道強大，竟能插入石板地面，箭一插地，箭簇油包破裂，周圍隨即出現一團團火焰。

「我說……我說……」男子語帶哽咽，不停哀求。

守屋角的馮家子弟又將他拖了進廟。

「奇怪，」那馮家子弟晃頭道，「外頭起霧了。」

果然，一團薄霧竟隨著他的腳步輕輕飄入。

「他終於出招了。」姜人龍低聲呢喃，隨即嘴唇抖動似在說話，顯然又在用「密音傳耳」，果然廟外的馮家六人全撤回廟中，酒樓小二也拎著大茶壺進來了。

他們忙問：「總工頭，怎麼回事？」

原本就是一頭亂髮的姜人龍，將紮髮的麻繩解下，樣貌更為駭人。

他對那五花大綁的男子說：「我問，你答。」男子只有用力點頭。

「你好歹有個名字，什麼名字？」

「……我姓吳，吳大用。」

「吳大用，現在你是個有名字的人了。」姜人龍道，「你殺過人嗎？」

「殺過。」

「很多嗎？」

「很……很多。」

「殺人的時候，愉快嗎？」

吳大用恐慌四顧，看見四周的人都在看著他，覺得嘴唇在瞬間乾掉了。

「我想你一定很愉快，不然怎麼會殺很多人呢？因為殺了一次，所以還想再殺吧？」

「我……是被命令……」

姜人龍打斷他：「不殺別人，你就活不下去嗎？」

吳大用困惑得很，他完全不知該怎麼回答才好，在殺死那位被他強暴的鄰家姑娘之前，他從來沒有想過這會是個問題。如今在姜人龍不斷逼問之下，剛才的嘔吐感又回來了，他覺得十分噁心，十分難受，很想吐個痛快，無奈腹中空空，無物可吐。

「這次來灌縣，是白額狼命令你的嗎？」姜人龍忽然問。

心灰意冷的吳大用老實回答：「是……」

「那麼，是誰命令白額狼的呢？」

「當然是大王了。」

「不，不對，」姜人龍搖頭道，「白額狼身邊還有一個人，他年紀不小，跟那位前輩差不多，」他指向「老山樵」，「他不太說話，可是也沒見過他出手，是嗎？」

吳大用驚道：「是有這樣的人。」

「他什麼名字？」

「我不知道，可是白老大會喚他十二公。」

姜人龍回頭望向阿瑞，預期會看見阿瑞一臉訝異，但阿瑞只是微蹙眉頭。姜人龍惱道：「你還不明白嗎？」

「我不明白。」阿瑞閉目嘆息道，「或許我該說，我已經不明白我該明白什麼了。」

「你認識符十二公吧？」

「聽說過，」阿瑞冷靜的說，「事實上，我還被他救過。」

姜人龍斜著腦袋，思考了一下阿瑞說的話，然後說：「這就說明了昨晚在山上破屋中，為何你能聽見我們的對話。」

「因為那是他要讓我聽的。」

姜人龍點頭，然後自問道：「為什麼？這是我還沒搞懂的，為什麼他要讓你聽？因為你跟他一樣，出自長生宮？」

「符十二公是我師祖輩人物，在長生宮鮮少露面，我跟他真正照過面可能僅有兩次。」

「難怪能佈這種局，原來遇上了這等人物，」姜人龍忍不住一直捋鬍子，說道，「傳說他是奇門遁甲術的高手。」

眾人之中有人發出驚嘆聲：「奇門遁甲？」

奇門遁甲能用於軍事，在有明一代被列為民間禁學，長年只能在私底下傳授，即使功力高強者也不得四處顯露張揚，因此世間罕有知悉全豹者，令此絕學幾乎失傳。

阿瑞說：「我領教過，果真有鬼神不測之機。」

「老山樵」截道：「諸位，看來咱們全都會領教啦。」他指向廟門，門外一片大霧，伸手不見五指，大霧卻一直徘徊在外頭，不會真的闖進來。

大霧之中，人聲窸窣，依情勢來看，他們可能已遭前後包圍了。

「原來如此，眼下最安全之地，還是在廟裡。」小二總算明白姜人龍喚他回來的用意。

「吳大用，」姜人龍不慌不忙，再問那男子，「你被派來的目的，是為什麼？」

「我……」吳大用害怕被同伴知道他洩漏機密，遲疑不敢說。

「現在你要出去會他們呢？還是要留下來？」

「你會殺我。」

「老實告訴你，我從來沒殺過人，也不想殺人。」

吳大用不敢相信的看著他。

「你可以大搖大擺的走出去，可是，如果我現在讓你出去，你的同夥一定會殺了你，因為不管怎樣，他們都不會相信你什麼都沒說，更何況他們並沒預算你會活著回去。」

吳大用望望廟門，心裡忐忑不已，他知道姜人龍說得沒錯。

「所以橫豎是死，你何不告訴我們，說不定還能讓大家開出一條生路呢？」

吳大用深吸一口氣，道：「白老大要我告訴你們一個假消息。」

「什麼消息？」

「反正是假的……」

「假的也很重要，假的，也是真的一部分。」

吳大用嘆口氣：「如我剛才說的，張大王率領船隊，三五日就要攻到灌縣。」

「還有呢？」

「到時，要將方圓二十里內牲畜人口殺盡。」

「這有意思。」姜人龍道，「你們一路攻打上來，已經占領許多州縣，四川也差不多是張獻忠的天下了吧？」這幾個月來，從南方逃經此地的人很多，是以姜人龍不難知道消息。

「漢末三國，劉備處心積慮占有四川，為的正是四川天險，易守難攻，然成都這一帶之所以物產豐饒，令四川可以養兵，你道是為何？」

吳大用是個粗漢，根本不懂姜人龍在說什麼。

姜人龍指向二郎廟外頭：「是因為那邊的都江堰。」

都江堰，是灌縣外岷江調控河水的工程，兩千年前秦將張儀征服蜀地後，設該地為蜀郡，派李冰為蜀郡太守，解決當地多年的旱潦之災。都江堰工程歷時七十年，在李冰之子李二郎手上才完成，在這之後，下游成都永絕水災和旱災，永不歉收。

然而，要維持都江堰的控水功能，必須依照李冰遺制每年維修，自十月中旬開始隔水工程，霜降時開始截閘，令外江斷流，然後在立春前完成清除外江河底淤沙的工作，旋即開放外江、截閘內江，清明前完成內江工程，全面開放，到了四月初插秧時分，才由有關官員巡察驗收工程。

一旦沒依遺制修繕，岷江便會外江氾濫、內江乾旱，發生大飢荒。是以這每年修繕工程十分重要，攸關下游平原五百萬人口的生計。秦國當年完成統一六國大業，皆因有都江堰令糧食生產增加，功不可沒。

「如果殺盡灌縣人口，日後誰懂得修堤？誰來指揮？」姜人龍怒道，「張獻忠想在四川當大王，就只好當他的餓鬼大王去！」

「浪裏蛟」聽了，也憤然道：「而今正是秋收時節，然張獻忠四處殺人，以致農田荒蕪，他奪得一片荒土，又有何用？」他是洞庭湖糧食批發商人家出身，對這一點尤其清楚。

阿瑞終於明白，這群人為何要保護這個地方。

姜人龍站起來，向眾人道：「李冰、李二郎父子治水，千秋萬載遺澤後人。世間幾許紛亂，王朝數番更替，都江堰依然照顧千千萬萬的黎民百姓，其功德豈是帝王將相能比？」

他回身朝二郎神像揖手：「姜某不才，今日請出『殺蛟訣』，斗膽請借神器一用。」言罷，走到神座後方，取出一個大竹籠，竹籠底寬如人高，籠高至肩，籠眼有拳頭大。

姜人龍取出一個，遞與「老山樵」，又另一個遞與朱朔，再陸續取出六個給馮家六子，口中邊說：「此籠用於裝石築堤，堆於內外江分流之魚嘴，今給你們八人，分列後天八卦方位，我站中央而成九宮，依前日演練之『李冰殺蛟訣』，諸位可記得？」

「總工頭太藐視老人家。」老山樵道，「待此事終了，老朽再與你下一盤棋，依照上次的路數，徹底贏你一局。」

姜人龍一掃狂妄神態，揖手道：「晚輩失禮了，在此謝罪，此事之後，定當奉陪。」

朱朔截道：「外頭的人苦候多時，我們也該出去了。」

九人提著大竹籠，走出廟門，沒入大霧之中。

上午辰時正，正當陽光漸烈，何來大霧？需知剛才射在地面的火箭就是在佈陣，當最後一箭插入石板地那一剎那，遁甲陣成，大霧則起。

佈陣之人不慌不忙，只等姜人龍出現。

因為他們雙方都知道，棋逢敵手，一番好鬥在所難免，誰也不願暗襲，只求君子之棋，以實力取勝。

九人一進入大霧，霧中便響起鏗鏘之聲，陽光透入霧中，霧氣一片白茫，可見人影幢幢，灰影揮舞，阿瑞等人在廟門內屏息觀看，完全不知道霧中正發生著什麼事。

「真想衝出去。」浪裏蛟低聲道。

「衝出去只是送死，太浪費了。」小二口齒不清的說道。

「我知道。」

忽然「咻」地一聲，一個大竹籃劃破霧氣，道士朱朔側臉一閃而逝，眾人窺見其神情緊繃，外頭諒必凶險無比。

阿瑞忍不住問道：「剛才說的『李冰殺蛟訣』是怎麼回事？」

眾人面面相覷，然後王道士說：「是總工頭前日教我們的口訣，無非是如何移動手足，有點兒像禹步。」

「禹步」是道士行法時移動腳步的方式，行走起來有如跛腳之人，據說是源自大禹治水。

阿瑞乃長生宮出身，當然曉得禹步，他所熟練的「仙人步」正由此發展而來。

有一男子笑道：「道長不知，李冰太守往昔建造都江堰，傳說先斬殺了蛟龍，才治得了洪水。」此人姓區，能兩手各舉百斤重物，故得諢名「區千斤」，世代居於灌縣，自少年起，每年參與河工整修都江堰，對此地環境十分熟悉。

區千斤又說：「去年總工頭率領我們清理內江時，在石人像下挖到一方石碑，總工頭說，李冰殺蛟，原來如此。」說了，不斷點頭。

「原來如此什麼？」阿瑞不禁問道。

「我也不知道，總工頭將石碑藏起來，誰也沒見著。」

那邊廂，浪裏蛟盯住外頭的大霧，徐徐脫下衣服，那件衣服在他假冒船夫在渡口偵查時，被響箭割裂了一大道。他將衣服撕成條狀，又將布條一條連一條綁起，弄成一長條布索。

「你幹什麼？」小二問道。

浪裏蛟依然不放鬆的盯住外面：「總工頭的吩咐。」

正言談間，白霧破開，伸出一把長槍，直刺入廟門，眾人驚惶閃避，只見一男子發狂似的闖入二郎廟，見人便刺，阿瑞馬上就認出是在河岸攻擊他的人。

「好哇！老子要殺了你！」那人見到阿瑞，頓時眼珠子暴紅。

阿瑞忙抽出兩把庖刀迎戰。

那人口角流著口水，一聲狂嘯，舞個槍花，上平槍直刺阿瑞胸口，阿瑞短兵難占上風，他用剁肉刀格開槍頭，然長槍力道太強，反將阿瑞推得腳步不穩。

那人哈哈一聲，下盤一低，槍身從下方急刺，是為「鐵牛耕地」，原來他見阿瑞身短，欲先傷其足，此勢硬且急，阿瑞若非縮腿，就只能彎身用刀應付，然而阿瑞足下使出「仙人步」，輕易避開。

哪裡知道此人狀似瘋癲，使槍卻清楚得很，他下盤再沉一些，幾乎是蹲著了，右手一推，槍頭轉動直搗阿瑞兩足之間，此乃「靈貓捉鼠」，追擊阿瑞兩足，阿瑞被追得手忙腳亂，冷不防那人將身子一提，槍頭推上，此勢「太公釣魚」，眼看要捅穿阿瑞胯下，教他肚破腸流。

阿瑞心中發寒，那人在一息之間竟能連使三招，令阿瑞措手不及，正在準備受死之際，槍頭忽然急退，只在揮起時割裂了阿瑞褲襠，在大腿上劃出一道血痕。那狂人也大吃一驚，原來他腰間被纏上了一圈布帶，被浪裏蛟將他整個人拉得後退幾步。

那人怒吼道：「你娘的！看老子送你去見閻王！」

浪裏蛟齜牙咧嘴笑道：「不消費事，本人就是閻王。」

說時遲，那時快，浪裏蛟手中布帶一拉，將那人拉向他，那人又倒退兩步，腳下奮力一踩，意圖站穩下盤，見無法得逞，便一個轉身，左手放開，右手執槍身中段回刺，在被浪裏蛟拉到懷中之前使出一記「青龍獻爪」。

浪裏蛟眼明手快，側身閃避，兩手將布帶繞上槍頭，大步踏向那人，將手中餘下布帶繞去那大脖子，使勁一提，那人頓時翻白眼，但他仍不甘心，咬牙大叫，脖子立時暴粗，青筋迸發，力抵勒頸的布帶。

阿瑞見那人竟敢闖入二郎廟，不畏廟中高手眾多，不知該算是英雄好漢，還是兇狠孟浪？眼見他被布條纏身，快被浪裏蛟勒殺，阿瑞環顧眾人，見眾人沒人上前乘機擊殺那人，但全都凝神戒備，隨時準備突發狀況，他也不禁沉下氣來，靜觀其變。

那人手中長槍仍在，但因槍身長，無法轉過後方去刺向浪裏蛟，他不停尋思回擊的方式，但隨著布帶越勒越緊，他腦中的意識也越來越模糊，漸漸失去判斷的能力，臉上兇焰也逐漸褪去。

當他的長槍落地的那一剎那，浪裏蛟也放鬆了布帶，令軟倒的那人從他身上滑下去。

阿瑞忙上前拿走長槍，見那人未死，仍在微喘，不禁問道：「你沒殺他？」

「他喉骨已碎，活不成了。」

在一旁的吳大用看了，觸目驚心，他知道那人是個狠角色，殺人履歷豐富，如今竟在他眼前被活生生勒殺。

浪裏蛟覷了一眼吳大用：「他是你的夥伴，現在他很痛苦，你要不要助他一臂之力？」

「助……助什麼？」

「用你最拿手的方法，殺了他。」說著，遞給他那支長槍。

吳大用跪倒在地，眼睜睜看著那人在地上抽搐，口中流出大攤鮮血，在呼出最後一口氣時還滿臉恐慌不已。

直到那人完全安靜，瞳孔的神采退散了，吳大用才抽泣起來。

浪裏蛟冷冷的解開屍體脖子上的布帶，呢喃說：「如果是太平盛世，也沒人會願意這麼做吧？」

說著，浪裏蛟腹中咕嚕了一聲，眾人聽了，相視苦笑，他們都餓了，也該是吃早餐的時候了，可是外頭惡鬥正酣，還不知何時才能準備早餐，甚至不知道有沒有機會活著吃呢。

有人大聲的「咦」了一聲，眾人不約而同望過去。

原來廟門之外，大霧倏然消失，一片陽光燦爛，林葉青翠，剛才的白霧彷彿從未發生過一樣。

小二伸手用大茶壺擋住廟門，防止有人衝出去，免得萬一遭人暗算。

廟門外石板地上，姜人龍佇立在中間，一動也不動，四周倒了許多人，不知是死是活，仍然站著手提竹籠的人，也僅剩下馮家子弟一名、朱朔、老山樵等三人而已，而竹籠中裝滿了武器，大刀、長槍、鐵錘從籠眼中伸出，地上有幾攤火，原本的箭身早被燒成焦炭。

阿瑞看清楚，姜人龍正凝視著一個老人，他作樵夫打扮，手中兩把斧頭，在豔陽下白光閃爍，就像從沒用過般白潔無瑕。

那個人，八成就是符十二公，也就是上次偷闖長生宮時，在林中遇見的那位樵夫。

符十二公笑道：「時辰剛過呀。」

遁甲陣依時辰而立，時辰一過，其陣自破，除非能及時補陣。

姜人龍也笑道：「反正你也沒子可下了。」

果然，符十二公身邊已無一人，若非死盡，就是仍躲在他處。

符十二公舉起右手斧頭，一枝火箭馬上自二郎廟上方射向石板地，此箭若用於補陣，姜人龍等人勢必又將陷入迷陣，只見一位馮家子弟揮舞大竹籠，將箭撥走，不料隨即又一啞箭射來，不偏不倚射中那人手臂，竹籠脫手落地，那馮家子弟狠狠的要去拔箭，被姜人龍出聲制止：「住手！會廢掉你的手臂！」箭有倒勾，這麼一拔，其筋肌必定斷裂，難以再續。

「姜人龍，你累了。」符十二公道，「我看你也餓了。」

姜人龍眼袋發黑，臉色蒼白，微微喘氣：「你老了，不會比我有氣力。」

「張獻忠手下三十五人，已被你殺剩兩人，我的確無子可下。」符十二公道，「你是不是以為我輸了呢？」

「你還沒輸嗎？」

符十二公搖頭道：「一切都還在我的算計之中。」

說著，符十二公把斧頭往自個兒脖子一抹，登時鮮血四灑，仆倒在地。

阿瑞遠遠見了，震驚不已，符十二公乃長生宮宿老，雖罕見其人，宮中之人提起他無不帶敬意，而今不但助紂為虐，還在他眼前自盡，阿瑞還來不及認識他，他就已經死了。阿瑞心中不禁自問：這是為何？為何？

姜人龍提起大竹籠，舉向二郎廟屋頂：「白額狼，你待如何？要來受死？還是逃走？」

上方傳來長長的一聲狂笑：「張大王不日前來，看他將這鳥地方夷為平地！」

「別教他給跑了！」一名躺在地上的馮家子弟嚷道。

小二和阿瑞率先衝出，躍上廟頂，兩枝箭唰唰飛來，兩人躲開了，看見一人揹著長弓箭囊，反身欲逃，阿瑞正要追過去，耳中傳來姜人龍叫聲：「窮寇莫追！」

阿瑞依言止步，眼睜睜見那白額狼逃去後山林子。

阿瑞跳回下來，奔向符十二公屍身，遠遠望去，滿地血紅，頗為慘烈，他心中不禁呼喊著：「為什麼？」

當他差點被人發覺要闖入長生宮時，是符十二公掩護他的。

當他和賽流星被明鏡使追趕時，是符十二公救了他的。

處處與住持朱九淵對抗的符十二公，為何選擇跟隨張獻忠？這不就是與朱九淵同一夥了麼？

阿瑞跪在符十二公跟前，正哀傷間，發覺符十二公仍在呼吸。

「符……」阿瑞正欲作喊，耳際傳來輕輕一聲：「噓！」

阿瑞大為訝異，只見符十二公雙目輕閉，唇緣微顫，悄聲道：「勿聲張，白額狼尚未走遠。」

符十二公裝死！

阿瑞定睛一瞧，才見到符十二公執斧雙手中，各有一小皮囊，正流出剩下的紅色汁液。

「拖我進廟。」

阿瑞回頭看了一眼，小聲說：「廟中還有白額狼的人，叫吳大用，被我們抓住了。」

符十二公沉吟了一陣，道：「小角色，不過還是要謹慎……拖我進廟就是。」

阿瑞沒用拖的，他不想委屈符十二公這位老長輩，是以他兩手將符十二公抱起，硬擠出兩行淚水，假意邊哽咽哭泣邊走向二郎廟。

一邊走，阿瑞一邊小聲說：「晚輩不明白，符老為何助紂為虐？」

「這是住持的命令，」符十二公用密音傳耳，嘴唇一點也沒動，「長生宮現下風聲鶴喉，不聽話的人就被軟禁，或在半夜消失無蹤，如今道眾們個個噤若寒蟬。」

「符老德高望重，無需聽令於他。」

「你不知道，正是為著你。」

阿瑞心下一震，忽然覺得符十二公的話語中有一股力量，緊緊拴住了他的心。

符十二公繼續密音傳耳，道：「找個隱僻地方，不要有別人，我來告訴你。」

阿瑞強令自己面不改色，抱著滿身血污的符十二公進入二郎廟中，符十二公還在裝死，眾人見狀，問阿瑞道：「這是白額狼的手下，你為何抱他進來？」

阿瑞還未回答，在一旁冷眼看著的姜人龍已經開口了：「這位想必就是符十二公了，是嗎？」

「正是，」阿瑞說，「好歹是我的前輩，我不忍見他曝屍在外。」說著，他四下環顧：「這裡有沒有個房間什麼的？」

朱朔道：「後進有一房，是廟祝住的。」

「晚輩與這位老前輩話別，諸位請勿打擾。」說著，阿瑞將符十二公抱進後面去了。

他將符十二公擺好在地上，回身將房門掩上，聆聽了一會，確定沒人跟來了，才半蹲下身子，在符十二公耳邊小聲問道：「十二公剛才說，願意幫助張獻忠一夥人，是為了我，這是何解？」

符十二公沉默了一陣，正要回答，忽然又警覺了起來，閉著嘴不作聲。

這時，房門悄悄打開，姜人龍輕輕跨入，又緩緩合上門。

阿瑞正急著要符十二公解釋，見姜人龍來打岔，不禁惱道：「我說過……」

姜人龍用手輕碰阿瑞的嘴，示意他別出聲，接著小聲說：「你不信任我。」

「我……」

「我剛才說過，我們要在這個地方同生共死，就必須完全信任我。」

「姜人龍，我要跟……」

「我知道你想跟長輩告別，可是你的這位長輩根本還活得好好的。」

符十二公也不再假裝，睜眼小聲道：「沒錯，但我必須裝死，請你體諒。」隨即再度合起雙目。

「晚輩不才，姓姜名人龍，不多禮了。」姜人龍用的是密音傳耳。

「彼此彼此。」符十二公道，「我聽說青城山丈人觀有一位專輸棋的道士，你就是那個人嗎？」

「輸，只是為了要贏。」姜人龍道，「只有從輸之中，才能完全掌握對手的思路和招數，況且那只是小輸，是為了日後更大、更重要的贏做準備。比如說今天，就是絕對不能輸的。」

「你就是那個人嗎？」

「我是。」姜人龍語氣中不免帶有自負，「看來符公不是心甘情願幫助白額狼，可否告訴晚輩來龍去脈？」

「我們尚在棋局中，哪有告訴對手棋路之理？」

「你越了楚河漢界，而今跟我是同舟共濟了。」姜人龍又加了一句：「是嗎？」

符十二公輕揚嘴角，算是同意：「老夫如果不服從，他們會殺了我女兒。」

阿瑞是第一次聽說符十二公有女兒。

說著，符十二公斜眼瞟了一下阿瑞：「剛才要不是看見這孩子在你們之中，我也不會輕易收手。」

「所以說，剛才那一局，是你讓的子？」姜人龍似乎有點不太高興。

「我若不讓，你還未必活著。」符十二公說，「我這一子，不但起手不悔，還扭轉乾坤。」

姜人龍忽然展顏道：「晚輩佩服，方才你在上風，還能自願敗局，有此膽色，雖敗猶勝！」

「我這一著可是步起手不悔的子，我不能讓別人知道我沒死，更不能讓人知道我已經在你營中。」

「你願助我？」

「不為助你，助天下蒼生。」

「可是你有條件？」

「放阿瑞走。」

「為什麼？」

「因為他是我的外孫。」

阿瑞聽了，驚嚇得屏住呼吸，惶然四下張望。

他自幼只知自己是孤兒，被長生宮養大，哪知道不但有個外公，而且生母仍健在，原來他的身分一直都有人知曉，只是一直被他們蒙在鼓裡。

在這當下，他恨不得能夠大聲吶喊，紓解他胸中那股委屈的怨氣。但他知道他不能，因為他們都擔心隔牆有耳。

阿瑞嚥了嚥口水，低聲問道：「我……我阿母在哪裡？」

「在青城山，」符十二公道，「我在這兒爭取到一點時間，你到青城山去救她下山，以免後顧之憂。」

阿瑞冷靜了一下，清理了一下自己的思緒……他憶起跟賽流星在一起東奔西跑的那段時間，聽聞了許多外界對長生宮的傳聞，是他以前住在裡頭時不曾知道的。

這其中包括了一些他相信是跟他自身有關的傳聞……所以他這趟想到成都去找一個人，釐清一些關鍵情節，好弄清自己的身世為何如此坎坷？賽流星告訴他，他爹以前挑過一位女客人上山，女客人是常客，好像是一位頗有名氣的繡工，原本住在灌縣，後來好像搬去成都了……這位繡工身上，可能有一些線索。

現在，說不定這位繡工早就沒命了，而另外一條更清楚的線索就擺在他眼前！

「我既然有阿母，也應該有爹吧？」他深吸一口氣，才問：「我爹是誰？」

「你爹，」符十二公語中帶有一絲無奈、一絲憤慨，還有一絲憐憫，「在你阿母珠胎暗結時，就沒想過要你活到今日了。」

「他是……」

「你不是他的對手，救你阿母就好，帶她走得遠遠的。」

符十二公雖沒回答，阿瑞心中已有些眉目。

想到能遇見親娘，他不禁幻想能彌補這二十多年來失去的母愛，能與一位能被他喚著阿母的人一同生活，這是他自懂事以來都一直在奢望，卻遙不可及的事。

一切又將回到起點。

青城山長生宮。

阿母誌

時地：天啟年間（一六二一—一六二七年）／四川青城山

李阿好是位穩婆，平日四處走動替人接生，賺取佣金。有時候她還會賺些外快，比如說正巧有人家生了女嬰，要她拿去溺死，她便先偷偷養著，看有誰要收買的。她的客戶來自妓院、樂戶，還有一般人家買來當童養媳的，甚至有人買了不說明原因，然後她就沒再聽說過女嬰的下落。

李阿好那天遇上老洪，老洪是青城山長生宮的「知客」道人，平日專事接待香客。也是合該有事，老洪偶爾下山辦事，正好碰上李阿好，不免寒暄幾句，知道她要去買藥，便掏出一張藥方，託她代購。

「我有事忙著，不夠時間去抓藥，還得請你幫忙。」老洪給她銀子，約定順道去李阿好家中拿，李阿好要是不在，她女兒也會交給老洪。

李阿好拿了藥方，口中沒多說，心裡倒納悶著，今日怎會那麼湊巧，青城山上長生宮有兩個人生病呢？方才一位從山上來的樵夫，也託她抓一帖藥，言明送完了柴再找她拿。樵夫雖沒明說，但藥方所用的紙，她是認得的，那是長生宮自製的桑竹紙，用桑樹皮和竹子為原料，帶有竹子內膜的淡綠色，她早不知看過多少遍了。

李阿好到相熟的廣生藥局去，將兩道藥方遞給掌櫃，掌櫃的抓藥師父一瞧，蹙眉道：「李大娘呀，你這是一帖藥呢？還是兩帖藥呢？」

「什麼意思？」

掌櫃將兩張藥方擺在一起：「你自己看。」

李阿好當下明白掌櫃的意思，這方子她再熟悉不過了，兩道湊在一起，跟她常用的「斷胎方」十分神似呢！

李阿好並不識字，但手上有幾張生財的藥方，是個當了一輩子穩婆的前輩傳下的，不外是下胎、斷胎、安胎、補血、嬰兒褪黃之類，這些方子不知為她賺過多少酬謝和掩口費，她常常看方子上的字兒，憑記憶也認得出幾條藥名。

諸方之中，以「斷胎方」最為狠毒，服者永不得生育，絕子絕孫，還可能喪命，要沒有十分理由，沒什麼人會要服食的。

不過，眼前的畢竟是兩道分開的藥方，莫道藥名不盡相同，藥方上的字跡也不一樣，或許仍是兩道互不相干的方子，巧合罷了。

不過，今天的巧合可真多呀。

「這是別人託我抓的，你照著抓便是。」

掌櫃不再多言，靜靜的稱起藥來。

倒是李阿好兀自覺得蹊蹺，她老是覺得不太對勁：「掌櫃，不知這兩道方所治何病？」

掌櫃忙著手上的活計，哼哼兩聲，道：「我看不出。」

「查得到嗎？」

「我只管抓藥，不管方子。」

李阿好見掌櫃的不願多言，愈發好奇，便提高聲調說道：「我李阿好四處聽說，廣生藥局的掌櫃最多見識了，見過的秘方、奇方、單方不知凡幾，這小小的方子，難得倒你？我就不信。」

這些話頗吃得開，掌櫃的心中竊笑，鬆口道：「你瞧，將這兩帖藥加在一起，只消再加一點水銀，就教女人永不懷胎了。」

水銀？是的，就缺水銀，藥方上的確沒寫水銀，可那長生宮不就是道觀嗎？道士不就會煉丹嗎？那水銀不正是常備的嗎？

李阿好愈想愈覺得可疑。

她付了銀子，收好藥包，邊走邊思慮：其實可能什麼事也沒有，即使是有，也不關她的事，死在她手下的嬰兒也不算少，只是……事關長生宮，這青城山上赫赫有名的道觀，實在可疑得緊。

道觀乃清修之地，斷胎方何用之有？

只怕……這山上多了椿不乾不淨的事兒。

李阿好越想越是，疑心一起，心癢難熬。

誰人如此隱密，將斷胎方一分為二，分頭令人抓藥？

誰人如此狠毒，落胎則罷了，還要令人永世不得再懷胎？

李阿好走在街上，正好遇到樵夫，便將藥交給他，樵夫道過謝，還不忘討回藥方，說好下一趟送些柴到她家去答謝。她順口問句藥方治的什麼病痛？樵夫只搖搖頭聳聳肩，表示不知情。

李阿好抱著一顆狐疑到極點的心情回到家，女兒正坐在光線通明的窗邊，忙著在繡框上刺繡，她頭也不抬的告訴李阿好說，方才有位自稱老洪的道人上門，說好下午「未正」就會回來。

乘著還有空檔，李阿好找出自己的藥方，逐字對照，果然有一半神似，另一半雖在樵夫手上，她還有印象……

想來真的有鬼！長生宮端的有陰謀！

她坐立不安，害怕著自己發現的大秘密，同時又盤算這秘密能為她帶來什麼利益。女兒見她踱來踱去，覺得礙眼，煩躁的說：「娘你屁股著了火呀？還是有蟲子打屁眼孵出來了？」

「繡姑你別吵，女孩兒家講話粗聲粗氣的。」

「你才別吵，蹬來蹬去的煩人，我手上的花樣都快打壞了，這已經花了我兩天工夫，明兒史大娘就要貨了。」史大娘是專做達官貴族華服的衣工，外包刺繡的花樣，在成都府一帶算是薄有名氣。

李阿好乖乖坐下，將藥方對了又對，不覺時間匆匆，可那未時還沒到，便有敲門聲了，果然門外就是老洪。

老洪拿了藥材，也要取回方子，他將方子取來一看，馬上變了臉色：「李大娘，這方子不對。」

「不對？」李阿好一時未明白，「這是你給我的耶。」

「不對就是不對，我給你的不是這一張。」

李阿好心中陡地一驚，一手輕掩嘴巴，忖著：「怕是誤將老洪的藥方交給樵夫了。」

老洪見李阿好表情有異，忙問：「李大娘，這是怎麼一回事？」

李阿好搶過老洪手上的藥材和方子，跑到門口說：「事有湊巧，今日另有人託我抓藥，我一時眼花，弄錯了，現在趕過去，說不定人還在！」

李阿好跑了出去，老洪見屋內只有他與年輕女子單獨相處，覺得躊躇不安，沒多久也離開了。

繡姑繼續埋首刺繡，沒理會太多。

她倚著窗邊，希望乘光線還亮的時候刺繡，不知不覺已是落日西斜，陽光的色澤愈來愈黃，愈來愈不容易看清花樣的明暗凹凸，眼睛也愈加吃力了。這下，繡姑才覺肚子餓得緊，她專心一意工作，打從早餐之後粒米未進，怪不得腦袋瓜還有些昏沉呢。

繡姑歇下手中活計，走去廚房燒火煮水洗米，一邊納悶娘去了哪兒？依稀只記得有人來找過娘，剛才也沒特別留意，不過，當時還是陽光很強的時候呢。她備好飯菜，自個兒吃了，還將李阿好的份裝盤蓋好，擺在桌上，心想說娘大概有生意上門，忙著去為人接生或什麼的，待會晚回，只消熱熱飯菜便得了。

繡姑覺得眼睛很累，洗了碗筷之後，也為了省燈油，便和衣上床睡了，還將頭朝著大門方向躺著，好在娘敲門時能夠盡快醒來開門。

哪裡知道，她一覺睡到天明，這才驚覺李阿好一夜都沒回家，這可是她打從娘胎出來就沒發生過的事兒。

繡姑弄熱昨晚剩下的飯菜，將就吃了，算是用了早餐，又等了個把時辰，心裡老是覺得不安，便出門去尋找阿母，可走遍了阿母常去的舖仔，問遍了熟人，也沒人見到她的下落。

李阿好最後一次被人記得的所在，就是她跑到南城門，詢問守卒有沒有見到一位樵夫出城？從此，李阿好就從人間消失了，連一塊骨頭、一片衣裳也沒留下痕跡。

繡姑壓根兒無法想像她阿母的遭遇，她左思右想、日等夜等，盼望阿母有一天會在門口出現，但等了一個月、兩個月，甚至半年都沒消息，要阿母回來是沒指望了。她知道阿母不會棄她而去，她在襁褓中就失去了阿爹，當時阿母尚且沒遺棄她，現在她已是待字閨中的少女，阿母又怎麼可能無故離開她呢？

只怕阿母在山裡被豺狼虎豹給吃了，然而阿母沒事入山為啥？說不定豺狼虎豹不在山中，而在街頭巷尾隱蔽之處。

回想阿母失蹤當日，她疑心那天來她家中的「老洪」有問題，老洪的穿著打扮像位道士，只不知是哪來的道士？阿母認識的人非常多，她根本記不得許多。

失蹤那天，阿母還在五斗櫃中翻出一張藥方反覆的看，隨後老洪還說她拿錯藥方……

繡姑將藥方找出，到阿母常去的廣生藥局詢問那是個什麼方子？

廣生藥局的掌櫃見了方子，臉色一沉，問道：「此方何來？」

「是我家上一代傳下來的，怎麼了？」

「這是至陰至毒的方子，女孩兒家怎麼得來？」掌櫃的很不客氣。

繡姑也惱道：「我就是不知道這是個什麼方，才來請教的。」

掌櫃的上下打量了她一陣，問道：「你是李阿好的什麼人？」

她心知有異，忙回道：「我是她女兒。」

掌櫃的點點頭，揮了揮手上的方子：「你阿母先前來過，也提過這道方，此種藥方太罕見，所以我記得很清楚。」

「我阿母抓過這劑藥？」

掌櫃沉默了一陣，問：「你為何要來問這道方子？」

「家母不見了，」繡姑說，「自從一年前，她從外頭回來，拿著這藥方神不守舍的之後，她出了個門就沒再回來過。」

掌櫃也覺十分詭異，便叫繡姑到後廳去，小聲告訴她阿母帶來兩道藥方的事：「你阿母或許出事了，事涉他人秘密，恐怕非同小可。」

繡姑覺得心下一悸，萬分的懼意一湧而來，想到阿母的遭遇，她一世辛勞，晚年還死得不明不白，連屍身都不知在何處任憑風吹雨打蹂躪，繡姑忍不住濕了眼眶，她盼望有生之年能找回阿母，哪怕是一根白骨也好。

她打定主意要找出這位洪道人，再弄清楚他跟阿母的失蹤是否有關聯。

她依稀聽到阿母跟那人的對話，有提到青城山。

青城山上數不清的道觀、廟宇，她除了知道這洪道人姓洪之外，根本不太記得他的模樣，難保碰上時認不出來。

不過，她想要試試。

以後，至少她嘗試過了，不會留下遺憾。

如今，繡姑已是史大娘手下的一名重要繡工，她能繡出許多人辦不到的靈巧花樣，很是為史大娘掙了不少生意。

因此，當她向史大娘告假，說要上青城山去祈福時，史大娘也爽快的答應了。

青城山就在西南邊不遠處，但青城山上的道觀都不是三幾步能到者，繡姑一個女孩子想要上山談何容易？這一點她倒不愁，她只消到山下邀個挑伕，就能用便利的滑竿抬她上山。

她準備了一些祭品、香燭、乾糧、水袋之類的，出了灌縣城門。她不敢獨自一人走小路，便沿著人多的官道行走，走到山下的挑伕站，找了兩位看來還算老實的挑伕詢問上山的價錢。

「姑娘要去哪座宮觀？」挑伕問。

「我不知道，」繡姑一早想好了說辭：「有一位洪道長，當年幫過我一家人，我想去當面答謝，卻不知是哪家的道長。」

「姑娘不知道，我們又怎會知道？」挑伕們嗤笑道。

「既然如此，那最接近的宮觀是哪個？」

「十多里外就有個『長生宮』，五十里外有『丈人觀』，再往上有『上清宮』是最有名的，大大小小的宮觀三十多處，一言難盡，其他還有寺院，大概就沒有道士了。」

「那麼最接近的就是長生宮了？」

「姑娘要去，就請上滑竿吧。」挑伕揚一揚手，請她上了滑竿，那只是兩條長竹竿中間綁了張椅子，擔起人來會上下彈動，要是有經驗的挑伕，一前一後腳步配合得好，能令人乘坐得如靜水划舟。

一路上山，兩位挑伕吟唱著〈竹枝詞〉：「熟梅天氣雨初過，小娘纏腰脫短簑，撲面山嵐泥沒膝，呼姑齊唱插秧歌。」或說說笑笑，談些山上的閒事，繡姑耳裡聽著，不敢插話，畢竟男女之防是第一大事，她雖不是千金之軀，恁般一人上路也算大膽，但還是不便與陌生男子聊東說西的。

「那個瘋女，近日還有誰見著她？」

「馬老四見過，說是在趙公山附近。」

這段談話引起繡姑的注意。

「可憐呵，也不知打哪來的，明明是個眉清目秀的女子，卻落得猿猴般模樣。」

「話說回來，她的身手真的像猿猴般俐落，敢情是學過武的。」

學過武的，那就不會是李阿好了。

時逢九九重陽佳日，一路上行人不少，有中年婦女拎著竹籃緩行上山的，也有書生雅士連袂而行的，亦有獵人、樵夫、菜販各色人等，繡姑見行人絡繹不絕，心中放鬆不少。

走了好一段路，總算到了長生宮，只見這宮觀規模不小，山門壯麗，內部層層多殿，如一山疊一山，牆柱五彩雕塑嚴飾，目不暇給，正殿大爐香火鼎盛，信徒人來人往，繡姑見了，不禁肅然起敬，貪看大殿華麗的裝飾，差點忘了此行的目的。

有位知客道人在大殿旁招待來人，指點燃香，收取香油錢，繡姑偷偷看他是否那天在家中的洪道人，覺得聲音樣貌都不太像。她走上前去問：「道長，我想找一位姓洪的道長。」

那位道人打量了她一下，說：「請問姑娘找洪道人有什麼事？」

繡姑喜道：「那麼洪道長他人在嗎？」

「姑娘，本觀男女之防為一大戒，你要尋一位道人——且先不說他是否在本觀——除非親人，不可私自相見。」

繡姑搬出一早想好的說辭，道是亡父臨終所託，想尋找恩人，又不知恩人名字，只知是洪姓道人云云，亡父有描述洪道人特徵，是以見面便知。

知客道人聽她說完了，才道：「本觀確有一位洪道人，不過半年前已經離開。」

繡姑聽了又是高興又是失望：「道長可知他去了何處？」

「四處雲遊，貧道也不知個所在。」

繡姑不甘心的追問：「道長可有絲毫消息？」

知客道人伸手截道：「止，莫再苦苦追問，貧道的確不知，姑娘若要知道，不妨求個籤或卜個卦，心存誠意，或可得到指點。」

繡姑緊閉著嘴點點頭，正回過身去，忽又回頭問道：「請教道長名諱？」

知客道人猶豫了一陣，才回答：「貧道姓柳，柳嵐煙便是。」

繡姑垂首行了個萬福，悻悻然離去。

她不知洪道人是否就是老洪，她不願放棄，心中暗自決定以後要再上青城山來尋找。

於是，她每逢假期或工作較空閒時，便上青城山去，將山上山下道觀一一尋訪。她每次總僱用同樣那兩位挑伕，為了避免他們被人早一步請去，她還會在前一天到挑伕站去預先下訂金。

久而久之，她跟兩位挑伕混熟了，也知道他們兩位的名字。

如此又過兩年，繡姑預算在清明上青城山，她的阿母無塚無碑，不知葬身何處，她只能將整座山當成塚墓，在上山的沿途一路默唸佛號，為阿母祈福。

清明一大早，繡姑準備好乾糧，也為兩位挑伕準備了一份，到了挑伕站，看見一名伶俐的小男孩，正坐在挑伕小屋前編織草鞋，口中不停嘮叨：「俺說爹，你也未免太快把鞋子跑壞了，又老是要我編鞋子，這種事娘也曉得怎麼做呀。」

「你的手比你娘還靈巧，你的腳比你爹俺還勤快，這種事怎能不叫你做呢？」說話的正是為繡姑抬滑竿的挑伕。

兩位挑伕見繡姑來了，便在腰間纏上一塊工具袋，裡頭放了火石、解毒藥、入山符之類的，又在肩膀掛上水袋，準備抬她上山。

小男孩見狀，問說：「爹爹、叔叔，今兒你們要抬這位姑娘去哪？」

「小崽子問啥？姑娘要去的是長生宮。」他爹回道。

小男孩站起來拍拍屁股：「那俺也去。」

「去幹啥？」

「聽說長生宮漂亮，上次俺獨自上山，他們嫌俺小孩兒不許進去，所以今日跟你們去參觀參觀。」

「你手上的草鞋呢？」

「甭擔心，俺三兩下編好就趕上爹。」

兩位挑伕吆喝一聲，抬起滑竿，腳步穩健的小跑步上山。

走了半個時辰，後頭傳來一陣呼喊，果然那小男孩飛也似的奔跑過來，手上還拎了兩對草鞋：「爹爹、叔叔，鞋子拿去。」

繡姑驚訝的說：「他真的好快。」

「哼，我們抬著個人，當然沒他快。」

「爹爹莫吹牛！」小男孩嚷道，「上次俺抱了一頭豬崽也跑得比你快！」邊跑邊嚷，竟沒一絲喘氣。

「弟弟幾歲？」繡姑在滑竿上低頭問道。

「過了重陽就十歲！」他跑過兩位挑伕身邊，將草鞋掛去他們腰上。

「你跑得這麼快，賽勝流星。」

「姑娘什麼意思？」

「聽說最快是流星，一閃而逝，你腳步快，說不定賽勝流星。」

小男孩樂道：「那以後老子就用這諢名，叫做賽流星！」

他爹馬上叱道：「年紀小小，什麼老子？什麼諢名？丟人現眼！」說著便吐了一口唾涎，被他躲過了，一溜煙跑到前頭，鑽進林中。

「你去哪兒？」他爹喊道。

只聽遠遠傳來賽流星的聲音：「你們太慢了，俺先去遛達遛達，回頭再會你們！」

賽流星跑了一陣，在山林中停下腳步，聆聽林間動靜，然後摸摸地面上的植被，探探樹幹上的痕跡，他找到野草間的獸跡，是獸類在晚上活動時常走的路線，他也找到半乾無什臭味的糞便，顯然有獸類在凌晨逗留過。

不過，他要找的是另一樣東西。

「有了。」賽流星得意的一笑，他在樹下找到一坨糞便，而且是人的，仍然很臭。食肉獸的大腸光滑少摺皺，肉類較快通過；人類大腸多摺皺，植物類較快通過，肉類則會堵塞，且腸道內的菌種不同，因此形態、氣味也大不相同。

賽流星循著草跡，以及他觀察所得來的經驗，他知道一定在附近。

看見了，就在不遠的樹上！賽流星摸摸鼻子，取了一塊泥土，在手中擠壓成硬塊，奮力拋上去，正好打中樹幹，驚起了坐在樹上的東西。

那是個人，而且是個衣衫襤褸的年輕女人，她驚惶的回頭一望，望見賽流星頑皮的笑容，她怒叫一聲，飛身跳過旁邊的樹上去。

「好哇！」賽流星喜道，舉步追去。

這是崎嶇難行的山林，植被忽高忽低，地上坑坑窪窪，別說奔跑，連步行也大為不易，比較起來，山路都還算平坦呢。可賽流星平日跑慣山林，腳下甚有彈性，如蜻蜓點水，每步不踏到底，如此可免扭傷腳踝，又可縮短每一步之間的時間，因此雖然他兩眼向上追蹤那女子，腳下卻如有眼睛一般自在奔馳。

說不定，武林中所謂「草上飛」、「八步趕蟬」之類，就由此種山林技藝發展而來。

賽流星興奮的追趕女子，他今天的目標是要趕過她前頭，她就是挑佚們口中的「女山猿」，是位來歷不明的瘋女。

她身手敏捷，在樹枝上飛躍，如履平地，毫不吃力，以往賽流星每次追著她跑，都給她失去了蹤影。他打算突破過去的成績，要趕到她前面逮住她，翻開她那一頭蓬髮，將她的真面目給瞧個仔細。

今天，他感到自己處於最好的狀態，雖然追過了好幾十棵樹，仍未感覺到一點疲倦，而那位女山猿已經眼露驚慌，不時回頭瞧看，每一回頭，都會減慢一些速度。賽流星的兩眼緊盯著她不放，一時忍不住加快呼吸，意欲一鼓作氣趕上，也因此亂了一些自己的節奏。

賽流星摸清了女山猿的路數，在她跳到一棵較高的樹上時，他知道，這便是她打算拐彎逃跑的時候了，於是，賽流星腳下預先轉彎，從腰囊摸出小石子，準備將女山猿打下。

沒想到，才一轉彎，女山猿就失去了蹤影。

賽流星緊急止步，聆聽四周動靜。

山林中忽然變得十分寧靜，連平日的鳥聲、蟲聲、風聲都像忽然間被吸進了空氣之中，靜得可以聽到自己的心跳聲。

「不可能的！」他忖道，女山猿不可能在這麼一瞬之間消失得無影無蹤的。

上一次也是這樣！他還以為是自己大意，但這次他特別留心了，還是讓女山猿在轉眼間消失，這女山猿恐怕有妖術！

他四下徘徊了一陣，看看有沒有什麼遺漏的線索，可以讓他再度追上女山猿，說不定女山猿躲在林葉之間，屏著息沒出聲呢。

他又再等了一下，想起還要跟爹一同上長生宮，要是耽誤了，就進不去長生宮參觀了，於是，他才悻然離開。

他前腳才剛踏出幾步，寧靜的山林忽然又恢復了平日的喧鬧，聒噪不休的鳥鳴聲、香客們大聲的談話聲，忽然間又貫耳而入。賽流星納悶不已，剛才這些聲音都躲哪兒去了呢？

看來，非但這女山猿有妖術，這片山林根本就彌漫著妖氣，說不定女山猿跟爹說的不同，爹說女山猿是位武功高強的瘋女，但他說女山猿壓根兒就是個妖怪！

賽流星愈想愈毛骨悚然，他真的該上長生宮去燒支香求平安了。

他快步跑入山路，越過路上的香客，好不容易才追上他爹。

他爹瞟了他一眼：「怎麼？臉色蒼白，大白天遇上鬼呀？」

他邊喘邊回道：「差不多。」

他爹聽他話裡有話，便問：「你剛才幹啥去啦？」

「不瞞爹您，俺去追那女山猿了。」

「什麼？兔崽子，找死！」

「俺以後不敢了，她是個妖怪。」賽流星於是將女山猿消失、山林忽地變得安靜等種種怪異現象敘述了一番，然後問：「爹，你道是妖怪不是？」

他們沒將小孩的話放在心上，他爹兀自還發怒著他去惹人家女山猿，口中一直在唸：

「混帳，要不是俺手上有客人，非打得你屁股開花不可！」

雖然他爹不在意他的鬼話，坐在滑竿上正無聊透頂的繡姑倒是字字入耳。

「那女山猿是什麼人？」繡姑忍不住問了。

「俺不知道。」賽流星他爹答得乾脆，腳下忙著踏步。

「她會傷人嗎？」

「倒沒聽說過，是不是？」挑伕揚頭問同伴。

後頭的挑伕搗了搗頭，口中呢喃不清，不知是有還是沒有。

終於他倆將滑竿給挑到了長生宮，廟前人潮不少，大殿上供的雖是三清像，香客卻多是來拜仙人范長生的。據說范長生是蜀漢時人，在青城山上修道而聞名，劉備曾請他出山不成，後來劉禪又將他的修道處賜名「長生觀」，經過歷朝荒廢、重建，才有今日長生宮的規模。

繡姑下了滑竿，混在人群中到殿前焚香，暗地裡注意四周接待客人的道士，站在三清像旁的那位端莊道士依舊是那天那位，好像姓柳叫什麼煙的，可是依然沒見到任何疑似洪道士的身影。

來到這麼樣堂皇的道觀，賽流星可樂了，他低矮的身體在人群中穿梭，欣賞樑柱上的彩繪、藻井上的花樣、牆壁上的故事畫。

忽然，賽流星留意到站在三清像旁的柳嵐煙神情有異，只見柳嵐煙滿臉困惑，不停的東張西望，然後猶豫了一陣，喚了一位道童來吩咐幾句，便走向三清像後方的廻廊去。

賽流星好奇心大發，他快步跟過去，見到柳嵐煙忽地望左、忽地望右，像是聽見了什麼，在尋找聲音的來源，壓根兒沒留意正偷偷摸摸跟在背後的九歲小孩。

行到一個陽光不易曬入的黑暗角落，柳嵐煙止住了腳步，賽流星驚奇的是，柳嵐煙手上突然多出了一件東西，如果他沒看錯，那東西是從黑暗中一閃而逝的一隻手交給他的。

那是一件破衣，從花樣上看來顯然是件女人的衣服，原本是漂亮的水藍色，還繡有畫眉的花樣，因為破壞不堪而髒兮兮的。

「這是誰的……？」柳嵐煙小聲驚呼，兩眼直盯手中破衣。

黑暗的角落似乎有人，賽流星瞇著眼睛用力看，光天化日的，卻看不見人影。

賽流星感到毛骨悚然，但還是忍不住窺看下去。

柳嵐煙的眼神又悲又憤：「他是誰？」他氣息粗浮，戰意濃烈。不久，漸漸變得落寞，像在靜靜聆聽某人說話，不管那人是誰，賽流星一點也聽不到他的聲音，連聲音振盪空氣的窸窣聲也沒有。

「我等，」柳嵐煙咬牙點頭道，「我等你。」

言畢，柳嵐煙起步要回頭走，賽流星趕忙開溜，回到正殿去尋他爹跟那位乘滑竿的姑娘。

此刻，柳嵐煙心中忐忑得很，他剛剛知道了一項秘密，而他手中正拿著這秘密的一部分，如今他不能向任何人述說，包括他最親的師父，因為他還不知道對手的真正身分，他必須等待，才能知道答案。

他將破衣藏到三清像後方的小斗櫃，那裡是尋常連打雜的也不太去碰的。

等了一年，總算在某個嚴冬的大雪天，有位老婆子帶著個三歲小男孩，在長生宮關閉的山門外叩門，指明要找柳嵐煙。

小男孩冷得嘴唇發紫，在山門外不停哆嗦，守門道人於心不忍，先讓小男孩進去取暖，回頭就不見了老婆子。

守門道人在山門內外尋找，都沒見著老婆子身影。

那老婆子頂著個大雪天來，顯然來歷不尋常，莫非目的就在扔掉這小男孩？

道人找到了柳嵐煙，告訴他經過，道：「那老婆子說是你親人，託她上山帶這孩子來當道童的。」柳嵐煙隨道人來到大廳旁的小廳，只見在火盆旁取暖的小男孩臉上已有了些血色，正擔憂的望著柳嵐煙。

柳嵐煙蹲在他面前，小聲問：「帶你來的姥姥呢？」

小男孩道：「是爺爺帶我來的。」

柳嵐煙嗤笑一聲，回頭對守門道人說：「這孩子敢情是冷昏頭了，連爺爺和姥姥都分不清呵。師兄，可有個什麼現成的熱食，給他暖和暖和則箇？」

守門道人應諾了一聲，轉身出去了。

支開了守門道人，柳嵐煙正色回頭端詳這小男孩。

他知道這男孩是誰，也知道送他來的人不是姥姥而是爺爺，反正沒人會記得那人的模樣，因為那人不會讓人有辦法去記得。

小男孩才三歲，眼中毫無驚怖，更不怕生愛哭，頗有大器之相。柳嵐煙隨即嘆了一口氣，可惜這小孩命途多舛，日後也不知能活到幾時？

「你叫什麼名字？」

小男孩想了想，說：「爺爺只叫我孫啊、孫啊的。」

「你爺爺姓什麼？」

「姓什麼？」小男孩似乎不瞭解。

好，這樣最好。柳嵐煙忖道。這位爺爺果然想得周到，不該說的沒說。

「聽好了，」他要求小男孩盯住他的眼睛，「以後，在我之外的人，千萬不可以提到你爺爺。」

小男孩蹙起眉頭。

「別問為什麼，否則你可能會死，死！你明白嗎？」

小男孩乖乖地點頭。

「還有，以後我叫你阿瑞，別人也叫你阿瑞，記得嗎？」

柳嵐煙心中想著：大雪兆豐年，下雪是瑞兆，在瑞雪中來臨的小男孩，就叫阿瑞吧。

小男孩對於自己新添了一個名字，感到似懂非懂。

柳嵐煙則感到自己責任重大，他等待此刻已經等了一年。

一年前的清明，一位前輩在長廊的暗角要求他許下諾言，要將這男孩好好調教長大：

「會殺死他的人也在長生宮之內，但我相信不會是你。」

「那人是誰？」當時他問。

「我不知道，翠杏一直都沒說。」

所以柳嵐煙必須隱藏起這孩子的真實身分，而他首先必須教會小男孩如何保護自己。不許提起爺爺的事，不許談以前的事，對外一致說自己是孤兒，柳嵐煙的遠房表親，送來當道童的。

他必須教會一位三歲小兒這些。

他注意到小男孩阿瑞的眼睛很像翠杏，眼睛不大，但靈活得很，不知道這麼聰明的翠杏，會栽在誰的手上？還生下了這個孽種？

翠杏會有今天的遭遇，他也應該負有極大的責任！而翠杏必須獨自承受這一切痛苦！柳嵐煙對翠杏感到深深的罪惡感，他曾經疼愛這女子，曾經對她日思夜想，而今竟不知道翠杏身在何處？是生是死？那位亦師亦友的前輩完全沒交代。

翠杏是他這位前輩的獨女，兩人在他出家清修之前曾經有過婚約。

這位前輩，人稱符十二公，在入觀清修前就是有名的火居道士，鑽研陰陽、兵法、奇門異術，也專修內功，尤其是道教的「嘯法」。

喪妻之後，符十二公將家業交給獨女，進入長生宮閉關。

年方十六的翠杏十分獨立，不但將家業打理得井井有條，還常常上山給符十二公送資糧，也拜會她自幼拜師的「坤門」女道，正因為這層因緣，才結識了當時有心學道、常常上山的柳嵐煙，兩人情投意合，符十二公還有意收他入贅，接管符家家業。

無奈柳嵐煙最終決心出家修真，中斷了婚約，翠杏還痛苦了好一段日子，不願上長生宮，免得碰見他。

在長生宮接受「三堂大戒」後，依他出家前所習道術的特色，柳嵐煙正式被收編入「艮門」門下，追隨艮門資深道士司華容學習。對於翠杏，他自知理虧，因此在長生宮分外用心侍候原本要當他岳人的符公，符十二公也不責怪他，只說：「世間情愛畢竟是修真養性的障礙，老夫也不會怪你。」

後來翠杏又恢復了上山探父，每個月都會跟符十二公小聚，對柳嵐煙也不那麼避忌，見面依然點頭微笑。

某一天，柳嵐煙覺得翠杏似乎好久沒上山了，才忽然發覺符十二公也不在長生宮了，問遍了觀中道人，竟沒人能說出個所以然。

柳嵐煙心疑不已，下山到符家尋訪，發現符家家業已散，老宅也易主，符十二公恍如在人間消失。

柳嵐煙滿腹疑雲，無法理解發生了什麼事，他擔心是因為他的關係，令翠杏有何不測，卻又無處可尋覓答案，這令他內心更為痛苦。

直到那日清明廟會，符十二公突然在大殿用密音傳耳呼喚他，這些年來的疑問才有了個端倪，卻又引出了更多的疑問：翠杏生下的是誰的孽種？為何會為那人生子？為何有人要殺這孩子？為何符十二公必須離開長生宮？為何翠杏下落不明，無法照顧親生兒子？

不管怎麼樣，阿瑞是翠杏的兒子，他一定會悉心教導長大！

目前除了守門道人，尚無人知道阿瑞的存在，於是柳嵐煙當下決定先帶阿瑞去見他的艮門業師司華容，向他呈報。那是他進入長生宮時必須建立的師徒關係，他必須被納進「長生八門」之一。

長生八門依八卦命名，其中坤、離、坎、震、艮、兌、巽七門各有業師、子孫，唯「乾門」已斷嗣，無再傳承。有人說乾門乃源自長生宮創始人仙人范長生，不設乾門是為了尊重祖師，知情者則知曉長生宮在百年前有一場惡鬥，乾門中人或死或出走，此是另一脈故事，且先不談。

長生宮原是較小的「子孫廟」，原名「長生觀」，一般上「觀」比「宮」的規模小。觀中的道士是出家的，自無子嗣，為了有人繼承，自然必須收徒，於是有師父、徒弟、徒孫等一脈相傳以確保後繼有人，所以這種形態的寺廟、宮觀被稱為「子孫廟」。然而，如果子孫廟擴大，分支便隨之增加，組織也必須愈加完備，就變成類似大型「十方叢林」的複雜制度，而稱為「子孫叢林」，如此就有資格進行傳戒儀式，也有能力收容掛單寄住的雲遊道人了。

那位帶阿瑞進來的守門道人，正是外地來的掛單道人，這些雲遊十方的道士居無定所，不熱中宮觀中的瑣事，所以應該不會馬上將小男孩的事報告給住持聽才是，柳嵐煙要在住持得知以前，先報告自己的業師司華容。

他帶小男孩離開守門道人留守的小廳房，避開一般人常走的廊道，又專走風雪較容易吹入的路線，他估計沒人會在大雪天出來遛達的。好不容易，柳嵐煙才來到司華容的小室，敲門之後，待門內有人應答了，才推門而入。

門一開，火盆子傳來熊熊的暖意，熱風襲面而來，而司華容正端坐在蒲團上讀書。

司華容年近五十，不胖不瘦，體態硬朗，目光剛直，顯是平日專習外家拳者，其面容紅潤，唯頭髮漸白悄悄洩漏了年紀。他見柳嵐煙進來，馬上放下手中經書，笑逐顏開，但一見到身邊有位來歷不明的男孩，則拉長了臉：「這孩子是誰？」

「師父，我正是為這男孩而來。」柳嵐煙說，「他叫阿瑞，是我一位遠房表親的孩子，自幼相熟，如今他父母相繼過世，因此託我照顧。」

司華容打量了一下男孩，又打量一下柳嵐煙的眼睛，展眉頷首道：「你報告住持了嗎？」

「尚未。」

「你打算如何收留他呢？」司華容又問。

「弟子受戒五年，稍有所成，不知可否收徒？」艮門這條分支上有了司華容、柳嵐煙師徒，要收個弟子當徒孫，令子孫廟一脈相傳，也是合理。

「這也得請示住持。」

「師父能否作主？」

司華容覺得好奇，為何柳嵐煙一直想避開住持。

說真的，他本人也不太喜歡住持，該人是個笑面虎，極難從臉上看出心事，按理說學道之人務求清靜寡欲，此人卻熱中於政治，常常結交教內教外道俗人物，頗有要做一番事業的氣勢，或許說管理偌大一個道觀就需要此種人物，但他的野心恐怕不僅於此。

「家有家規，」司華容說，「這男孩也不是借宿一兩晚，住持這一關在所難免。」
「如此……」柳嵐煙躊躇著道，「可否容我思考三兩日，待這雪天過了再做決定？」
「你要師父瞞著眾人？」
柳嵐煙揖手道：「還請師父成全。」
司華容低頭不語，拿起經書別過頭去，良久才說：「什麼樣的大雪天？冷殺人，這種天氣會上山的人準是瘋了。」說著，輕輕揚了揚手，示意柳嵐煙和阿瑞離開。
柳嵐煙會意，拱手作揖道：「謝謝師父。」便拉了阿瑞出去。
多年後，阿瑞已忘了他到長生宮的那一晚，畢竟很少人能保有三歲的詳細記憶，而且當時他已經冷得無法言語，心裡想的只有食物，還一直惦念著那位說要去拿食物的守門道人，依稀還記得外公跟他說，遲些會來接他走。
自有意識以來，他就只接觸過外公和阿母，阿母無法照顧他，而外公會帶著他在山林中覓食。
當他還幼小走路不穩時，外公會用布條將他繫在背上，待他可以在崎嶇的山間走路後，外公便教他走得更快、更敏捷的方法。
他不知道，外公符十二公是江湖中奇門之術的高手，然奇門之術在有明一代屬於禁學，私學者有被殺頭的可能，又由於奇門乃兵學秘術，在天下動盪之際，有心謀天下者，更會將符十二公視為奇葩以據為己有。
然而，符十二公並不擅長於武功。

他懂得在山林中求生，但無法保護外孫日後不被人殺害。所以他必須找一位可以信賴的人，教導阿瑞如何保護自己。

這一切阿瑞並不知曉。

不僅如此，只不過兩年後，他還完全遺忘了這位自他出生以來就照顧他、呵護他的外公，更加不會記得外公說要回來接他的承諾。

若是要阿瑞回憶最早的記憶，他會說是小時候跟業師柳嵐煙學「青城十八式」時，每天早上摸黑起床，在院子裡一步一式的練習。小孩子貪睡，晨起是苦差事，何況是寅時（凌晨三點至五點）就爬起床？因為師父要在卯時參加早課，只好這麼早就練拳。

師父告訴他：「凡是要練『武功』的人，都應該吃飽睡足，但要練『道功』的人則相反，必須吃得少、省著睡。而且不論是武功或道功，練成之後，尤其必須壓抑自己，不輕易使用。」

年幼的他不明白：「不使用的話，練來幹嘛？」

師父摸摸他的頭：「刀劍乃殺人利器，要是你手上有一把劍，你要不要去殺個人試試？」

阿瑞搖搖頭：「無怨無仇，哪可輕易殺人？」

「正是，這種道理五歲小孩也懂！」柳嵐煙道，「武功乃修性之術，古人云：『學武一道，非有堅忍不拔之志者，難得有大成功；非忠義純篤者，難得有大造就；非謙和恭敬者，難得有好善終。』你看學武之人若是橫行霸道、自恃高強的，有幾個是好下場的？」

「可是，」柳嵐煙又說，「五歲小孩不懂的是，即使有怨有仇，也不許殺人。」

「為什麼？」阿瑞不解的歪頭，「我聽師父說的故事裡面，人家不是都要報仇的嗎？」

這也難怪，中國自古崇尚報仇，尤其為父母報仇，特別受人讚許。

「因為沒有人希望死。」

阿瑞低頭想了一下。

「即使是蟲蟻也不願死。」柳嵐煙又說，「咱們學道之人求的正是不死，與天地同壽，是不是？」

「是。」

五歲的阿瑞當然不會想到，這一段對話將影響他一生，尤其是二十年後當他面臨抉擇的那一刻，決定了他將英年早逝抑或年老善終。

阿瑞也不記得他第一次見到朱九淵的那一天。

朱九淵是長生宮的住持，還在壯年就力排眾議，接管了住持之職，據說是他的「離門」業師極力推薦之故，而他也果然不負所望，將長生宮整治得有聲有色。

司華容跑去見他，說為徒弟找到了一位徒弟，繼承艮門家業。

「什麼來歷？身家清白嗎？」朱九淵依例問道。

「實不相瞞，是個我家的遠房表親，幼失父母，年紀才三歲。」

「既是司老修行的親人，當然沒問題，」朱九淵知道司華容德高望重，自然會賣人情，「不過人才三歲，還不便受戒，需等到立冠方可。」

於是，阿瑞沒有馬上見到朱九淵，再者住持公務繁忙，也就沒有執意非見到阿瑞不可。

如此一晃眼就到了次年的五月初一「延生節」，傳說當天是太上老君傳「三天正法」給張天師的日子，青城山又曾是張天師降魔驅鬼的地點，山上各宮觀也免不了慶祝一番。

這時，住持朱九淵特別召集了長生宮所有道人，講了一番《道德真經指歸》的道理，那是西漢時代解釋《老子》的書，將老子「自然無為」與儒家「仁義道德」統一的作品，目的在講述經世治國的帝王之術。朱九淵最後結論說：「可見老君所說自然，也並未置民生疾苦於不理，這層道理，張天師最懂，所以才能代代相傳，至今五十二代焉！」

「住持所言何義？貧道不懂。」有位年輕道人如此問道。此人乃「坎門」弟子，專習內功，以拂塵為武器，道號「明鏡使」，取自禪宗六祖慧能《壇經》典故：「身是菩提樹，心如明鏡台，時時勤拂拭，不使惹塵埃。」

朱九淵點頭道：「可記得第三代天師張魯？其時西漢，天下大亂，民不聊生，張魯以我教率領民眾，殺官攻城，雄據漢中，令四川一帶民生安樂，達三十年。諸位同道，道法自然，張魯所為，焉不自然？」

眾道人之中，有人緩緩點頭，也有人垂目養神，朱九淵精目一掃，便已心裡有數，隨即又船過水無痕似的慈目微笑道：「是以今日延生節，感謝老君傳法於天師，令天下庶民，得永生大法。」

眾道人謝過了住持講經，正起身退出，朱九淵瞄了一眼柳嵐煙身邊的阿瑞，指著問道：「柳爺，那位可是你徒弟？」

柳嵐煙作揖道：「尚未正式入門，端看他日長大，有無出家意願，再行定奪。」

「甚好。」朱九淵低首轉身，又忽有所感問道，「徒弟什麼名字？」

「小名阿瑞。」

阿瑞直看著朱九淵，沒開口說一個字，因為師父要他不說話，怕說了話會惹禍，這些年來，他也習慣沒需要就不多說、有需要也不需說了。

「阿瑞，」朱九淵面對他道，「你將來想出家嗎？」

阿瑞依舊眼愣愣的望著他。

朱九淵也不強迫他回答，順口再問：「幾歲？」

「四歲。」阿瑞很快回答。

朱九淵的臉色有那麼一瞬間僵了一下，眼神中竟掠過絲毫殺意。

柳嵐煙一直在暗中觀察眾人，當他看見朱九淵的臉色乍變時，心裡也吃驚了一下。

事實上，當柳嵐煙獲知住持召集眾人在延生節集會時，他就打定主意帶阿瑞過去，讓他露個臉，瞧瞧看會引起什麼反應。

他沒有料到是朱九淵。

回房之後，柳嵐煙不斷思考符十二公告訴過他的事……

某一天，翠杏上山找父親，符十二公正好不在，他到山林中演練奇門陣法，研究不同的佈陣組合會有什麼樣的效應。

符十二公回到長生宮時，守門道人匆匆忙忙告訴他：「你女兒來找你，卻忽然發狂，已經傷了幾位道兄了！」

符十二公大吃一驚，仍能夠冷靜的分析狀況，這是研習奇門之術者必然具有的沉穩。他讓女兒自幼拜師長生宮「坤門」女道冼幻真，也知道翠杏學武甚有天分，得到冼幻真道長「禽翔五行指」真傳。由於女子體質比男人弱，學拳、掌皆吃虧，因此便在以內勁為重的指功方面充分發揮。

這時候，只有坤門的師父能壓制她了。

「有去找冼道長幫忙嗎？」符十二公問守門道人。

「馬上有人去叫了，冼道長已制住令嫒，此刻正在坤門院落裡頭。」

符十二公謝過守門道人，飛步奔向坤門院落。

出家道士不宜男女混居，因此女道特別列入長生八門中的「坤門」，住在另一個隱蔽的角落，門禁森嚴，鮮少與觀中道人來往。

符十二公才來到坤門院落大門，守門的女道一見是他，馬上放他進去，並指示另一位女道帶他到寮房去。

坤門院落跟長生宮其他地方不同，花樹的種植位置經過細心安排，山石、涼亭、水池的佈置分外雅致，然而符十二公心急如焚，哪有心情欣賞。

他被帶到寮房，見到愛女躺在床上，鬢髮繚亂，眼珠子翻白，口角流涎，兩爪在空中亂揮，像是要趕跑什麼東西，口中還呢喃不清，發出像是幼犬般的哀號聲。

符十二公心如刀割，他極力忍著怒吼的衝動，問在旁照顧的冼幻真：「究竟發生了什麼事？」

冼幻真冷冷的說：「這是你們男人那邊的事，他們叫我去幫忙，我去了，就看見我心疼的小徒弟這副模樣了。」

「她上次來看我還好好的，怎麼忽然變了這個樣？莫非是上山時碰著邪物了？」看著翠杏瘋狂的面容，符十二公手足無措，無助的像個小孩。

「翠杏發生了什麼事，我不清楚，不過，我剛才順勢幫她把了個脈。」

「脈？」

「是喜脈。」

符十二公晴天一個霹靂，登時傻在當場。

「翠杏肚子裡有了孩子，恐怕已經有四五個月了，你可知道是誰的？」冼幻真的語氣帶有責問。

符十二公楞楞地搖了搖頭。

「我看著翠杏從小長大，她不是蠢孩子，處事非常得體，豈會輕易失身予人？這件事恐怕非同小可。」

「非同小可？」符十二公猜想不可能是柳嵐煙藕斷絲連，最有可能是翠杏在山下理家時發生的事，他剛剛還自責自己只顧修行，將家業交給獨女照料，實在是太自私了，可是「非同小可」是什麼意思？

冼幻真道：「脈象顯示，翠杏並非單純的失心瘋，此非心病，而是昆侖受創。」昆侖，在道教「內丹術」術語中，指的就是腦袋瓜。

「什麼意思？什麼意思？別再賣關子了。」

「翠杏是受到攻擊了。」

當下，符十二公明白了，誰會在長生宮攻擊翠杏呢？除非是那位令她有孕的人，不欲令人知道這個秘密！

那個人就在長生宮！

究竟在他不知道的角落裡，翠杏發生了什麼事？長生宮裡住的是一堆出家道士，誰人能令翠杏獻身予他？

冷靜下來的符十二公，眼神又回復了往日的平靜：「冼道長，符某有一不情之請。」

「請說。」

「可否令翠杏暫住坤門數日，代我照顧她？」

冼幻真哀傷的點點頭，她也知道，眼下只有坤門能真正保護翠杏了。

這就是符十二公告訴柳嵐煙的經過了。

符十二公沒說的是，數日之後，他攜著愛女離開長生宮，從此在青城山的山林中隱居。

符十二公說的這件事，柳嵐煙思考多年，想過好幾個可能。他知道翠杏的「禽翔五行指」非屬等閒，能攻擊她以致腦袋受傷的，會可能是何許人呢？

他從來不敢懷疑朱九淵，因為他是住持，代表整個長生宮，應該很注重名節，不敢做這種人神共憤的事。

但轉念一想，或許正因為他是住持，為了保住前途，才狠下毒手。

柳嵐煙不動聲色，這些只是在他心中轉過的念頭，到頭來可能只是瞎猜而已。

然而，自此以後，他就分外留心朱九淵。

朱九淵又何嘗不是如此？

去年的大雪天，朱九淵當然知道有位老太婆帶了個小男孩來到長生宮，他要求守門道人每日向他報告進出人等，雖然他覺得在大雪天送小孩來道觀不太合理，然而江湖中臥虎藏龍，也無需去追根究柢。

再者，四川地方乃有名的「十里不同天，一山分四季」，氣候變化很大，搞不好人家上山時沒下雪呢。

守門道人來報告時，說老太婆是來找柳嵐煙的，數日後，卻是司華容來告知收容了一位小男孩，還說是自己的遠親，朱九淵還在猜想，那位守門道人說不定是搞混了，弄不清艮門的兩位道人誰是誰。

但是，當他真的看見那男孩時，心中立時寒了半截，責怪自己太大意了。

他明明知道柳嵐煙跟符十二公關係匪淺，豈能輕忽？符十二公乃奇門術者，易容變貌根本不是難事。

當他看見男孩的眼睛那麼像翠杏時，他幾乎已經百分百肯定，阿瑞就是翠杏之子！一想到此，他就渾身不自在。

他想起第一次見到翠杏的那天，是她剛跟柳嵐煙分手，傷心欲絕的上山來向父親哭訴。

十七歲的少女，雖非美若天仙，卻在舉手投足間，處處散發出少女特有的氣息，看在朱九淵眼中，只覺春風襲人，心曠神怡，不禁被她深深吸引。

出家道士重視清修，少近女人，以免眼見心動，然而朱九淵向來不拘條規，他心想龍虎山的天師一系尚且娶妻生子，將天師一職代代相傳，全真派又何苦禁慾？

看倌需知，這中國道教最著名的派別，乃張天師一系的「正一派」，但大部分叢林道觀都是主張出家的「全真派」。朱九淵在長生宮力爭上游，好不容易當上住持，骨子裡想的卻是另外一回事。

他不方便直說，但從他特別開講《道德真經指歸》，還刻意提起張魯事蹟來看，其用意不言自明。

朱九淵心計頗深，他故意親近符十二公，又在他們父女倆見面時出現，順便坐下來喝茶談話，加深翠杏對他的印象。

某次在翠杏下山時，他刻意在山路上等候。

翠杏遙遙望見朱九淵在山路旁，背手沉思，似乎心事重重。

她平日認識朱九淵，見他劍眉精目，相貌威嚴，又態度誠懇，對他印象不惡。她見朱九淵愁眉不展，便上前關心問他：「朱道長為何獨自在路邊？在等人嗎？」

朱九淵假裝吃了一驚，抬頭望她：「哦，原來是符姑娘。」眼中還閃爍著淚光，接著便重重嘆了口氣：「實不相瞞，我等的不是別人，苦候多時，等的就是符姑娘您。」

「不知朱道長等我，有何要事？」翠杏依舊懵懵不明。

她自恃身懷武藝，不畏獨自上山下山，即使碰上盜賊，她也有長生宮的「仙人步」，可輕易在山林間飛竄逃跑。但這次朱九淵要逮的不是她的人，而是她的心。

「九淵自從見過姑娘，魂不守舍，每日早晚課，腦中盡是符姑娘。」

翠杏吃驚不小，她哪料到一觀之長竟會向她傾訴愛意！入世不深的十七歲少女，難有逃脫的機會。

「道長，請自重，」翠杏拉下笑臉，一臉不悅，「您貴為住持，小女子擔當不起。」

「九淵當然知曉道門戒律，但九淵日復一日思念姑娘，已至茶飯不思、形銷骨立的地步，再不見上姑娘一面，我這住持，不當也罷！」

翠杏自生以來，幾何有男子對她說過這番話，即使跟她有過婚約的柳嵐煙，也沒對她說過這麼甜蜜的話，她臉上雖嚴肅，實則已被朱九淵的話語撩得芳心大亂。

她仔細打量朱九淵，覺得他高大英挺，處處流露成熟男人的自信，臉龐禁不住飛紅。但是，對方是長生宮的住持！畢竟不成體統！

「那麼，如今道長已見過我一面，那又怎麼樣？」翠杏扠腰道。

朱九淵見機不可失，上前輕握翠杏的手，翠杏嚇得忙縮開手，驚惶的倒退幾步。朱九淵並未追上去，只對她輕柔一笑，將手掌搗上鼻子，珍惜的嗅著手上餘馨。

翠杏正在不知所措的當兒，朱九淵忽然回身離去，輕盈的快步上山，留下翠杏愣愣的立在路旁，一顆心兒猛烈的撞擊胸口，心思兒千絲萬縷。

翠杏不知，這一招師父沒教，叫做「欲擒故縱」。

自此以後，每逢她上山探望父親和師父，朱九淵都會在她下山的路旁守候，翠杏不理他兩次之後，也漸漸放鬆了心防，跟他聊起天來，況且朱九淵一路伴她下山，也令她對人煙稀少的山路感到更為安心。若聽到人聲，他便暫時避入林中，兩人如此暗中交往，壓根兒沒被人窺破。

某次翠杏上山尋爹，才剛下山，就飄起鵝毛般的大雪。

這雪比往年來得早很多，翠杏本來為了避開下雪天，才提早數日上山，不想天不作美，還是給遇上了。四川天氣本來就多變難料，尤其自從萬曆二十八年以來，氣候變得特別寒冷，連地處南端的雲南都發生九月秋雪，何況四川高海拔之地？自翠杏有記憶以來，都是秋末就下雪了。

這場大雪始料未及，朱九淵於是建議道：「不如先回長生宮躲一躲雪。」翠杏只好同意了，因為大雪天走山路可不是鬧著玩的。

朱九淵沒帶她走正門，反而拐到了側門。

朱九淵擁著翠杏的腰，施展輕功，輕輕一躍便翻過了牆，那兒沒人守門，他倆在別人不知不覺之下就回到了觀中。

翠杏心覺有異，卻沒多說半句，只默默的尾隨朱九淵，小心翼翼的避開其他人，來到了他的方丈室。

「為何帶我來此？」她試探著問。

「這裡比較暖和，」朱九淵微笑道，「我倆可慢慢談心。」

朱九淵在室內生起火盆，將外頭刺骨的寒意驅走，翠杏覺得整個身子都暖了起來。

她望著朱九淵忙碌著生火的背影，胸中禁不住升起一股暖意，感到皮膚表面拂過一片電流，彷彿預感有什麼事將要發生。

眼前的這個男人，在不知不覺中占據了她的心房，感覺上，世上再也沒有比這男人更瞭解她的人了，在數個月的交往中，她向他透露了許多私事，甚至是極深的心事，比如娘剛過世時的心情、小時候如何調皮在爹珍藏的墨寶上亂畫等等，有些事是連爹都不知道的。

這男人令她覺得放心，彷彿可以將一切付託給他。

不過，她還是有一點小小的不放心。

「我們不該這樣子偷偷摸摸的，」她咬咬下唇，心有不甘的說，「你若真心喜歡我，該向我爹提親才是。」

朱九淵聽了，一臉懊惱：「我何嘗不想？」他皺眉的模樣，教翠杏看了也心疼，「我需要勇氣，挑戰長生宮千年的戒律。」

「何必挑戰？」翠杏道，「當道士不一定非得出家不可，你還俗當個火居道士，以你的才華，還不一樣德高望重？」

朱九淵憐愛的望著她，輕輕的將她摟進懷中：「我的好娘子，為了你……」話未說完，他已經用雙唇緊緊封著翠杏的朱唇，翠杏心中漾起一陣漣漪，沒多久就漸漸平息，完全放鬆了身子，像柔軟的繡花枕頭般，倒在朱九淵的懷裡。

朱九淵的手輕輕解開她的衣帶時，她沒有拒絕，在意識模糊之中，她錯覺以為朱九淵已經答應她的要求了。

當朱九淵的手伸入她的小衣時，她沒有反抗，在她心中，少女的探險意識完全推開了理性，忘卻了平日的深思熟慮，對於此一人生重要時刻的來臨，她期待又羞澀的接受了。

在秋末初次的大雪中，長生宮方丈室中，兩條赤裸的肉體，熾熱得融化掉周遭的積雪。

每當朱九淵憶起那一天，他也有些失憶，不記得當時自己究竟在想些什麼？

他曾經想過許多事，像是符十二公若成為他岳人，那符十二公的奇門術便可為他所用，令他可如張魯一般，在大明亂世中雄據一方。他又想過他好奇不已的房中術，利用男女交媾來實現煉丹意境，如何逆精回腦、如何煉得內丹等等。

當他終於得到翠杏的身體時，在極度歡欣之後，在他總算冷靜下來之後，他突然後悔了。

他忽然瞭解到，這將會是他無法收拾的一個局面。

他苦心經營，好不容易登上的住持之位，這個讓他能在未來雄據天下一隅的墊腳石，在他進入翠杏體內的那一刻起，變得岌岌可危。

他發覺自己無路可退。

翠杏在被單中翻了翻身，纖細的手指觸上他的胸口，邊輕撫邊問：「在想什麼？」

溫存後的翠杏格外嬌美動人，他忍不住將她摟入懷中，但在他得到少女最珍貴的紅丸後，心中的那團慾火已沒那麼灼熱。他的腦筋飛快轉動了一下，說：「待會，你去洗道長那邊掛單好了。」

翠杏想了想，瞭解他的意思，同意道：「也對，咱倆的事，還是先別驚動眾人才好。」

朱九淵鬆了一口氣，輕撫她光滑的肩膀：「在我預備好以前，先別聲張，好不好？嗯？為了我好，也為了我們將來？」

翠杏點點頭，然後問：「連爹也不能說？」

「不能，若是有個萬一，長生宮必定大亂。」

「也是，」翠杏同意說，「只要是我的事，我爹性子就會突然變得很急。」

「冼道長也不能說。」坤門宿老冼幻真向來待翠杏如親生女兒，朱九淵必須也排除這個可能才行。

「那麼的話，我應該早一點去冼道長那邊才好，否則她會疑心我，為何大雪下了那麼久，才折回來掛單呢。」

朱九淵暫時放心了，至少他爭取到緩衝的時間了。

接下來，他就應該讓翠杏逐漸離開他了，一如當初柳嵐煙離開翠杏那般。

可是，這次翠杏不會打算放手。

因為朱九淵走得太深，走到柳嵐煙未曾到過的境地了。

「你要有耐心，」朱九淵安撫她道，「終有一日，我倆守得雲開見月明。」

其實，他已經打定主意不再理她。

然而，兩個月後，翠杏冒著大寒天上山，藉口送寒衣給符十二公，硬是找朱九淵見了面，先不怨他推說觀中事忙，避不見面，一劈頭就告訴他：「自從那次之後，我那個一直沒來。」

「什麼沒來？」朱九淵丈二金剛，他不懂女人的月事，書上沒教過。道經上雖隱喻的提到過月水，卻從未交代女人每個月的週期是怎麼樣發生的。

「我有了，」翠杏只得說白，「我肚子裡有你的骨肉了。」她紅著臉，預期看見朱九淵高興的臉。

朱九淵只覺晴天霹靂，一時手腳冰冷，腦袋瓜渾渾噩噩，不知如何是好。

「你怎麼啦？」翠杏見朱九淵的反應很奇怪，心底先是沉了一下。

「這是好消息哇，」朱九淵即刻轉道，「我……我聽了都傻住啦，我要當爹了，高興都來不及呢！」

朱九淵內心慌得團團轉，但依然發揮了三寸不爛之舌，讓翠杏平靜下來，勸服她離去，下山好好養胎。如今，他只覺得翠杏是他未來事業的最大敵人，對她已經沒有一點愛慕或幻想，他懊惱當初為何處心積慮想得到翠杏，現下心裡頭想的只有如何解決掉這個問題。

他翻查藏書庫豐富的收藏，好不容易找到了極為陰毒的資料：「斷胎方」。不但墮胎，還永斷生機，令人終生不孕，下藥夠重的話，甚至可令其殘廢。

唯斷胎方中有一味「水銀」，並不易覓得。

人家以為道士會煉丹，一定容易找到水銀，尤其「黃白術」中常用上水銀，不過那其實是唐宋時期的往事了，由於煉丹時常有中毒的危險，後來道士們摒棄了化學提煉法，內化成利用身體來煉丹的「內丹」。

所幸，身為一觀住持，他知道長生宮保存了過去煉丹留下的器具、書籍，甚至部分礦物類材料，如雄黃、雲母、慈石之類。

他知道裡頭就有水銀，是藏在一個小漆盒中，圓滾滾的銀色珠子，狀如水珠，可分散成小珠，又可重新融合，卻不會濡濕，放在漆盒中百年不變，怪不得古人以為服之可長生不死。

然後，他將藥方拆開兩半，在不同時日託不同的人下山採買。

他將藥方製成丸子，以便隨時讓翠杏服用。

丸子外還包裹了一層芬香藥料，好瞞過裡頭的邪惡成分。

於是，萬事俱備，只等翠杏吞下去了。

當時正是嚴冬時分，上山危險，朱九淵預料，春日一融雪，翠杏必再上山。

整個冬季，翠杏聽朱九淵的話，在家中悉心養胎。

家中並無親人，只有平日侍候的五位僕僮，包括一位負責伙食的中年婦人、一位幫忙打掃的小女孩、一位負責打水劈柴平日不能進屋的壯年漢子、一位年紀不小的帳房先生，以及一位幫忙打理產業的老管家。

沒人知道她有身孕的事，她的一切養胎藥方也不假手他人，因她自幼隨長生宮冼幻真道長學過些醫方理論，也常隨父親上山採藥，所以自行查醫書開藥方、自行診斷調劑、自己熬藥，皆非難事。

她衷心期盼春天的到來，屆時已懷胎五月，胎兒已經穩定，她只要施展「仙人步」上山，就不容易動了胎氣，她還計畫穿上較寬鬆的衣服，不令他人知覺她的懷孕，然後在朱九淵的方丈室中，讓他瞧一瞧她隆起的小肚子。

一切安排得如此完美，可惜的是，身邊獨缺胎兒的爹，她感覺寂寞得很。親娘過世之後，爹又只顧鎮日研究五行，感覺孤形吊影的她，好不容易有朱九淵給她關心和溫暖，她希望此刻是躺在朱九淵的懷中取暖，而非依靠冬日的火爐。

她苦笑，她知道她得忍耐。

好不容易，院子裡的綠草戰戰兢兢的冒出頭了，春天的訊息出現了，翠杏迫不及待的準備酒食，上山要見朱九淵。她喜孜孜的準備好一籃精緻的小點心後，才想起也該準備給爹的東西。

她嘲笑自己的健忘，於是走進符十二公的書房中，尋找去年爹要她帶上山的一部抄本書。

她大約知道爹的收藏的位置，於是先去翻查書架，尋找爹要找的《奇門斷》。這種書為朝廷所禁，只靠手抄本流傳，所以不會擺放在明顯的位置。爹在長生宮找到《奇門斷》的另一份手抄殘本，文字與他的藏本似乎有些出入，所以才託她帶上山以資對照。

翠杏拿走書架上的一疊書，露出書架的內板，她將手指伸入縫隙，挑開隱藏的小鉤子，才取開木板，看見裡面的一堆手抄秘笈。她取出所有秘笈，找到爹要的書之後，忽然靈機一動，想起朱九淵問過她的一本書。

她再翻查一下，果然，有這本書！

書本泛黃，裝訂的棉線已斷，章卷脫散，封面上的書名被蠹魚的蛀痕爬過，但仍掩不了渾厚有力的隸書四字：「靈龜八法」。

翠杏將兩本書分別用油紙包好了，打算叫朱九淵自己抄一份，待下一趟上山時再交回給她。她預期朱九淵看見書時，會非常高興，想到此，她自己也忍不住一笑。

對了，此趟還有一件要事，就是要朱九淵替孩子想個名字，不管是男孩或女孩，總之各想一個名字好了。

翠杏提著竹籃高興的上青城山，說她高興，其實心中又存有一絲不安，她女人細膩的心思注意到朱九淵的遣詞用字，跟以往每次陪伴她下山回家時，有那麼一點不一樣，少了一點關心，多了一點自衛性的字眼，帶了些許逃避的意味。

不，她不能再接受這種傷害，她打從心底不願想像這種可能性，她刻意去忽視朱九淵的疏離，或許那本《靈龜八法》可以展示她的重要性，也可以將朱九淵的心緊緊鞏固。

翠杏走到山門，敲門等守門道人來開門，道人來了，一見是她，便道：「令尊一大早出門了。」

「可有交代何時歸來？」

守門道人搖頭道：「沒有，但他平常出門，晚課前必定回來。」

翠杏點點頭，說：「我帶了酒食前來，可否讓我到家父房中等候？」

「符姑娘是熟人，應該不會麻煩的。」守門道人笑道，便揚手請她進去，回頭合上山門。這初春時分，山路尚未通暢，長生宮尚未開門迎客，因此山門是不輕易開啟的。

守門道人正欲帶路，翠杏忙說：「我知道路，自個兒去便行了。」

「也行。」守門道人點頭道，便回守門小寮去了。

翠杏穿過大殿，走入後進廂房，她沒去符十二公的房間，而是循著少人通行的小徑，來到朱九淵的房間，推門進去等他回來。

她想給朱九淵一個驚喜。

她不知道朱九淵將在何時進來，於是在房中東看西瞧，但不亂碰東西。她看見櫃子上擺了幾本道經，翻了翻來看，無非對神仙歌功頌德，沒什麼趣，又放回櫃子上，不經意見到櫃中有一個用紅綾包好的小東西，便好奇的拿起來看，畢竟女生對可愛小巧的事物特別有興趣。

她打開紅綾，露出一個小漆盒，掀開盒蓋，裡頭有四顆壁虎蛋大小的丸子，飄出甘草香，還夾有細細的花香，可是……不，不對，這裡頭還有其他成分。翠杏頗知藥性，因為父親常說山、卜、醫、相、命這些「五術」之中，唯「醫」者能自救兼救人，最為重要，非學不可。

於是，她湊近鼻子去嗅一嗅，嗅出了包裹在糖衣之內的數種成分，不禁蹙了蹙眉，忖道：「這是毒鼠藥，還是防蟲劑？」若是，何須如此勞神費事包裝？

她不置可否，反正男人都是奇怪的動物，一如她父親，終日沉迷研究古術，一聽說何處有奇書高人，便不理家中事務，失蹤幾天。她的男人朱九淵想必也是如此，有一些怪癖嗜好，總之見怪不怪就好啦。

翠杏想著想著便笑了，她用紅綾將漆盒重新包好，擱回櫃子上。

她實在悶得慌，便拿出帶給爹和朱九淵的書，想了一想，決定翻看《靈龜八法》，因為那本是有些名氣的醫書，而爹的什麼奇門遁甲，她真的是沒啥興趣。

一翻開《靈龜八法》，首先映入眼中的便是一幅「銅人圖」，卻不標出所有穴位，僅點出全身經脈上的八個穴位。翠杏細看一番，便知道這是連貫人體內兩套經脈系統的八個交會點，這兩套系統分別是「十二經脈」和「奇經八脈」，而《靈龜八法》正是計算八個交會穴道的開啟時間，當它開啟時，下針更易開通得氣，特別有療效。

「原來如此……」翠杏一邊讀，一邊頻頻點頭，不覺一頁頁的翻閱過去，不久，覺得大拇指內側有陣陣酸麻，手腕附近的「列缺」穴忽然有被掏空成洞的感覺，緊接著一道暖氣從指尖竄流手臂，下體的會陰部猛然湧現一股熱流，直直往上灌注體內，穿過喉頭，直至下巴，沖入臉部，整張臉頓時發燙。

翠杏大吃一驚，剛才「手太陰肺經」和「任脈」相通的「列缺」穴忽然疏通，一股真氣在兩條經脈奔流，一時舒暢無比，可是為何會無緣無故出現這種現象？書上畫的不是經絡圖，而是一頭牛跟一位牧童，她還正感到奇怪，好端端的醫書怎麼會跑出牛跟牧童，還每幅圖都題了一首禪詩，而且不做任何說明？

她再仔細一讀，只見封面寫著書名的紙條上還有一行小字：「牛□禪師□本」。

「這本究竟是什麼書？」一邊狐疑，她一邊翻看下一幅圖，才看沒多久，尾指末端猛地一熱，她的整條背椎頓時有如烈火燎原，舒暢非常，那股熱力越過頭頂「百會」，流下臉部，霎時之間產生一道暖流，由前面流到後面，又由後面流到前面，循環不停。

翠杏從未感覺這麼舒服、這麼愉悅，這就是傳說中的打通任、督二脈，怪不得人們稱之

「小周天」，體內氣流的確周循不止，快樂如登天。她自認不曾苦習內功，卻能在頃刻之間達至小周天的境界！

哦不，冼師父教的「禽翔五行指」不也包含了內功嗎？不也需要存思、用意念導氣循行嗎？

這些圖能導氣！

它們能打通《靈龜八法》中提到的八個經穴，無須依照時辰，就能令全身二十條經絡互相貫通，通行無礙！

若非內功高人，什麼人有本事畫得出這些圖？

有本事畫出來的人，必定也有這番內功造詣！

翠杏將這本殘破的書前後翻看，看不出任何端倪，只有書封上缺字的「牛□禪師」透露出些許存在於過去某個時空的訊息。

此時，翠杏心中不免產生了一連串疑問：父親如何得來這本書的？又，朱九淵要是得到了這本書，會怎麼樣？

翠杏心中掠過一絲不祥的預感，隱隱的不安一直揮之不去。

忽然，朱九淵回來了，他一推開門，便驚訝的看著她：「你怎麼來了？」

翠杏輕柔的笑道：「人家想你嘛。」一面裝作沒事一般，將手上的書用油紙包起來，盡量不引起朱九淵的注意。

朱九淵另有心事，沒注意到翠杏手中的書，他臉上擠出一抹笑容：「有人見到你嗎？」

「放心，他們只知道我是來找爹的。」

朱九淵心中鬆了一口氣，走過去坐在翠杏身邊，一手輕撫她的肩膀：「我真不希望你上山，山路崎嶇不平，容易擾動胎氣。」

翠杏從竹籃取出酒食，道：「人家還特地為你準備了你愛吃的菜呢。」

「呵，對了。」朱九淵兩指一彈，走到櫃子去取來一個用紅綾包裹的漆盒，「我也為你準備了好東西。」

「哦，這是什麼？」

「是我祖傳的養胎方，對胎兒很好的。」他打開漆盒，露出四顆香氣撲鼻的丸子，「正好你帶酒來，用酒服下更佳。」

翠杏望著那些藥丸，心中五味雜陳，她終於明白她是如何的一廂情願，她終於能夠接受過去一直不願相信的事實：朱九淵不耐煩的表情、敷衍的態度、閃爍的言語、謹慎精確的遣詞，處處顯示她不再被歡迎，她肚裡的孩子也不會被歡迎。

朱九淵根本不可能放棄長生宮住持之位，任何正常人都明白這一點！只有她，這位心眼兒被自己蒙蔽的蠢女孩不能明白！

翠杏忍耐著，不讓臉上顯露出心事，她冷靜的微笑道：「你真貼心……」伸手將漆盒的蓋子合上，把漆盒置入籃中，「我回家再吃。」

朱九淵上前，將她輕擁入懷：「這是我精心煉製的，得來不易呀，我想看著你吃下去，心裡才安。」

翠杏的身體第二次有抗拒他的擁抱的反應，第一次是去年夏天，當他首次抱她時。

細心的朱九淵也感覺到了。

「哎呀，」翠杏輕呼一聲，藉機推開朱九淵的手，「天色不早了，我是來找爹的呢，要是他找不著我怎麼辦？」說著，她拎起竹籃，起身要走。

「翠杏，」朱九淵急了，稍稍在她肩上使了點力，想迫她坐下，「此養胎方不宜久置，否則會失效，要是你今日不上山，我還想託人送下去呢。來，聽話，趕緊吃了吧。」

一滴淚珠從翠杏的眼角冒了出來，她知道，今天朱九淵是不會放過她的了。

「怎麼了？」

「沒事，」翠杏搖搖頭，「我很高興有人關心我，可是，爹知道我來，要是找不著我就糟了，我真的該走了。」

翠杏忍著滿腹的痛苦，抑制著內心將要爆發的哀傷，拎起竹籃，匆忙的走向房門，正欲推門而出時，感覺到後方衝過來一團熱氣。

奇怪了，春暖已至，這方丈室內一直都通風涼快得很，何來的熱氣呢？

困惑的翠杏轉頭去看。

她看見一隻通紅的手掌正朝她撲過來，手掌後方是面目猙獰的朱九淵。

這是離門的獨門絕技「火犁掌」！

翠杏從未聽說過，但直覺告訴她，她的生命已受威脅！於是腳下隨即運起輕功「仙人步」，避開朱九淵一擊，一手慌忙去推門。

朱九淵比她更快，他足下展開只有正規道士能學的「青城步罡」，搶到門前，兩隻火紅的手掌分兩側擊向翠杏，將她逼回室中。

翠杏知道這是生死交關的時刻，她心中卻驟然閃過許多紛亂的念頭：想再見到爹、想生下孩子、旁人將怎麼看待私生子、如何逃出去、洗師父的臉孔，還有，不能讓朱九淵得到《靈龜八法》！

剎那間，她意念清澈，目標明確，即時用空出的一手施展「禽翔五行指」，兩指併攏，以意導氣，氣凝指尖，嬌啼一聲，以聲運力，迅雷般刺中朱九淵左眼窩下方「四白」穴，朱九淵立時淚水橫流，左眼以下臉面麻痺，連嘴角都翹不起來。

他沒料到翠杏有此一著，他從來不知翠杏的武功層次，他不知道這是翠杏有生以來初次真正與人實戰交手，更不知道她剛讀過《靈龜八法》，剛剛才打通任、督，功力大增。

吃驚不小的朱九淵，沒時間懊悔自己的疏忽，他忍不住彎下身子，痛苦的用手掩目。翠杏搶到空間，飛奔到門口，用身體去撞門，卻只將已拴起的門撞開了一道縫。

「賤人！」朱九淵怒吼一聲，右手運起火犁掌，掌心灼熱得連四周的空氣都絲絲作響。

翠杏忙舉起竹籃擋身，火犁掌擊中竹籃，整個籃子「噗」的一聲起火燃燒，連帶油紙包住的兩本書也焚燒起來，嚇得翠杏慌忙丟下竹籃，兩手運指，擺出「青城十八式」的護身式「撥雲見日」迎敵。

「青城十八式？」朱九淵心中輕蔑的冷笑，這是長生宮人人皆曉的基本套路，有何難哉？

但左眼下的極度麻痺，令他憶起剛才著了翠杏的門道，又不禁心中一寒。

「翠杏，我的好翠杏，」朱九淵柔聲說道，「你把藥吃下去，然後什麼事都解決啦，我們就當一切從來沒發生過。」一側嘴角麻痺的他，說起話來顯得更加猙獰。

翠杏不想多說，眼下的她只想保命，活下去再說！

她迅速轉身打開門栓，卻因為她剛才的撞門將門栓撞歪了，一時卡住開不了，朱九淵乘她慌亂，機不可失，雙掌齊運，使出火犁掌奪命招式「赤牛耕日」，直取翠杏心、肝二處。

翠杏反身迎戰，她身形嬌小，又比朱九淵矮一個頭，一式「燕子低飛」輕盈的繞身而過，避到朱九淵側邊，猛然一式「投石問路」，一記五行指直刺他肋骨之間，頓時痛得他冷汗直冒，火犁掌一個失準，擊中房門，木製的門框立時燒出焦痕，紙糊的窗櫺則熊地一聲著火，燒出陣陣臭煙。

朱九淵怒不可遏，他反手一記「飛龍回首」，一把抓住翠杏的頭，一股熱烘烘的火力直逼入頭顱，瞬間煮熱顱中的腦袋瓜，翠杏登時慘叫，手中下意識的亂點，一連串的真氣通過「禽翔五行指」透入朱九淵的乳頭、鳩尾、肋脅等致命穴點，朱九淵痛入骨髓，淚水橫流，眼前一抹黑，居然昏絕倒地。

翠杏的每一擊都是致命點，她化身形的不利為優勢，專攻眼前最接近的死穴，這是冼幻真所教導，身處弱勢的女子保命之道。

然而，朱九淵的「火犁掌」在頃刻之間燒毀了她的部分腦袋，她的意識剎那間模糊了，清澈的思路霎時間如斷線的風箏，失去了憑據，十八年的記憶突然消失了大半，剩下的也如同四散無序的書頁。

她永遠陷入了剛睡醒那一剎那的朦朧。

她撞落起火的門扉，一邊狂叫，一邊奔跑出去，她記得：有東西遺漏在大殿了，必須馬上去取回來，是冼師父吩咐的嗎？不，是爹愛喝的乳酒，不曉得三清像有多久沒擦拭了？

如斯紛亂的念頭在她腦中糾纏，她忽然又生起極大的恐懼，想起自己要逃離恐怖的獵人，逃命要緊，但眼前的景象十分混亂，四周人聲喧譁，她似乎看見萬萬千千的獵人要追捕她、撕裂她，她只好反擊，不停的反擊。

不知過了多久……「翠杏。」一把十分熟悉的聲音在耳邊響起，這聲音好慈祥，令人放心，是誰？會是誰？

正猶豫間，翠杏的後腦被重壓了一下，她馬上一陣暈眩，倒地酣睡。

她睡得很香甜，不知不覺中，被數名女道扶起身子，慢慢扶進了「坤門」院落。

不知過了多久，她感到上半身被抬起來，然後又被放下，躺入一個人的懷中，一隻粗厚的手伸過來，憐愛的撫摸她的頭髮，好熟悉的氣味，好令人安心的手，好久好久沒躺在這懷裡了，是誰呢？想不起來了，總之不用擔心，遇上這個人就不必擔心了。

符十二公疼惜的撫摸愛女的頭髮，滿佈紅絲的兩眼不停打量女兒身上，希望找出一點攻擊者的蛛絲馬跡。

他不停的自責，就是因為他晚回長生宮了，才讓愛女發生這種事！但是更令他震驚的是，冼道長竟告訴他說翠杏有了身孕！真是匪夷所思！他完全無法想像這種事會發生在他身上，是他疏忽女兒太久了，還是他太信任女兒的自主能力了呢？

正在狂亂之際，他注意到有股異味，十分淡薄的氣味，卻十分突出，不可忽略。

是了，那是頭髮的燒焦味，那種氣味十分特殊，不會錯的。

他翻弄愛女的頭髮，卻沒見到一根焦髮，又令他不禁疑心是不是嗅錯了。

他不知道，「火犁掌」的熱力可以不傷表皮，直透內臟，要不是朱九淵被翠杏攻擊得陣腳大亂，符十二公會連那一點焦味都聞不到。

符十二公找不著焦味的來源，又查不到明顯的傷痕，一時之間六神無主。

對了，去問守門人，守門的道人想必知道些什麼。

他將翠杏交給冼幻真照顧，逕自走到山門去詢問守門道人。

「令嬡說自個兒去你房間等候，這種事原本不合規矩，可令嬡是常來的，我也由她去了。」

符十二公回自己房間去看，他有依奇門陣術排列房中各物，然而各種小物都未被移動分毫，房中還彌漫著一股久未有人住的淡霉味。

而且，翠杏平日會帶上山的籃子、酒菜、乾糧、錢幣等物一律不在房中。

如果不在房中，那一定在某處！

如果翠杏沒進來，那她一定去了某處！

他希望自己是隻鼻子靈敏的獵犬，能嗅到翠杏身上餘下的行兇者氣味，能嗅到翠杏走過的路線，他恨不得馬上找到行兇之人！

符十二公在觀中明查暗訪了兩天，一無所獲。

他又下山回家，質問僕人，小姐近來有何異狀沒有？

僕人們面面相覷，沉默無言，又不敢問小姐去了何方？直到負責伙食的中年婦人告訴他，小姐這幾個月頻頻熬藥進補，還專求烏雌雞煮湯，這是往常所沒有的習慣。

「你可知她用的什麼藥材？」

伙頭支支吾吾道：「無非是尋常藥材，小的沒多大注意。」

「那說幾樣你知道的來聽聽。」

「呃，人參、當歸、生薑、甘草、阿膠、黃芩……還有些乾花，小的認不出。」

「可以了。」符十二公要僕人們退下，讓他靜靜想一想。

那些大都是尋常熱性或溫性藥材，懷孕忌寒，寒性之物會下胎，如此翠杏是想安穩住胎兒，表示她很期待這孩子的誕生。

什麼人？能令翠杏完全沒露過口風，將他女兒騙得服服貼貼，還要動手殺人？

他決定如愛女的願，讓小孩平安產下。

這是他身為父親唯一能彌補的了。

於是，他喚來帳房老先生，吩咐他變賣了家業，遣散了僕人，結束符家百年來的經營。

他還有一個疑問。

他在離開老宅之前，取走他珍貴的秘密藏書，發現短少了兩本。

一本是他以前要翠杏帶給他的《奇門斷》，另一本是少林寺不傳之秘《靈龜八法牛棚禪師注本》，是他原本打算將「嘯法」好好研習之後再用的書，據傳可令功力在短時間內劇增。

他估計是翠杏拿走了，帶上山去給另一個人。

現在兩本都不見了。

這表示，得到這本書的人，將會是一個比現在更可怕的人物！

他在長生宮附近研修奇門之術時，曾在山林中發現幾個隱密的岩穴。岩穴終年乾燥，冬暖夏涼，是個避雪躲雨的好地方，平日累了，他還會在岩穴裡小憩。

如今，岩穴終於派上用場，他將岩穴整理乾淨，往上開了條通風的管道以利生火通煙，又將菜刀、鍋具等用品搬入岩穴之後，便把翠杏接來居住。

眼前是敵明我暗，敵強我弱，為了保住性命，還是先遠離長生宮的好。

他回長生宮去接翠杏時，冼幻真告訴他：「我為翠杏更衣沐浴時，順便檢查她身上，有沒有傷痕？或是留下什麼蛛絲馬跡。」

「有沒有？」符十二公一時屏息，緊張的問。

冼幻真點點頭：「指尖，有乾掉的血跡，指甲中還有些皮肉之屑。」

「那麼說……」

「她用過禽翔五行指，而且對方也傷得不輕。」

「她有反擊……」符十二公一想像到當時的可能情境，脖子都粗大了起來。他想像愛女驚慌的表情，不，他寧可是奪力應戰的堅毅表情，翠杏有求饒過嗎？有痛罵過對方嗎？愈是想像，符十二公的腦袋愈加混亂，表情痛苦萬分。

「符兄。」冼幻真見他心魔迷惑，好言勸道，「你是研習兵法之人，兵法首重沉著，不是嗎？」

一言點醒，符十二公登時冷汗淋漓，清醒了八九分，忙謝道：「冼道長說得是！」

他撫了撫翠杏的頭髮，冼幻真已經把翠杏的一頭秀髮洗淨、梳平，正散發出少女獨有的怡人香氣。她半睜眼一下，在符十二公懷中扭了扭身體，伸個懶腰，呢喃不清的說：「爹……今晚要早點兒回家喲……」符十二公熱淚盈眶，那是翠杏六、七歲時常說的話，她總是期盼晚餐的桌旁有父親的身影。

他柔聲道：「乖，以後爹每一天、每一天都會陪著你。」

他將翠杏揹到背上，告別了冼幻真，從「坤門」院落的側門離開長生宮。

走入山林的路上，他一路佈陣，用手中的小斧頭劈斬樹幹，將隨手撿來的石塊擺放在特定的方位，如果他後方有暗中跟監的人，他們定將迷路，一時三刻之內也轉不出符十二公佈下的迷陣。

好不容易，符十二公將翠杏揹到岩洞，將她安頓好，洞外有掩蓋了草葉的竹架，很不容易被人看穿虛實。像這一類的岩穴，在多年後發生「張獻忠屠川」，四川人口幾乎被魔王張獻忠全滅時，曾經拯救過不少川民，讓他們平安度過好幾年的兵燹之災。

翠杏平日不太瘋，只是像不太懂事的小女孩那般，對四周的一切都表現得很有興趣。她也不隨意走動，符十二公要她乖乖待在岩洞時，她也可以靜靜的自己跟用草綑成的娃娃玩上一整天。

只是，自從搬到岩穴後，她就不再說話了。

「發生了這種事，長生宮裡頭不可能沒有動靜，害慘翠杏的人，遲早會蠢蠢欲動的！」符十二公這麼想著，於是每天晨夕都會在長生宮附近的山坡地，居高臨下的監視山門。

他知道觀中規矩，觀中的出家道士若要下山，必須預先告知下山事由、登記在冊，且在傍晚以前就得回觀，因此要下山就得一大早下山，否則會趕不及在黃昏回觀。是以要監視進出長生宮的人，只需在清晨和夕照時分留意便得了。

監看了數日，一無所獲，他愈來愈感到焦慮。

他擔心日子愈久，答案就會距離愈遠，線索就會被愈沖愈淡。

觀察了約莫半個月，某個清晨，他看見一位相熟的道士出門，道士姓洪，平日擔任知客，也就是招待來客的職責，通常由樣貌端正、言語謹謙的出家道士擔當。

符十二公忖著，數數日子，近日正要開始忙於接待香客，身為知客的老洪理應留守觀中，不知為何下山？

符十二公沒作多想，繼續觀察，不久，他看見山門再度開啟，又步出一位樵夫，頂著個大竹笠，背後還揹了一擔柴。

他心中大奇，因為眼前的情景，有三個不合理。

一者，日頭剛出，樹枝露水未乾，還不是樵夫斬柴的時間。

二者，從來只見樵夫擔柴進觀，空擔出觀，豈有擔柴出觀的道理？

三者，他在太陽還未冒出頭就守住山門了，之前並未見樵夫進觀，又何來樵夫出觀？

除非這樵夫不是樵夫，而是直接從長生宮出來的人！

「有古怪！」

說不定，久候多時，那人終於忍不住露出馬腳了。

可是符十二公不敢妄動，他知道自己沒習過輕功，走路跟蹤一定很容易被發覺，他也知道自己並非武功高手，一旦動手說不定會命喪當場。

此時，他不禁思考奇門術的侷限。

最古老的奇門術，乃用於計算用兵的最佳方位和時辰，是處於「被動」的占算應用。後來據說諸葛武侯發明了化被動為主動的方法，藉由利用地形、改變佈置，而達到隱蔽兵力的功能。

奇門之術能令敵方無法發現陣式裡頭的實際情況，這叫「隱」；或誘敵入陣以迷惑之，再一舉殲滅，此謂「陷」。然而，奇門陣式只能影響一定的範圍，超出陣式的影響範圍，奇門之術就毫無作用了，也就是說，這些陣式都是不動的。

「兵陣」就不同了，那是一群人的集體行進移動，而符十二公需要的，是一個可隨著他的身體移動的「個人陣式」。

他搜索腦中對奇門術的所有知識，沒有這種陣式。

無論如何，他的直覺告訴他，這人有古怪！他不能錯過這難得的發現，一定得跟蹤他！

「且慢。」他想，奇門術不能用，他還有其他方法，是他平常絕不用上的，那只是他純為學術而做的研究，並沒打算實戰應用的。

自張子房立下「奇門十八局」以來，奇門術有時會跟其他方士法術一同使用，以達到更好的效果，比如諸葛武侯之借東風、延命燈，都屬此類，是以符十二公遍訪奇門專家時，也順便學過這些與奇門術相輔相成的法術。

沒想到，這些他平日不屑使用的雜術，而今不得不派上用場了！

符十二公念頭一起，當下取出腰際的小斧頭，削下一片樹皮，在上面刻出簡單的五官，又割下一小撮自己的髮梢，插入樹皮縫隙中，吐上兩口唾液，口中唸了數遍秘咒，接著如法炮製了八個一樣的樹皮人偶，塞到纏腰的布帶備用。

接著，他循著捷徑跑到一片竹林中，這竹林的竹子喚作「月竹」，竹身較細，可作筆管，符十二公用小斧頭隨手斬斷一根竹子，取一節食指粗細的竹節，劈開兩端，成了一根小竹管。

經過這一番折騰，當他趕到捷徑的末端時，那樵夫已經遠離，身影也模糊了。符十二公知道，這條長生宮眾人平日下山慣用的路，乃順著山勢左彎右拐，他只消沿著山崗，走直線的捷徑，定能趕到那人前頭去。

符十二公很熟悉這片山林，所以他不擔心，他再抄另一條捷徑，希望趕到那人面前，一窺他的廬山真面目。他穿過竹林，從高處眺望，見那樵夫正遙遙走來，心想這次總算追上了。

只見那樵夫腳步輕盈，身形十分快捷，顯然是會家子，不可小覷。

符十二公取出一片樹皮人，先讓它隨著輕柔的山風飄下山坡，隨即取出小竹管，口含一端，吹出一道尖尖細細的氣流，吹到樹皮人身上，控制它飄動的方向，直到它落入山路旁的草叢為止。

尋常之人怎麼可能把氣吹得那麼遠？看倌需知，符十二公這一手法乃從平日練習「嘯法」所得。

所謂「嘯法」，乃御氣之法，可分「氣嘯」和「歌嘯」兩種，後者類似今日蒙古的特殊聲樂發聲法，平日在山林中嘯叫，把聲音練得又遠又長，或廣或細，出神入化，唐朝時甚至有孫廣編寫的《嘯旨》一書專論此術，一共總結了「行嘯十二法」。

符十二公精通嘯法，在「氣嘯」方面，他能利用竹管控制氣流方向，如細線一般遠遠的控制樹皮人，而在「歌嘯」方面，他後來練成了「密音傳耳」，將聲音控制得能夠只讓某一定點的某人聽見，此是後話，按下不表。

話說符十二公將竹管湊在唇間，見山路上的樵夫尚有十來步遠，口中忙唸咒語，輕輕一句「如律令」後，馬上吹了一道氣，路旁的樹皮人倏地劃過山路，鑽入對面的草叢中，果然那樵夫警覺的止住腳步，凝視路面。

方才那麼眨眼之間，樵夫彷彿看見一個高大的黑影穿越山路，依那黑影大小，絕不可能是尋常小動物，他擔心有埋伏，下意識的把手按在腰間，不知想取出什麼，卻沒真的亮出招子來。

符十二公見他沒中計，又抄出兩片樹皮人，唸了咒語，朝兩個方向投出。他先吹出一道氣流，讓一片樹皮人滑下山坡，滑過路面，閃入草叢，他同時吹出另一道氣流，讓另一片樹皮人飛躍空中，翻了個觔斗，再斜斜插入草叢。

沒想到，那樵夫居然沉住氣，繼續行走，壓根兒不理會眼前情景。

事實上，樵夫的確有看見兩條人影，一條穿過路面，另一條身手敏捷飛空而過，種種跡象都像是有高手挑釁，但他只是一位樵夫，照理是不應該有反應的。

如果他應該只是一位普通樵夫的話。

樵夫快步走過了剛才黑影越過的路面，令山坡上遠眺的符十二公十分氣惱，因為那樵夫甚至沒抬起頭來，臉孔完全被擋在竹笠底下。

符十二公忙再取出一片樹皮人，口中急急唸咒，「如律令」剛過，立刻吹動樹皮人，它飛身下坡，直衝樵夫後方。

樵夫身形只稍稍一晃，腳步一刻也沒停下，只見有一道白影在他背後繞了一圈，樹皮人立時裂成兩段。

符十二公迸出一身冷汗，他完全看不清楚樵夫做了什麼事！

但是，他也不能讓對方瞧出他的把戲！於是，他火急吹出兩道氣流，趕緊令裂開的樹皮人彈向空中，飛入遠遠的草叢，消失無蹤。

其實樵夫也納悶得緊，剛才後方明明有股殺氣直迫而來，明明有人要攻擊他，他一使出獨門兵器，對方竟被輕易的裂斷身軀，斷了的身體還能飛身消失！這恐怕不是人類所為，或許是山中鬼狐之類在愚弄他，這些嘛，可比人類難對付多了，還是少惹為妙。

樵夫環顧四方，只見山路兩旁古樹參天，林葉茂密，即使是大白天也彌漫著蒸蒸霧氣，陽光昏暗，濕氣寒骨。樵夫不欲久留，於是趕忙加快腳步，匆匆下山去完成任務。

符十二公也不敢窮追，他坐在一棵銀杏樹下思索，方才那人用的是何等武器？長生宮裡頭有人使用嗎？他根本想不起來！

「不行！不能就這麼算了。」他忖著，趕忙動身追過去，抄走山林間不為人知的小徑，趕過樵夫前頭。

符十二公率先走到山腳，山下正是馳名中外的千年灌溉系統「都江堰」，如今剛好河床乾枯，只因河水被阻斷，以進行每年的例行修繕，要到清明才會放水。

他在路邊佈下一個小陣，將自己隱蔽在陣中，看著那樵夫走過去，確定他的方向了，再走捷徑到下一個地點，同樣佈陣、隱藏，如此數次，最終確定他要去的是都江堰旁的縣城「灌縣」。

樵夫揹著一籃柴薪，搖搖擺擺的走進灌縣城門，混入來往的人群中。

符十二公坐在城門外的大石上等待樵夫出來，心中掛念著翠杏，擔心她會不會自己準備食物？不知道她會不會因為找不到爹而害怕？不知那樵夫會何時出來，如果他一直不出來怎麼辦？

等了約莫兩個時辰，太陽早已過了中天，正沿著黃道朝西邊斜斜滑去，灌縣四面多山，山丘擋了大部分的陽光，陰涼得很。符十二公吃完了隨身乾糧，喝了點用竹筒裝的天露水，繼續牢牢盯著通往城門的大路。

此時，那樵夫再度現身在大路上，符十二公遙遙望見，一骨碌跳起，緊盯著他。樵夫背後的籃子空了，臉龐依舊藏在竹笠的陰影下，大路上僅有他一個人孤單的身影。

符十二公估計樵夫會沿著來時的路回頭走，正欲動身回青城山埋伏，卻見一位中年婦女匆匆跑來，奮力朝樵夫揮手，似乎在呼喚樵夫。

符十二公停下來觀看。

樵夫好像沒聽到婦人的呼叫，腳步一直都沒歇下的意思，直至一處林邊的轉彎，樵夫才彷彿略有所覺，止步回頭，那婦人見他停步了，也緩下腳步，邊喘氣邊走上前去。

符十二公瞧見婦人遞出一張紙，然後兩人不知說了些什麼，樵夫也取出一張紙交給婦人，她謝過之後，便回頭往縣城走去。

樵夫盯住婦人的背影，慢慢從腰間解下一條長長的東西，在陽光下閃著寒光。

符十二公覺得有一股不祥的預感，但人在遠處，又不知那樵夫意欲何為？他猶疑不決，唯有按兵不動。

正躊躇間，只見樵夫手中一揮，一道白影掠過，婦人的脖子登時被緊緊纏住，完全無法呼救，她下意識用兩手拉扯頸上的東西，卻徒勞無功，樵夫兩臂一抽，婦人便硬生生被拖入路邊林中。

事情發生得過於迅速，符十二公始料未及，整個人頓時冷了半截，下意識告訴他要奔出去救人，但理性卻令他遲疑不敢跑出去，因為從樵夫剛才所露的那一手，他知道他完全不是那人的對手，只好眼巴巴的看著婦人被拖走。

他心急如焚，卻無計可施，因為他距離那裡太遠了，他的「氣嘯」無法到達這麼遠！

忽然，他從眼角望見有人在路上走來，轉頭一瞧，認出是洪道人！長生宮的知客！他記得清晨時分是洪道人先下山，之後樵夫才出現的。

只見洪道人行色匆匆，心煩意亂，一副魂不守舍的樣子。他經過轉彎角，漸走漸遠。

不久，那樵夫也從轉角旁的林中鑽出來，他抖抖背上的籃子，站立不動，凝望洪道人的背影，手中那條長長的東西，在斜陽下泛著銀澤的光芒，符十二公見了不寒而慄，打了個冷顫。

難道樵夫也想對洪道人下毒手？

如果是，那他還在猶豫什麼？是在斟酌對方的能耐嗎？

說時遲，那時快，樵夫提起腳，輕點著足尖，小步朝洪道人奔去。

「不妙！」符十二公情急之下，火速唸咒，拋出兩片樹皮人，竹管吹出一道細流，樹皮人擦過山坡上的草皮，朝樵夫直衝過去。

樵夫聽見草地上有異聲，手中趕忙一揮，正好捲中一片樹皮人！由於距離太遠，符十二公難以控制，還來不及將其吹入雜草之中，就被對方揭穿了把戲。樵夫瞧了一眼手上的樹皮人，便扔進背後的竹籃。

這一陣騷動，也驚動了前方的洪道人。

洪道人回身看見一位樵夫，竹笠壓得低低的，顯然正緊盯住他身上的每一寸，手中垂著一條精鋼冶煉的長鍊，渾身迸發著殺意。

洪道人直視著樵夫，歪頭想了想，好一陣子才問道：「這位兄台，是衝著貧道來的嗎？」

樵夫不答，嘴角冷峻的下垂，沉默得令四周的空氣蕩漾著陣陣寒意。

「若是強人剪徑，那麼貧道一身清貧，所有不過幾枚銅錢，兄台若要，可資生計，不妨拿去，無需強取。」

樵夫依舊默不作聲。

洪道人一步步想確認對方的目的，終於不得不問最後一道了：「貧道俗姓洪，自問生平不喜惹是生非，與人素無過節，兄台確定沒認錯人吧？」

樵夫再不打話，手中長鍊一揮，他周圍方圓一丈的地面瞬間劃出了一道圓圈，連洪道人的衣角也被削破了一方。

「這是何苦？」洪道人長嘆一聲，不得不打起精神迎戰。

他平生雲遊四海，現在只是暫時落籍長生宮，當初想說四川是道教源頭，青城山是第五洞天福地，長生宮是千年古觀，誰料在此地竟會有殺生之禍？誰知今日竟是明年忌日？

他也曾拜師學武，一意只求防身，不在傷生，誰知竟遇上高手欲取其性命？

這一遭，只怕凶多吉少了！

洪道人長嘆一口氣，隨即曲膝半蹲，兩掌擺在腰際，沉吸一口氣，同時氣貫雙掌。看倌需知，此乃「預備式」，為接下來所有招式的基礎。

樵夫心想，方才偷襲不成，被不知什麼人壞了好事，從樹皮人的樣式看來，分明不是鬼狐，而是有人在搞鬼。他自怨不夠謹慎，被人盯梢了還不知覺，現在只好速戰速決，解決了這洪道人，再去解決那施術搗局之人！

只不過，這位洪道人在長生宮掛單經年，卻從未見他露過什麼手段，還以為他不諳武功，如今見他蹲個馬步，兩掌各踞左右，看起來不過是尋常的預備式，雖然未知斤兩，但是應該很快就能解決掉啦。

樵夫赫然踏前，長鍊破空掃向洪道人，沒想到，洪道人竟伸出肉掌，硬生生掄向長鍊，鋼與肉接觸之際，「噹」的一響，恍若擊中兩塊金屬互擊，頓時化解長鍊來勢。

樵夫驚愕萬分，凡被他長鍊掃到的人，無不皮開肉綻，從未見過有人以皮肉相迎，還能勢均力敵的！這洪道人使的不只是硬功，也是柔功！能使對立的兩種特質水乳交融，端的是剛柔並濟，天下何處有此種武功？

洪道人心中也兀自納悶不已，長鍊這種獨門兵器聞所未聞，顯然是因為學習困難，所以罕有傳承者，回想過往，他又何曾結識過使用這類兵器的人？還一心要殺他？

兩人一招交手，心中千迴百轉，各懷心事，然性命相搏，豈容分毫遲疑？

轉念之間，樵夫猛再出手，將長鍊舞了個燦爛，把空氣削得咻咻有聲，誓要將洪道人給殺個稀爛。

洪道人也不猶豫，他不慌不忙，兩手如輪，使出「風雷倒卷」，將長鍊連續撥開，每一出掌，有猛風之勢，雷霆之力。他三兩步便搶入長鍊舞成的圓圈之內，樵夫一時鞭長莫及，被洪道人一式「風雷踞頂」從上方捶擊他的右肩，樵夫一陣心寒，眼見右臂將廢，忙用右手收鍊，長鍊回捲，左手接住另一端，鍊條對折，正好夾住洪道人的脖子。

樵夫兩手朝反方向扭轉，長鍊一緊，眼看要扭碎洪道人脖子。

洪道人腳下一沉，雙掌如鐵，直拍樵夫胸膛，樵夫只覺胸口被千斤錘重擊，心臟彷彿剎那停頓了一下，兩手頓時軟掉。洪道人乘機掙脫長鍊，趕忙撫揉脖子，方才被長鍊纏住，差點兒斷氣！

樵夫不停喘氣，意圖令心臟正常跳動，洪道人本來就無心纏鬥，今見樵夫無力還手，便欲乘隙回身逃跑，然性命交關之時，最忌失去先機，樵夫奮然利用餘力揮動長鍊，上下舞動如蛇，捲住洪道人腳踝，將他一把拉得仆倒在地。

樵夫大吸一口氣，先穩住了心跳，馬上一抽長鍊，掃過洪道人右腕，洪道人來不及爬起，登時被割斷手筋，血流如注！

這洪道人向來避談來歷，他其實是武當弟子，學的是「兩儀風雷掌」。兩儀者，陰陽也，剛柔也。其「預備式」置兩掌於兩側，象徵太極中的陰陽兩儀，其練習方法乃以意導氣，用兩掌在鐵砂中掄、砍、摔、拍，練成之後，一出掌則氣勢駭人，有風雷之勢。

可是，「兩儀風雷掌」重在兩掌，手腕反而成了弱點，在數招之間已被樵夫看出，一逮到機會，他就馬上攻擊洪道人手腕，斷其手筋，手筋一傷，任憑你銅皮鐵肌，也再使不上力！

洪道人右腕已廢，驚懼之餘，忙滾地避開，但滾地又怎快得過長鍊？霎時間背部又被掃中，皮肉深裂，血水沾染了長袍。

忽然，一道巨大的黑影掠過樵夫面前，亂了他的步調。

又是那個樹皮人！他憤怒得直想大喊：「別再裝神弄鬼，有種滾出來！」但他不能作聲，否則很可能會被人認出來，因為他在長生宮是很多人認識的人物。

樹皮人在他身邊飛竄，身形高大，但樵夫知道，一經捲下，它便只不過是一小片髒兮兮的樹皮。

洪道人忍住疼痛，奮力爬起，沒命似的往青城山衝去，所幸樵夫避忌他的風雷掌，先傷他手腕，讓他還有一雙健全的腿來逃跑。

樵夫不理騷擾他的樹皮人，拔腿追過去，樹皮人的黑影倏地劃過，鋒利的邊緣在他手背上割出一道血痕，樵夫大怒，揮鍊要擊碎樹皮人，可樹皮人左閃右避，甚難對付。他望著洪道人，見他跑得飛快，距離愈來愈遠，一時心慌意亂，揮鍊的招式也亂了手腳。

洪道人的身影剛剛在山腳彎道消失時，樹皮人便忽然失去動靜，飄然落地，樵夫楞了一下，趕忙捲起鍊子，直奔過去。他猜想，操縱樹皮人的傢伙一定是剛剛溜走了，他必須追上去！

此刻，符十二公在山坡上奔馳，藉著山林的掩蔽，不被樵夫發現身影。他必須比樵夫更快，於是他直線穿過一條捷徑，飛跑向山的另一面，那兒便是來程中經過的乾枯河床。

此時，洪道人也正好從大路趕至河床，見有人從山上跑過來，整顆心涼了半截，以為死期到了。

「是友非敵！」符十二公遠遠嚷道，趕快跑進河床，移動河床上的鵝卵石，「洪師兄！你如果相信我，請站在我身邊！」

「你是符十二公？」洪道人一時不敢相信，他不明白突然現身的符十二公跟這件事有什麼關係？

符十二公忙著擺置鵝卵石的當兒，抬眼一瞧，樵夫已追過彎道。

樵夫遠遠看見有人與洪道人在一起，先是楞了楞，馬上猜出這人就是操縱樹皮人的人，立時怒火中燒，殺意大起。

沒想到，他這麼楞了一下，讓符十二公抓到時間擺好最後一塊鵝卵石。

「完成了。」符十二公鬆了一口氣，嘆道。

「完成什麼？」洪道人愕然道。

「相信我，等他過來。」符十二公低聲說著，忙取出手巾圍在臉上，好讓樵夫瞧不見他的臉。

樵夫大步迫近，咬牙切齒的緊握長鍊，他的眼睛遮在竹笠下，卻掩蓋不住他懾人的殺意，擋不住他兇狠的氣焰。

洪道人開好馬步，身體一沉，打算用他僅存的一臂應戰。

「不必，不必，」符十二公輕拍洪道人，兩眼不敢離開樵夫，「我一拉你，你就要跟我走。」

樵夫一腳踏入河床，打算一舉殺死眼前二人。

「現在！」符十二公輕聲道，拉著洪道人往「生門」的方向踏出。

樵夫正欲揮鍊，不禁當場傻住。

眼前的兩人影子才那麼一晃，就消失了。

不特此也，他也聽不見任何聲響，四周看起來沒有變化，卻在剎那間陷入一片靜謐，靜得他連耳道中的血流聲都聽得見，耳中嗡嗡作響。

他才剛回頭，四周忽然一片飛沙走石，狂風怒吼，什麼也看不見。

他趕忙向前跑去，風沙乍停，眼前卻隆起一片大山，擋住了去路。

樵夫又驚又怒，他不明白發生了什麼事，又覺得有被戲弄的感覺，不禁怒吼一聲，胡亂揮鍊。

洪道人不敢相信他這麼容易就逃脫了，而且還看見樵夫在河床上東奔西跑，發瘋似的在揮動長鍊，似乎被困在河床，無法掙脫那方圓一丈大小的空間。

想當年，劉備占據四川，諸葛武侯在川東河邊用圓石擺佈「八陣圖」，困住吳將陸遜，正是一種奇門陣式，如今符十二公不過效法孔明。他心知這陣式需再一個時辰才會自解，他們尚有足夠的時間逃逸。

符十二公帶洪道人朝青城山逃去，叮嚀他不可再回長生宮：「你且先隨我去養傷，之後要去何處，再行定奪。」

洪道人拱手道：「感謝符兄救命之恩，弟只是不明白，為何遭來此禍？」

「我還正想問你，沒想到你也不知道？」

「小弟委實不懂。」

符十二公告訴他：「我看見，這廝在意圖殺你之前，才剛殺了一名婦人。」

「婦人？」

「我見她從路上追來，喚住這廝，手上拿著一張紙，兩人才交談了幾句，婦人就被暗算了。」

洪道人沉默了。

他們一路走上山坡，洪道人都不再說話。

符十二公不走尋常山道，專帶洪道人走小徑，以免萬一敵人有同夥在路上。良久，洪道人才喃喃說道：「打從今早，就有些蹊蹺……早課之後，一位呂師兄託我下山辦事，說是住持的吩咐，他給我一張藥方，說要抓藥，又給我一筆錢，要我進城去找一個人。」

「所為何事？」

「城裡那個人給了我一本書。」說著，洪道人從懷中取出一本書，符十二公翻看了，不過是抄寫的《邸報》，那是宮中將大事、詔令、官員升遷公佈天下的報紙，有人欲追蹤這類消息的，讀書人會幫他們抄寫，按期收費。看來，長生宮住持朱九淵對政局變化很有興趣呢。

「那麼，藥方呢？」

「沒了。」洪道人說：「藥方沒了，藥還在。」他又從腰囊摸出一包藥來，符十二公接過藥包，湊近鼻子仔細嗅了嗅，聞不出個所以然來。

洪道人又說：「這裡頭有個奇處……」他敘述如何遇上穩婆李阿好，如何託她抓藥，然後費了不少時間才查到邸報抄寫員的地址，回頭去尋穩婆時，李阿好又如何弄錯了另一人拜託的藥方。「同一日之內，湊巧有兩人拜託她抓藥方，而且，李大嫂弄錯的那張藥方，我拿在手上瞧過，那紙，是長生宮自製的桑竹紙，我是萬萬不會認錯的。」

符十二公胸口發燙，血絲慢慢佈遍了眼白，他怎麼都覺得這件事跟翠杏有關係，卻無法鳌清筒中玄機：「你可記得另一張方子寫了哪幾味藥？」

「記得，」洪道人也臉色凝重了起來，「我心裡將兩張藥方湊在一起，那是極之寒涼的方子，說不上有什麼用途。」洪道人將藥方告訴了符十二公，兩人邊走邊沉思，不知不覺，已隨符十二公抵達一間小道觀。

洪道人抬頭一瞧，沒匾也沒額，這小道觀沒名字。

符十二公敲了敲門，回頭向洪道人說：「這裡頭住的是一位正人君子，路見不平必定挺力相助。」

觀門「嘰」的一聲開啟，一位道士探頭出來，看他不過三十來許，卻似飽經世故、滿臉風霜，眼神堅毅，似乎對世事早已看穿、看透。

「朱兄。」符十二公拱手道，「此人乃長生宮知客，方才在路上被人追殺，手腕已傷，朱兄可否為他療傷？」

那道士瞧了一眼洪道人，便慢慢的走出來，拿起他受傷的手腕端詳，好一會才說：「手筋斷裂，貧道有一金創藥，祖上傳說可續骨，雖無十分把握，不妨一試。」說著，他走回觀門，擺一擺頭，示意洪道人進去。

洪道人一時不知道該如何是好：「符兄……？」

那位朱道人進去了，符十二公才小聲說：「他姓朱，名朔，朔望的朔，他的祖上，就是本朝開國太祖。」

「哦？」洪道人不禁驚嘆。

「說來話長，總之你盡可將一切告訴他，放心就是。」

眼下再也回不了長生宮，洪道人只有相信符十二公，兩人道別後，他也踏入那無名道觀去了。

符十二公在山林間穿梭，心急得很，他已經有一整天沒照顧翠杏，擔心著翠杏會有什麼不察。

趕回父女倆棲身的岩穴，只見翠杏瑟縮在洞中，安靜的閉著眼。當她一看見父親回來，馬上衝過去抱住他，兩手憐惜的拍著符十二公的背，表達她想念了一整天的心情。

「對不起，翠杏，爹遲回家了。」符十二公柔聲說著，一面輕撫翠杏的頭髮。翠杏的肚子微微隆起，頂住符十二公腰囊中的藥包，為了避免翠杏不舒服，他將洪道人給他的那包藥從懷中取出，打算放去地面。

在他懷中的翠杏忽然僵硬了一下，眼睜睜的盯住他手中那包藥。

「怎麼了？翠杏。」符十二公察覺有異。

翠杏將藥包輕輕從父親手中接過來，小心翼翼的捧到鼻子去嗅，忽然情不自禁的流下兩行淚水。

「怎麼了？翠杏。」

她記得這氣味，但她不記得為什麼，只記得這氣味令她心碎，傷心得彷彿馬上要死去一般。

「到底怎麼了？」符十二公不停探問，試圖勾出翠杏的記憶，但那一塊記憶已經受損，留下的只有影子和痕跡，翠杏也無法拼湊出全貌。

如此日復一日，月復一月，藏身在岩穴和奇門陣式之中的翠杏，一直沒被朱九淵找到。翠杏的肚子日漸隆起，符十二公也不知道女兒何時會生產，因為他不知道女兒到底懷孕了多久，隨著肚子愈來愈大，他也愈來愈緊張，生怕翠杏突然生產時，他會措手不及。

終於，在夏天的一個晚上，翠杏開始陣痛了。

符十二公的第一個念頭是：「為何偏偏選在晚上？」這個不該來的孩子，選在不該選的時間來到這世上。

翠杏緊蹙眉頭不停撫摸肚子，她感到肚裡一陣陣有規律的抽搐，漸漸的愈來愈強烈，節奏也在慢慢的加快中。

「翠杏，乖女兒，」符十二公抓住女兒的兩肩，「你不用害怕，爹會找人來，你千萬別亂走。」

翠杏困惑的望著他，眼中帶著慌亂，似乎不明白自己身上發生了什麼事。

「等爹回來！」說罷，符十二公提了燈籠，回身要走，被翠杏一把拉住衣襟。

她兩唇抖顫，彷彿想要說話，卻想不出該說什麼字。

自從那天以後，符十二公只聽女兒說過一句話，之後就沒再說過一個字，但此刻他無心等待翠杏說出話來，比這更重要的是她的性命。

符十二公溫柔的捧著她的臉龐，憐愛的凝視她的雙瞳：「翠杏……」他想叫她放心，但他的眼神已經比言語傳達了更多的關愛。

翠杏鬆開了手。

符十二公即刻轉身跑出岩穴，在岩穴外佈陣，這陣式名喚「五行金甲陣」，乃保護陣中之人兵燹猛獸不侵，任憑外頭風雨交加，陣中之人絲毫不覺。佈下五行金甲陣後，他又在外圍佈下一層「參畢迷魂陣」，不論人獸，一近此陣則無路前進，不由自主的繞道而行。

佈完了兩層陣式，他不放心的再看了一眼，隨即提燈走下山去，走的是他常走的林徑，循著熟悉的路線，比較不容易發生意外，此刻他絕不能有意外，否則翠杏該怎麼辦？

翠杏孤零零的守在穴中，凝望洞穴的入口，期待父親再從那裡出現。

父親留下足夠的燈油、明亮的燭火，將洞裡照得黃澄澄的。當疼痛突如其來時，她屏著息，等待痛覺散去，當她輕輕一運息時，一股暖氣會周流她的任、督二脈，頓時令她減少許多痛楚。

外頭安靜得很，岩穴就如同安全的子宮，她感覺不到有任何危險。

不知過了多久，當她的抽痛頻密得像心跳一樣急促，終於連運息都快抵抗不住時，岩穴外頭有了動靜。

父親的頭探了進來。

翠杏緊繃的心忽然鬆弛下來，強烈的陣痛頓時衝了上來，她痛得哀叫出聲，符十二公馬上拉進一位中年婦人，指向翠杏說：「快，快幫忙。」

中年婦人雖然滿臉驚惶，但仍然走向翠杏，熟練的探視她的情況，伏耳聽聽她的肚子，用手背探她的額頭，然後轉頭問符十二公：「是頭一胎嗎？」

「是。」符十二公焦慮的不停跺腳。

婦人要他去燒熱水、準備乾淨的布等等，待一切妥當之後，又忍不住轉頭問符十二公：「你們是人嗎？」

符十二公愣了一下，他的腦袋急速思考了一下，當下決定不回答，只是神秘的、淡淡的搖了搖頭。

婦人打了個寒噤，慌忙幫翠杏接生。

符十二公曾經注意過，山腳下有個挑伕人家，生養眾多，或許可以去拜託他家女人上山幫忙接生。可是夜晚的山路極其危險，山路崎嶇不說，野獸也會在夜間出沒，人家一定不會答應。

於是，他帶了足夠令他們心動的銀兩，說服挑伕夫婦兩人隨他上山，條件是挑伕必須在洞外守候。

直到天亮，翠杏母子倆沉沉睡去，婦人也教導了符十二公產後的照料方法，他才護送挑伕夫婦下山。

「奇怪的是，」挑伕後來向別人聊起那晚的奇遇，「我下山時才想起，燈籠忘了在洞口了，可是我循著原徑走回去，卻怎麼也尋不回那個洞穴。」

「敢情是鬼怪，」另一位挑伕插嘴說，「他們自己不也招了嗎？」

眾挑伕們聚在山腳等待客人上門時，免不了聊起他們在山野的遭遇，幾乎每一位挑伕都有滿肚子這類故事。

說著說著，一位挑伕遠遠望見一位妙齡女子走來，於是一骨碌立起：「客人來了，準備上路。」

「嘿，那女子就是上山尋母那位嗎？」

「正是。」

「有下落了嗎？」

「說不好的，早已化成山林野鬼了。」言畢，挑伕忍不住低吟了一句「阿彌陀佛」。

山上的故事口耳相傳，山伕傳給客人，客人傳給家人，家人傳給友人，如此輾轉流傳，不過幾天工夫，便經由一個人的口帶給了朱九淵。

朱九淵對內宣稱閉關了三個月，在那之前，他左眼下方的臉部一直都在麻痺，說話時嘴角一直提不起來，他的肋骨也斷裂了幾處，連呼吸也會疼痛，好不容易才養好部分的傷，勉強出外見人。

那天，當他暈絕在地時，一位二十來許的年輕道人進入方丈的院落，來通知他外頭大殿有女子鬧事，赫然發現住持重傷倒地，連方丈室的門扉都燒燬了一片，當下便明白了個大概。

年輕道人不動聲色，扶了朱九淵上床靜息，整理好散了一地的酒菜、紙灰，用紙糊好破損的木門，又煮了安神養氣的湯藥，專等朱九淵醒來。

朱九淵驚醒之時，發覺身邊侍候著一位年輕人，由不得又是一驚，心中徬徨不安。

年輕道人忙道：「住持勿驚，我乃『震門』弟子，素來贊同住持的見解，今日無論發生什麼事，晚輩都不知道，晚輩以外的人，更是不知道了。」

朱九淵端詳了這年輕人一會，認得他果然是平日較為合契的同道，即時放心不少：「你姓呂，對不對？」

年輕道人頷首道：「晚輩呂寒松，是『震門』于道長門下。」

「于道長，莫非使一件獨門兵器白長鍊那位？」

「住持好記性。」

「你看到了什麼？」

「我整理了一下，收拾了一下地面的碎紙殘片，有些可能還有用，我擱在桌上了。」

「碎紙？」朱九淵忖著，狐疑著呂寒松在說什麼。

往後一直是呂寒松在照顧他，直到他能下床了，翻看桌上那堆燒剩的碎紙，才知道那天翠杏曾經帶給他什麼，而他居然錯過了。

恨意一起，他的創傷更痛了。

他命令呂寒松再度下山調藥，還要四處搜尋翠杏下落，待一找到，一定要令她服下。

他不能讓孩子被生下，卻也不能害死翠杏，因為他還期望終有一日要利用符十二公，翠杏依然是最好的棋子。

他不過問呂寒松是怎麼去調藥的，呂寒松也沒報告洪道人被人救走的事，他只知道翠杏恍如在人世失蹤了一般，呂寒松屢次在山上山下搜查，都沒半點她的消息。

直到山伕們口耳相傳的故事傳入他耳中為止。

「翠杏生下那個孽種了……」得知這消息之後，朱九淵的心中浪濤澎湃。

他有後代了，他當爹了，但這孩子將成為他的詛咒，將影響他未來的千秋功業。

他猶豫不決，不知該如何是好。

哪裡知道，有一天這孩子竟大膽的回到他身邊，彷彿在諷刺他似的，那孩子僅有阿瑞之名，以無姓之兒在長生宮成長、習道、學武。朱九淵偶爾還抱存著希望，想像有朝一日父子相認，但一想到翠杏，就連他自己也不相信有這種可能了。

更何況，這孩子天生就埋下了反對他的種子，在他與張獻忠的結盟中，那孩子不斷的反對，還夥同長生宮其他道人一起反對他。

有一天，他終於痛下決心要除去這個孽種，於是，他以欺師滅祖之名，對那孩子施予「五絕」之刑。

五絕之刑，專由「離門」施刑，事實上就是以「火犁掌」的熱力燒燬對方腦子，殘酷至極，因此鮮少施行，五百年來也僅用過四次而已，而阿瑞是紀錄上的第五位。火犁掌乃由道家修行「雷法」演變而來的獨門內功，用於驅魔除妖，如今卻變成殺人之術。

但是，阿瑞在行刑之前逃掉了，逃得無影無蹤，直到呂寒松奉朱九淵之命與東廠太監結交，才遠在千里之外的廣東佛山意外相逢。

朱九淵知道阿瑞的逃跑絕非僥倖，必定有人相助，而這個「有人」除了柳嵐煙與符十二公以外，不作他人想。

呂寒松也在山林中發現過翠杏，她以猿猴般的敏捷身手在林間飛竄，卻能在頃刻之間消失身影，這種情況，也僅有符十二公的奇門之術有可能辦到。

呂寒松成了他的鬥犬、他在外頭的耳目與刀刃，專門替他聯絡、偵查、殺敵。

呂寒松也果然不負所託，花費多年，終於找到翠杏的藏身處，雖然他無法突破重重奇門陣式，但已足於威脅符十二公為他服務。

這些人，符十二公、翠杏、呂寒松、明鏡使等等這些人，都是他邁上權慾之路的重要棋子，一如萬物皆有陰陽兩面，善用陰陽，則如《孫子兵法》所云「奇正相生」，妙用無窮。

由於符十二公的妙用無窮，加上翠杏也暫時沒有死亡的必要，她才得以在林中自在生活。她懵懵懂懂的活了許多年，飢餐野果，渴飲清泉，累了則回到有重重奇門陣式保護的岩穴睡覺。

外頭的世界發生了巨變，她一點也沒有知覺，因為那些都是人類的事，而她忘了自己是個人類，或者更正確的說，她沒有自己是人類或任何種類生物的概念，她只知道自己是自己，如此而已。

這種情形，一直到那年八月才有改變。

那年，京城的龍椅被好幾個人的屁股坐過。

首先，坐了十七年的那位皇帝爺在自家後山上吊了。

然後，逼死皇帝爺的李自成匆匆稱帝，才坐了一天就逃跑，因為北方的胡人正來勢洶洶呢。

最後，是北方胡人坐穩了，一坐就坐了兩百多年。

就在那年八月，翠杏一如平日在林中遊戲完了，回到岩穴。

她還在奇怪，這幾天爹都沒回來，不，不是幾天，不知有多久了，反正她也沒觀念，再者，爹總是會回來的，無需憂心。

當岩穴外有動靜時，她還以為是爹回來了。午後的林子十分寧靜，因為不論是早起的野獸或夜行的野獸，都在休憩中，因此岩穴外頭雜草的窸窣聲格外清楚。

她屏息期待著阿爹現身。可是，闖進來的卻是一名年輕男子。

她知道要穿過爹佈下的陣式，應該從何方進入、如何轉彎等等，都有一套規矩，而這名陌生男子竟輕易的進來了。更令她自己吃驚的是，她一點也不擔憂這名男子的闖入。

因為他看起來好親切。

在午後陰晦的陽光下，那男子一看見她，眼中馬上泛現淚光，淚水後方是期待多年後終於崩解的思念：「阿母……」他說，「是阿母嗎？」

阿母？什麼意思？沒有概念。

「是阿母嗎？」

什麼是阿母？雖然不懂，但聽了這聲呼喚，為什麼眼睛突然濕了？為什麼那麼濕？濕得連視線都模糊了。

男子徐步走過來，緊摟著她，放聲大哭。她沒反抗，任憑男子的熱淚灑在她臉頰上、沾濕她破爛的衣服、流下她雜亂打結的蓬髮。她發抖著伸出手，小心輕撫男子結實的背肌，顫抖的兩唇間好不容易吐出了幾個韻母，終於，她想起了一個合適的字。

她憐愛的撫摸他的頭髮，說：「乖……」

桑女誌

時地：崇禎十七年（一六四四年）八月中旬／四川青城山長生宮

彩衣沒有自己的房間，因為她尚未受戒，還是個女道童，必須跟師父同寢。

她從小就希望有一間自己的房間。

不為什麼，只因為她想要有個能保有自己小小秘密的地方。

比如說，她有一個小小的錦袋，上面繡了隻小蜘蛛、小蜈蚣、毒蛤蟆、壁虎之類的毒蟲，記得這叫「五毒袋」，小孩攜在身上當成護身符，表示以毒攻毒的意思。

她十分珍惜這個錦袋，因為裡頭裝了幾件重要的東西。

那幾件事物，保存了一段永遠不復返的過去。

如今，這個現在，又即將成為過去。

「從今天起，你就搬來這間廂房。」來通知她的不是師父，而是另一位不太熟的女道長。

她終於擁有自己的房間了，但她感覺很不安，因為這是她不該擁有的。

她每日被個別供應較好的食物，還有個從來沒見過的妖豔婦人，來教她化妝打扮，還教她一些體面的應對說話、如何擺出婀娜的體態之類的，根本不是學道之人該做的事兒。

沒人告訴她，為什麼應該學習這些事情。

不特此也，她還發覺平日較常來往的某些人，似乎很少見到她們了，很顯然，她們已經刻意被隔離了。

她感到十分納悶，這一連串不尋常的事件，背後究竟抱有什麼目的？周圍的人好像都知道，卻都瞞著不告訴她。

彩衣沒來由的想起，小時候跟父母兄弟住在一起的時光。

那時候，每天都過得很忙，可是很快樂。

他們的家跟川北的許多人家一樣，周圍種植了很多桑樹和柘樹，做為養蠶的葉料。

每年清明剛過，去年收藏好的蠶卵遇到天氣變暖，便會自然孵化，家人就忙著收集桑葉和柘葉準備餵蠶。彩衣年紀小，雖然桑樹已經修剪得低矮，她依然摘不到，阿母便會將盛滿了葉子的陶甕交給她，叫她拿進蠶室去換一個新的空甕。

她很樂意幫忙，因為她想當一個有用的孩子，因此跑來跑去找些她可以插手幫忙的地方，忙個不亦樂乎。

阿爹會用稻稈紮成砧板，在上面把葉子切成細條，做為初生蠶的第一餐。

她很想幫忙餵蠶，可阿母不准：「葉子只許嫩不許老，放得太多又會堆積糞便，蠶兒容易生病，這些你們小孩兒都不懂！」

這養蠶抽絲是一家人的活計，豈容小孩亂玩，影響一年生計？

「嗯……我很想幫忙……」小彩衣央求道。

「你們只管在旁邊乖乖的看，等長大了再幫忙！」

他們來不及幫忙了。

正當蠶兒結繭的時候，一群響馬闖進他們的村子。

多年以來，他們小孩子都有聽大人在提起，各地都有響馬在流竄的事，沒想到，他們家也會有遇上的一天。

小彩衣會逃過一劫，是因為她偷偷走進平常大人不准她進去的蠶室。

四川地方窮苦，養蠶的方法沒有嘉興、湖州那麼專業，那裡會在蠶兒吐絲時用炭火加高室溫，令蠶兒吐絲更勤快，也不會四處亂爬動，因此結出來的繭較密實、乾燥、經久不壞；反之，四川窮家給蠶亂爬，在屋角、樑柱、稈把、箱匣四處胡亂結繭，絲的品質當然差多了。

不過，就因為這樣，小彩衣才沒死。

響馬衝進她家時，她聽到四面八方傳來的哭號慘叫聲，嚇得不敢離開蠶室。蠶室的大門被推開時，探頭進來的強盜看見周圍結滿了亂七八糟的蠶絲，一時眼花撩亂，沒看見躲在一堆籠子後方的小彩衣，便啐了一口痰離去。

一直等到人聲都沒了，四周萬籟俱寂，她才悄悄地步出蠶室，看著一地散亂的器皿，看見哥哥倒在家門，流了一地白滑滑的腸子，看見阿爹橫臥在籬笆旁，頭斷了半截，只剩一片皮肉連著。

「阿母……」她抱著一線希望，輕聲呼喚。

她在家裡找到阿母，身上的衣服被撕成碎片，兩腿大張，雪白的身子上少了個頭，小彩衣在水缸旁找到阿母的頭，她不知道水缸裡還沉了剛學步不久的弟弟，因為她的高度還不到水缸邊緣。

她抱著阿母的頭，呆坐在籬笆旁，陪著她的一家人。

她等不到鄰居來關心她，平日隔壁的大娘會來摸摸她的頭，然後用她的大嗓門問：「小娃怎麼啦？待在外頭，當心給老虎吃了！」可是，今天她的鄰居們全都死光光了，連村子裡的雞鴨狗豬全都被抓走了。

她呆坐了一整天，阿母的頭的血腥味慢慢轉成腐敗味，直到入夜，流螢在黑暗中一閃一閃，微光照在屍體上，令她錯覺以為家人又會動了起來，害她還期待阿母會做飯給她吃。

夜行的野獸們聞到腐屍味，發覺村子沒有昔日的火光，於是大膽闖進來大快朵頤。

籬笆外傳來狼嗥聲，小彩衣害怕的緊抱阿母的頭顱，期望阿母能像平日一般保護她。

狼的腳步輕輕的，鬼鬼祟祟的踏步而來，小彩衣聽得愈來愈恐懼，感到愈來愈難喘息，終於忍不住放棄阿母的頭，跑回當初保護過她的蠶室去，幾隻狼聽到聲音，機警的止步聆聽，恰好給小彩衣有時間躲入蠶室。

屍體的氣味過於濃烈，狼群聞不清楚那稀薄的生人味，也不在意有沒有活人，反正今晚飽餐一頓是絕無疑問了，天亮前，牠們還可以拖幾具屍體回老窩當儲糧呢。

小彩衣在蠶室昏昏沉沉的睡去，直到第二天早上餓醒，她才放膽走到室外去，確定外頭沒狼了，才到廚房去翻找，卻找不到一丁點兒食物。

忽然，她想起屋外的桑樹結果了，每年她都很期待吃桑椹的。她端了張凳子到桑樹下，拿了根棍子，站上凳子撥弄樹葉，撥下了好一些桑椹，可這些小小的漿果填不飽肚子，且廢了好些力氣，才不過撥下那麼一點。

她知道，她已經是失去父母庇佑的孩子，眼下她必須想出活下去的路子，這是動物的求生本能。

她決定到鄰村去，鄰村有專門收買蠶殼外浮絲的老太婆，阿爹送過浮絲去，那條路她跟阿爹走過一次，依稀還記得。

臨走前，小彩衣到蠶室去隨便抓了幾個蠶繭，放入阿母給她的小錦袋去，錦袋中裝了帶有芳香味的藥草，可以驅趕害蟲，免得草地中恙蟲之類的侵害她。蠶繭被放入這些藥草中，裡頭的蠶兒就活不了了，永遠也化不成飛蛾了。

想到此，彩衣將五毒袋中的蠶繭倒出，原本就是黃色的蠶繭，如今已經變得深褐色了。她搖動蠶繭，拿近耳邊聆聽，裡頭的蠶兒已經乾萎，在繭殼中卡啦卡啦的響。現在，她自己也跟這蠶兒差不了多少。飛不出，逃不掉，遲早也要乾枯。

為什麼他們要軟禁她呢？

當送飯的老太婆進來時，她偷偷央求老太婆：「我想見師父。」

老太婆慌張的擺手道：「噓……！我不准跟你說話的！」

「求求你，我師父名叫樊瑞雲，您認得的。」彩衣小聲說道。

老太婆是位無親無故的寡婦，發心想修行，長生宮收留她在觀中幫忙，算是照顧她晚年的意思，觀中的道人，她大多數都認識，就連彩衣，也是老太婆看著她長大的。

可是老太婆趕緊放下餐盒，掙脫她的糾纏，逃也似的離去。

彩衣落寞的望著餐盒，上頭擺了精緻的碗筷和食物，但她一點也提不起食慾，她想見師父，她只想見師父，只有師父能安住她恐懼的心，一如當年。

當年，她把好不容易採集來的那點桑椹裝進阿爹的布袋，帶著上路去鄰村。那布袋是阿爹裝工具用的，她記得裡頭有打火石和小刀，途中應該用得上的。

她小小的身軀走過曲折的山路，磨穿了草鞋，磨破了腳底，待她腳步蹣跚的抵達鄰村時，發現那裡臭氣沖天，屋裡屋外橫七豎八的遍地死屍，都已高度腐爛，流了一地屍水，顯然這裡還比她的村子更早遭到屠殺。

小彩衣正驚愕於眼前的景象時，才發覺她已經被幾隻狼包圍了。

狼隻低聲咆哮著，發出恐怖的威脅聲，小彩衣兩腿發軟，下意識的唸起「觀世音菩薩」，她常聽阿母唸，阿母也教她唸，說是會保佑她的。

狼隻忽然吠了一聲，小彩衣才驚覺，這些狼不是狼！是狗！這些本來由人飼養的狗，吃過了人肉，斷絕了狗跟人的主從關係，回復遠祖的狼性了！

野狗們連日吃膩了腐肉，如今看見活生生香噴噴的小女娃，忍不住垂涎三尺了起來。面對熟悉的人類，牠們也不妄動，小心翼翼的縮小包圍，直到為首的野狗一聲吠叫，其他野狗猛地一起衝上前去。

一口。

忽然，野狗哀哀慘叫，撞上小彩衣，她緊閉兩眼，不停唸觀世音菩薩，等待被野狗痛咬

奇怪的是，野狗撞上她之後，竟不再動了。

小彩衣悄悄張眼，看見一隻野狗攤在地上，肚子爆出了一團白油油的腸子，其他野狗也不再盯住她，而是狠狠的怒瞪她的後面。

小彩衣回頭一看，是位勁裝打扮的劍客，竹笠上遮了片薄紗，嘴前擋了片黑巾，形貌詭異，看不清面容。只見他將手中長劍橫在眼前，似乎在凝視著野狗的一舉一動。

一隻野狗猛吠三聲，足下一動，旁邊的野狗馬上也有動作，劍客驟然出劍，迅雷般刺向最先吠的野狗，一劍穿入牠的咽喉，登時了帳。其他的野狗見狀，忙後退幾步，不敢再亂動，牠們又再吠叫了幾聲，便退入屋中，偷偷的遠眺，靜待變化。

劍客知道，凡是野狗聚集，必有一隻首領，只消宰了首領，牠們便會知難而退。

小彩衣大劫剛過，嚇得軟倒在地，想站卻站不起來。那劍客上前來扶她，輕聲問：「娃崽沒事吧？」是女人的聲音！

劍客取下竹笠，翻開黑巾，讓小彩衣看見樣貌，原來是一位三十多歲的女人。小彩衣看了，頓時放心不少。

心頭大石一落，連日來的緊繃、不安瞬間放下，她才開始發起抖來。之前她一直在忍耐著，不教自己害怕，而今這一放鬆，沉積的壓力瞬間爆發，全身居然發抖得停不下來！

她兩手緊握在胸前，癲癇似的亂抖，連嘴唇都在抖動，豆大的淚水湧個不止，喉中哽咽

著，卻哭不出聲來。

那女人跪下來，將她摟入懷中，輕撫她冰冷的背：「甭怕，沒事了，沒事了。」

後來她才知道，那女人名叫樊瑞雲，是青城山長生宮的女道士，為怕女身在江湖上行走不便，才喬裝男人的。

爾時天下大亂，四川各地皆有土賊，他們來歷複雜，有的是地方土豪，有的是棄耕的農民，或逃兵、工匠、書生、流氓皆有之！他們四處流竄，只顧殺人劫物，遇上女人就強暴。其時大明朝廷終日忙著內鬥，根本無力鎮壓土賊，事實上也無心鎮壓，若是大明官兵缺糧，也會劫村、劫鎮，一個樣的殺人強暴。

不管是朝廷的官兵、地方的土賊、張獻忠的大軍、北方的女真人，總而言之倒楣的是老百姓，充作刀俎魚肉，動輒就被人滅門、屠村、屠城。

活在這種時代，樊瑞雲還敢隻身行走，也算藝高膽大。

她緊抱著小彩衣，溫暖她小小的身軀，發覺她不但渾身寒顫，肚皮也扁扁的，顯然是餓了一段不短的時間。樊瑞雲帶她走進一間房子，看看廚房灶爐還行用，大缸有儲水，於是打開窗戶，拖走屍體，生火煮水，用熱水配她隨身帶的麵餅吃，給小彩衣暖暖身子，才止住她不停發抖的身子。

待小彩衣不再發抖了，樊瑞雲才問她：「你家人呢？」

她想起阿母的頭，於是搖搖頭。

「沒了？」

她點點頭。

「你住在哪裡？」

她空出抓著麵餅的一隻手，指向遠遠的山外。

「你不是本村人？」樊瑞雲頗為驚訝，「那你怎麼過來的？」

「阿母死了……」小彩衣很小聲很小聲的說，「阿爹也死了，哥哥和弟弟都死了，我過來找老嬤嬤……」

「一個人？自個兒走來？」

小彩衣微微點頭。

樊瑞雲不敢置信的盯著這小女孩，訝異她頑強的生命力。

然後，她陷入了沉思。

「今天我們能見面，想必是注定的緣分。」樊瑞雲嘆道，「你長途跋涉走來，我又湊巧路經此地，若非緣分，就是天意。」

小彩衣忙著啃麵餅，沒仔細聽她說什麼。

「既是天意，那我只好帶你隨行，你願不願跟我走？」

小彩衣慌忙用力點頭，如果不跟這位武藝高強的大娘走，說不定活不過今晚。

決定之後，樊瑞雲在屋中四處尋找，找到一些男孩的衣服，替小彩衣換了，才帶她上路。

「當今亂世，咱們身為女子，根本是歹活，」一路上樊瑞雲告訴她許多道理，「所以要存於亂世，女子必須身有武藝，方能自保！」於是，每當她們找到破廟、荒村過夜時，樊瑞雲便會教她一些基本功法。

一路上，小彩衣都沒問她要去哪裡。

「我們去青城山的長生宮，」有一天，樊瑞雲告訴她，「那裡的住持朱九淵赫赫有名，這些年來在江湖上很得人望。長生宮之中還有專供女道居住之處，住在那兒，比住在只有女道的道觀安全多啦！」

這是小彩衣首次聽聞朱九淵的名字。

彩衣聆聽門外，門外坐著那位送飯的老太婆。

老太婆把門合上之後，就坐在門外守著，天氣早就開始涼了，教一個老太婆在外頭吹風，真不知是誰的主意。

但是彩衣知道，守著她的可不只一個老太婆，她的房間前後還各有一人，躲在陰蔽處，預防她逃走。這兩個人躲得住身影，可躲不過她敏銳的耳朵！

她終於明白，她被安排住在這房中，可是別有用心，這房間前後容易被人從外面監控，只消兩個人就能完全掌握。

問題是，這兩個人是男的！他們竟然讓男人進來長生宮「坤門」的院落！

她不知道這兩個男人是誰，她能對付得了他們嗎？

彩衣解開纏腰的布巾，從布條皺摺取出一顆顆小小的東西，那是師父教她養成的習慣，平日就這麼藏在皺摺中的，因為誰知道什麼時候會用上？

她將這些小顆的東西排在桌上，計算數量。

鐵蒺藜三十顆，銅珠二十顆，就這麼多了。

這些沉重的暗器，造價不貲，何況戰亂之時，銅、鐵價格高昂，恐怕這一批用完之後，她就再也沒有暗器可用了。

彩衣摸摸髮髻上插著的簪子、耳垂上掛著的銀耳環……還有餐盒上的竹筷、套毛筆的銅筆蓋、掛闈帳的鐵勾子……她環顧房間，原來，還有許多東西可用。

她不確定逃出去是不是更好，但要不逃出去，她確信還有更糟的事情將會發生。

這時刻，她好希望可以看見師父，她感到無助的時候，總是希望師父在身邊。

不，還有一個人。

還有一個總是出其不意出現在她面前的人。

她取出一塊陳舊的布，上頭繡了隻小蟲，她凝視著小蟲，想起第一次見到他的那天。

那天，樊瑞雲帶著小彩衣，好不容易從川北走到青城山，抵達長生宮時，小彩衣已經是滿臉風霜，看起來比實際的年齡長大了不少。

樊瑞雲知會過監院，告知要增加一名女弟子，安排要拜見住持批准。

監院告訴她們：「天晚了，也快過堂用齋了，不如先帶女孩去吃飯吧。」樊瑞雲應聲是，帶小彩衣隨長生宮大眾去齋堂。

用膳之前，住持朱九淵先率領大眾敬拜神鬼，樊瑞雲便偷偷指著朱九淵，告訴小彩衣：「這位就是住持了。」小彩衣見住持英姿挺拔，過去在川北鄉下，何曾見過這等人物？心裡由不得仰慕起來。

用膳時，大家恭敬的坐著，等待「行堂」為大家打飯、打菜。「行堂」是輪流值日的，他必須注意何人用完了飯菜？需不需要添加？道眾面前有兩個碗，左碗盛飯、右碗盛菜，吃完了還想添菜時，就用筷子指一下右碗，行堂便會走過來，一切以動作表示，不許開口出聲令齋堂噪聒。

那天打菜的是一名男孩，身材不高卻看來十分硬朗精壯，小小個子提了個大菜盆，用勺子將菜餚放到每位道眾碗中。分菜分到小彩衣時，男孩瞄了她一眼，特別從雜菜中多挑了一塊豆腐給她，還故意蓋了一片菜葉掩人耳目。

小彩衣好久沒吃過豆腐了，她跟師父樊瑞雲在山林和小鎮間趕路，小心翼翼，生怕遇上土賊，一路上有空就啃乾糧，幸運的話可以找到地瓜、野菜、水果，根本沒好好安閒的吃過一頓飯。來到長生宮，她總算有了安全感，見到必須費時費力才能製作出來的豆腐，她細細的咀嚼，忍不住流下兩行淚水。

真希望，阿母也能嚐到這一口美味的豆腐啊！

男孩不能吃飯，他必須等大家用完膳退堂了，才能享用剩菜。他遙遙望著微抖身子偷偷掉淚的小彩衣，見她吃到豆腐那麼感動，便往菜盆看了看還有沒有豆腐。

一見小彩衣吃完了菜，不等她舉筷，他趕忙走上前去，欲將剩下的豆腐碎全部掏給小彩衣。

小彩衣輕輕搖手，口中不作聲的說了句「謝謝」，男孩見了，也忍不住對她微笑，然後就回到他的崗位去，繼續留意誰需要他打菜，不過時而會把視線飄過來，注意這位新來的女孩兒。

膳後，樊瑞雲帶她在齋堂見過了朱九淵，便帶她進入「坤門」的院落，那是一處專門被隔離在長生宮邊緣的區域。

長生宮依八卦分成八門，所有人都必須納入八門之一，不僅為了方便管理，也為了武功和道術的傳承，而女道士單獨被納入「坤門」一門，其實坤門中含有幾支流派，不像其他都是一門一派。

比如樊瑞雲一派專精劍術、洗幻真一派專精醫術及「禽翔五行指」、聶凝雪一派專精暗器等等，無論哪一派，弟子們通常會互相學習，不存門戶之見，只因她們知道女人身在世間有種種不自由，多學一項，便能多保護自己一點。

樊瑞雲帶小彩衣進入坤門的院落後，叮嚀她早點睡：「明兒一早還得做早課，你可以睡遲一些，可師父不能偷懶。」不需叮嚀，其實小彩衣早已經疲累極了，連月來的趕路和提心吊膽，如今終於有個可以安心睡覺的地方，她和著衣，一如平日跟樊瑞雲一同趕路時那般，臥在地面，倒頭便睡，連床單都還來不及鋪好。

樊瑞雲拍拍她，見喚她不醒，搖頭嘆道：「可憐的孩子。」便將她輕輕抱上床去，為她蓋上被單。

這是小彩衣全村被屠殺以來，第一次睡得那麼香。

鄉下孩子習慣早起，所以天還沒亮，小彩衣便爬了起來，見師父不在，記得她說要去早課，小彩衣等了一會，不知師父會什麼時候回來，於是推開房門，看看外頭是什麼光景。一開門，她由不得嚇了一跳，門外的地上種滿了桑柘，跟她的村子一樣。她情不自禁的上前去，懷念的摸摸桑樹。

「你起床啦？」一把清脆的聲音在不遠處問她。

小彩衣嚇了一跳，見是昨天那名打菜的男孩，正抬頭摘桑葉，身邊裝滿了一個個竹籠的桑葉，竹籠上都加了蓋子，以免葉片乾掉。

昨天師父說過，男人不能進來坤門的地方的，這男孩竟然大剌剌的站在桑林中，令小彩衣好生困惑。

「我才十二歲，」男孩好像知道她在想什麼似的，主動說道，「明年正式受戒之後，我就不准進來幫忙，要調到菜園子去了。你呢？你幾歲？」

「九歲。」男孩親切的態度，令她一點也沒有防備之心，她回答得就像日常聊天一般。

「你為什麼要採葉子？」

「這是用來養蠶的，清晨沾有露水的桑葉最可口了。」

原來這裡也有養蠶，跟她家一樣呢。

男孩又裝滿了一籠桑葉，將竹籠推去一旁，問她：「你要不要去瞧瞧？」

「要。」

男孩提了竹籠，示意她跟著走：「你叫什麼名字？」

「彩衣。」

「我叫阿瑞。」

他沒問小彩衣姓什麼，也沒再告訴小彩衣，除了阿瑞兩個字之外，他完整的名字是什麼。

後來小彩衣才知道，他真的就只叫「阿瑞」，不像她，至少還有個姓。

在坤門院落之中，一大片的區域是用來養蠶的，女道士們合作植樹、養蠶、煮絲，將生產的生絲賣給中盤商，賺取坤門日用之資。道觀的經濟來源有朝廷補助（只有大型道觀才有）、信眾捐助、還有替人舉辦法事等等，除此之外，道眾們也自行生產商品，否則是入不敷出的。

四川地方也生產絲綢，雖然色澤較差、較不耐用，品質沒「湖綢」那麼好，也依然是全國幾個重要的絲綢生產地之一，所以許多人家都會投入上游的生產工作。

到了蠶室，小彩衣只覺一股暖氣撲面而來，原來蠶室中生起了一個個火盆，她還見到蠶繭都結在一個個籃子之中，井然有序，跟小彩衣的家鄉讓蠶兒胡亂吐絲壓根兒不同。原來，長生宮引入了嘉興、湖州地方的養蠶法，可以令蠶絲結得更加堅韌密實。

「那一邊還有未吐絲的蠶兒，」阿瑞指著一個架子，「餵飽了這一餐，眼看這幾天也該吐絲了。」

「我……可以餵牠們嗎？」

「可以呀。」

小彩衣充滿期待的抓起一把葉子，這是過去阿爹不准她做的，好像是因為哥哥曾經餵食過量，葉子堆積太多，悶死了很多蠶兒，阿爹才不再讓他們幫忙的。如今可以餵蠶，小彩衣又不禁十分落寞，因為她的家人全都死了，眼看也該腐爛化骨了，想到這裡，豆大的淚水馬上奪眶而出。

阿瑞見狀，忙將她拉開：「你哭歸哭，別讓淚水滴上蠶兒啦。」

「對不起……」

「沒關係。」阿瑞遞過來一塊布，給她擦拭眼淚，「別哭了，你昨天晚齋時也在哭……再怎麼哭，也挽不回來的。」說得好像知道她發生了什麼事一樣。

彩衣一直沒把那塊布還給阿瑞。

後來另一位女道聶凝雪教她刺繡後，她在那塊布上繡了一隻蠶兒，不仔細看，還以為布上面真的黏了一隻蠶。

她看著布上的蠶兒，小時候與阿瑞初見的情景歷歷在目。

阿瑞，阿瑞，你會再回來嗎？

上個月，你為什麼又忽然闖進長生宮，造成這麼大的騷亂？你離開多少年了？在外頭過得如何？那天的驚鴻一瞥，你瘦了，也長壯變黑了，你的心還是沒有變嗎？

人家說你是叛徒，說你欺師滅祖，又說飛虹子前輩是你殺害的，我不相信。本來我信的，但那天你逃走時望著我的眼神，依舊像以前那般清澈，有這種眼神的你，是不可能做那些壞事的。

難道大家都錯了嗎？不可能兩邊都對，一定有一邊是錯的。

到底你發生了什麼事，必須逃離這個你自幼長大的長生宮呢？又為了什麼，令你冒險回來呢？是為了我嗎？我希望是……如果是的話，你能不能再闖進來一次？不過這次，請帶我一同離開。

長生宮變了，不再安全，不再是女人可以安心留下來的地方。

那群兇神惡煞的男人在這裡住了一個月，不知鬼鬼祟祟的在進行著什麼？聽說為首的是一個太監，其他的都是宮廷侍衛之類的。這些人千里迢迢的跑來青城山幹嘛？搞得整個長生宮風聲鶴唳，每個人皆噤若寒蟬，紀律混亂，連早晚課都不定時，甚至不每日進行。我們英明的住持大人，究竟在忙什麼？

彩衣愈想愈不安，她走到窗口，出其不意的打開窗戶，把窗外的一個紅色身影嚇了一跳，倏然閃到樹叢後方，但彩衣已經認出來了，那人並非長生宮道士，而是那群兇神惡煞之一。

那些人到底想對我做什麼？

彩衣合上窗戶，取出針線盒，回到茶几前，為一堆繡花針穿上白的、紅的、藍的、青的、黃的種種色線，煞是可愛。

忽然，彩衣一失手，一根繡花針不小心掉落下地，直直插在地面。

彩衣將繡花針撿起來，這不是尋常繡花針，小小一根放在指尖，可以感受到它的沉重，因為針裡頭灌了鉛。

這也是聶凝雪傳授給她的。

初見聶凝雪，是在坤門的蠶室。

小彩衣負責餵養蠶兒，還必須時時注意葉子會不會堆積太厚、糞便會不會積得太多，這些都會令蠶兒生病的。

有一批蠶兒被另外隔離，只餵柘葉，不餵桑葉，小彩衣記得在老家也有柘樹，但不懂為什麼要這麼做？

聶凝雪正好跟她一同工作，告訴她：「吃柘葉的蠶兒，吐出的絲特別堅韌，可以用來做弓弦。」

原來如此。

聶凝雪頓了一下，見左右無人，便從髮髻中抽出一根繡花針，針上穿了一根細細的黑線，要不湊近看，會以為只是一根頭髮。

「你瞧。」聶凝雪悄聲說著，三指夾針，小小一揮，繡花針筆直飛向屋樑，沒入陰影中。

「哇！」小彩衣驚嘆不已，「那枚針去了哪裡？」

聶凝雪得意的對她笑笑，原來黑線仍在她手中，她使個暗勁拉回來，輕輕接住了繡花針，針頭穿過了一隻蜘蛛，還在掙扎的扭動八隻腳。

聶凝雪笑道：「只要會吃蟲的，不管是蜘蛛還是鳥，都不准讓牠們進來。」她將線的一端遞給小彩衣捻捻，「你瞧這線，就是用這種吃柘葉吐出來的絲紡成的。」

小彩衣見她使了這一手，好生敬佩，回去不停的跟師父樊瑞雲讚美。

樊瑞雲故意臉露不悅：「先別說他人厲不厲害，你跟我學的劍術怎麼樣了？」

「師父也厲害！」畢竟那是救過她的劍術，「可是……我只能用木劍練習。」

「當然啦，劍那麼鋒利，怕傷了你，也怕傷了人，待你出師之日，師父就會送你一把。」

「可是……」小彩衣偷瞧師父的表情，「一把劍很貴吧？」

樊瑞雲楞了楞，輕輕嘆了口氣，忖著：「這孩子真懂事，畢竟是窮苦人家出身的，處處都會顧及到錢。」小彩衣曾跟她長途跋涉走了一個多月，才抵達長生宮，這些日子形影不離的生活，也清楚她有多少盤纏，也跟過她去打鐵戶，知道鐵器的價錢若干，所以小彩衣才有此一問。

樊瑞雲摸摸小彩衣的頭：「你想跟聶道長學暗器嗎？」

小彩衣低下頭：「我不敢說。」

「那你就是想啦，我替你去跟聶道長說一說，如何？」

小彩衣高興得滿臉通紅，卻忍住不笑出來。

樊瑞雲心想：「學暗器也好，暗器適合女子防身，也無須在身上帶這又長又重的兵器。」念頭一轉，正色道：「可是，我教你的劍術，你也得好好學習！」

「一定的，師父！」小彩衣燦爛的笑了，她已經好久沒這樣笑了。

於是，聶凝雪答應成為她的第二位師父。

聶凝雪出身於成都府的繡工人家，繡技甚巧，成都一帶的「蜀繡」乃「四大名繡」之一，聶凝雪擅於各種暗器，自然而然將蜀繡針法融入了暗器之中。

「要將針這麼細的東西射出去，得先學拋重的東西。」她首先教小彩衣扔小石頭，磋磨力道、控制方向，然後還得教她人身穴位、謀略兵法，「暗器之所以為暗器，不明示人也，不像刀劍槍棍明明白白的亮出來，是以明暗不僅相剋，其實也相生，善用明暗、虛實，暗器才能得逞！」

原來，暗器還不是扔出去就算了，扔出去之前，還必須要能掌握人的心理。

以前她年紀小，還不懂。

現在她必須派上用場了。

老太婆再送晚餐進來時，她沒事似的坐在茶几前，手中練著寫字。老太婆見她上一餐都沒動過分毫，不禁搖頭嘆氣，將上一餐的餐盒拿出去。

「您坐著吃了吧。」彩衣憐憫的說。

老太婆楞在門邊，困惑的看著彩衣。

「這些菜餚看來不便宜，但是我著實沒胃口，若您原封不動的搬回去，不但交不了差，也暴殄天物，您何不坐著吃了，豈不方便？」想到這兩天老太婆在門外吹冷風，彩衣實在於心不忍。

老太婆嚥了嚥唾液，她的確想吃，這兩天將這些山珍海味端入端出的，美食在前又不能送入口，惹得她心緒大亂，還埋怨這年輕女子不識好歹，心裡頭正恨著呢。

「姑娘你不餓嗎？」老太婆輕輕踱回來，悄聲問道。

彩衣搖搖頭：「快吃了吧，待太久可疑。」外頭還有人在監視呢。

老太婆喜孜孜的放下餐盒，大口將最好吃的先往嘴裡送，她老早知道外面有人監視，卻沒察覺彩衣也發現了，所以她只想吃掉最好吃的就離開。

彩衣也不是不餓。

不過，她在九歲那年早已嚐過餓上一日一夜，跟隨樊瑞雲回長生宮的路途中，也往往有一頓沒一頓的，所以這兩天的餓，還不算什麼。

老太婆吃了一陣之後，為免在房中待太久會惹人起疑，便收好餐盒，趕忙跑出去。

一見老太婆出去，彩衣忙翻出收藏好的暗器，準備練習投暗器的手法。

她有預感，時間已經愈來愈迫近了。

忽然，外頭傳來一陣細微的騷動聲。

彩衣警覺的跳起來，走去窗戶，悄悄將窗牖開了一道縫偷看，遠遠看見老太婆仆倒在地上，餐盒和食物散了一地，一名紅衣男子正半跪在她身邊，探視她的呼吸，然後狠狠的往彩衣房間一瞪，嚇得她趕緊關窗。

「食物有問題！」彩衣擔心，會不會連飲水都有問題？不會，她喝過那水了，並沒出問題，她不吃那些食物是因為它們太過奢華，非學道之人分內應得，她也習慣了粗茶淡飯的養生之道，況且來者不善，所以才不願意去吃的。

「怎麼辦？」門外有人悄聲說話，那男人低沉的聲音滑過清涼的空氣，溜進她敏銳的耳朵。

「那丫頭不肯吃，也不礙事，鄭公公有令，今晚要成事了。」

彩衣聽得一陣心驚。

她悄悄取出一枚鐵蒺藜，運一口氣，瞄準旁邊的茶几要拋過去，沒想到，一拋之下，整隻手竟軟弱無力，鐵蒺藜脫手落地，比沒學過暗器的人還慘。

彩衣心中焦急不已，她再試著運一口氣，頓覺氣血凝滯，此刻她才驚覺：「飲水還是有問題！」

她在房中踱來踱去，急得像熱鍋上的螞蟻，現在若有任何人攻擊她，她根本沒有任何反擊的能力，她不停搜索自己的記憶，尋找拯救自己的方法：「事不宜遲，事不宜遲了……」

彩衣走進自己的床，拉上闈帳，輕薄的闈帳透入淡淡的光線，不過已經足夠了。

她解開衣帶，脫下衣服，令身上只剩下一件內衣。

然後，她取出針線，開始縫自己身上的內衣。

縫了第一件之後，她穿上第二件，也用線細細密密的縫起來。

她很專心的將自己縫起來，完全沒理會外頭發生了什麼變化，雖然如此，在她的內心深處，還是忍不住不斷浮現阿瑞的身影。

「阿瑞……救我……」她不知不覺的低喃道，手中交叉運針，像蠶兒吐絲一般，將自己層層包紮得緊緊的。

這是她唯一自救的機會了！

「為什麼要取絲，就必須殺死蠶兒呢？」有一天，小彩衣突然問。

樊瑞雲楞了一下，回道：「因為天生萬物以養人呀！五穀令人有力氣、牛馬幫人耕田載物、種棉養蠶令人有衣穿，這是天地自然的大道理呀！」

小彩衣看著師父煮開稻灰水，將蠶繭倒進滾沸的水中，再撈出蠶繭，拋入盛有清水的盆中，先用兩手大拇指，在水中把繭頂開，一邊取出水，一邊慢慢用內勁順勢將蠶絲拉寬，在水滴乾之前，迅速又熟練的套在小竹弓上，準備煮絲之用。

滾熱的稻灰水殺死的蠶兒，來不及化蛾，卑鄙的瑟縮著身體，掉落一地，小彩衣看著狼狽的地面，令她憶起村子被屠殺後的景象。

不，她不能接受師父的答案。

「為什麼不等牠們出蛾了之後才取絲呢？」

「出蛾之後，繭殼就破了，絲緒斷亂，不能取絲，就只能用來做便宜的絲棉啦。」

她跑去找阿瑞，對他提出相同的疑問。

阿瑞已經不能再進入坤門的桑園，他在菜園子裡工作，曬得黝黑又結實。

他將果菜全澆上水了，才回答小彩衣說：「道法自然，我常常在想師父的話，什麼才叫『道法自然』？」

小彩衣在菜園子旁的樹蔭下，歪著頭聆聽，不懂他在說什麼。

「蠶兒吐絲結繭，化蛾出殼，這才是自然，不是嗎？咱們殺生取絲，是硬生生干擾了自然。」他坐去小彩衣身邊，用搭在肩上的毛巾抹去汗水，「總之，我們人，就愛為所欲為，不是嗎？」

「師父告訴我，天生萬物以養人。」

阿瑞用手指向西北方：「那邊有個皇帝，老百姓交稅養皇帝，咱四川人也交稅養那個蜀王，」蜀王是明朝朱姓親王，被派來四川世襲爵位的，「難道說也是天生萬民以養皇帝嗎？」

阿瑞有此想法並不奇怪，四川曾在三國時代被劉備占領，土酋屢次反抗，往後中國歷代都以四川為糧食生產重地，而四川土酋也常常反抗，不願被中原統治、同化，甚至在距此百年前的萬曆元年，川南還發生「九絲之戰」，明政治大舉出兵鎮壓，將反抗了兩百多年的古民族「都掌蠻」滅族。

「總之，蠶兒好可憐，」小彩衣感傷的說，「努力吐了絲，一心想變成飛蛾自在飛翔，卻在睡夢中被人煮死了。」

「牠們想也沒想到。」

「不知道牠們死的時候在想什麼呢？」

「大概還在想著好吃的桑葉吧。」

「我常常在想，我哥哥死的時候，不知道在想什麼？」阿瑞閉著嘴不多說了，他知道過去發生在小彩衣身上的悲劇，每次她一提起，就會陷入無盡的哀傷之中。

「他們的死好忽然，根本來不及多想，現在回想起來，那時候死得最慘的一定是阿母了，只不過身為女人，就會被人家……」

「彩衣，」阿瑞截道，「別再說了。」

「可是，我忘不了……」她的雙眼已經溢出了淚水。

「別再說了。」阿瑞溫柔的說道，一隻手輕輕的蓋在她的唇上。

小彩衣不小了，十四歲的她頓時粉臉飛紅。

她輕柔的握著阿瑞掩在她唇上的那隻手：「阿瑞……」

「嗯？」

「我死的那一刻，希望在我身邊的，會是你。」她將臉靠在阿瑞的手上，感受它的暖。

「我不會讓你死的。」阿瑞說得很小聲，但字字清楚，斬釘截鐵。

大門忽然破開，一個面色蒼白、扁瘦如無常鬼般的男人衝了進來。

彩衣大吃一驚，還來不及說話，男人的手一揚，彩衣毫無預防的大吸一口氣，一陣嗆鼻的甜味直竄腦底，只覺眼前一晃，整個人便仆倒在地，她意識還清楚得很，四肢卻完全動彈不得，只能眼睜睜的看著這男人。

男人猙獰的笑道：「諒你也敵不過『泥人散』！」

「少自吹自擂了！」一把尖尖細細的聲音響起，陰陽怪氣的，彩衣抬不起頭，看不見他，只聽他問：「端木雄，這次你用了多少心機，才弄倒這姑娘？」

「鄭公公莫怪，只怪她不肯吃東西，屬下先用了『愁眉弱』，再用『泥人散』才將她藥倒。」

原來那些日子以來，在長生宮裡肆無忌憚的這班男人，是來自宮中的太監和錦衣衛。

「哼哼，也罷，」鄭公公道，「這姑娘也非等閒之輩，快叫人來替她更衣！」

「是！」

那名教她儀態的妖豔婦人搖著腰走進來，手中拎了個大布袋，先對鄭公公和端木雄行了個萬福，再將彩衣從地上扶起。

「小心侍候『娘娘』，」鄭公公對那婦人說道，「否則吃不了兜著走。」

「小的知道。」婦人嗲聲嗲氣的回答。

一名錦衣衛匆匆跑進來，報告說：「公公，吉時快到了。」

鄭公公瞟了彩衣一眼：「將就些，先把外面的披上去吧！」

「是！」婦人解開布袋，取出一件大紅衣裳。

彩衣心中一驚。娘娘是什麼意思？紅衣是什麼意思？

男人們全退出房間，還有禮貌的輕輕帶上門。

「來更衣吧，娘娘。」婦人笑盈盈道，「今兒可是您大喜之日，日後有什麼好處，可別忘了我呵。」

由於時間倉卒，婦人只幫她脫下外衣，便穿上喜袍，梳好頭髮，插上些漂亮的頭飾之後，就開門呼喚：「娘娘好了。」

一名小宦官上前來，道：「我們一塊兒帶娘娘上大殿。」這小宦官正是鄭公公的親信忠兒。

彩衣很清楚周圍發生什麼事，心裡焦急萬分，卻一點也無法自主，又口不能言，只能像娃娃一般任人擺佈。

小宦官忠兒把彩衣揹在背上，那婦人幫忙扶著，兩人在錦衣衛的護衛下，走出坤門的院落，穿過走廊，進入長生宮的大殿。

一進入正殿，彩衣便聽見人聲鼎沸，只見大殿的三清像前擺了兩張沉重的椅子，椅子面前擋了一面高大的屏風，所以雖聞人聲，卻看不見大殿上有些什麼人。

忠兒和婦人把她放在其中一張椅子上，擺好她的姿勢了，將她兩手疊放在大腿上，然後把一塊紅紗布蓋在她頭上，遮住半張臉。彩衣只有眼珠子能夠滾動，如今視野被遮了一半，她只能看見自己的兩手了。

「諸位少安勿躁，少安勿躁！」彩衣聽到鄭公公的那把尖嗓子在屏風前響起，大眾馬上安靜了一些。

隨即，有人高聲問道：「你是什麼人？為什麼站在那邊說話？」「住持呢？住持去了哪？」也難怪，多日沒進行日常的晚課，他們還以為敲鐘召集大眾是為了做功課呢！「只有住持能敲鐘召集大眾，怎麼卻來了個太監？」彩衣認得最後一把聲音，那是阿瑞的業師柳嵐煙的聲音。

幾個錦衣衛登登登的走出去，列在屏風兩旁，威風凜凜的望著大眾。

事實上，鄭公公在一個月前折損了好幾員錦衣衛中的大將，如今他能支使的人已經不多了。

「住持嗎？你們不該再稱他住持了。」鄭公公先賣了個關子。雖然看不見他的人，彩衣光聽聲音就知道鄭公公是笑著在說的：「大家想必知道，大明江山已經亡了！眼下群雄四起，爭當天下新皇帝，北有女真清人、東有李自成、張獻忠，難道大家都忘了大明的恩澤嗎？」

沒人回答他的問題。

許多人在想：大明有何恩澤？大明從未停止過鎮壓四川，稅目繁重，老百姓喘不過氣來，又放任酷吏殺人，朝廷又整天內鬨，只顧私鬥，錯估敵軍形式，以致天下大亂。歷史上改朝換代屢見不鮮，前朝做不好，換人做做又有何不好？

他們不知道，接下來的數十年，女真滿清人四處征伐，最終統一天下，鎮壓更血腥，不只是四川，連漢人都被當成次等人種，奴役逾三百年。

沒人回應鄭公公，只等他說下去。

鄭公公聲嘶力竭的喊道：「大明正嗣不能斷！我們應該再扶立一位朱姓天子，復興明朝！」

彩衣有點明白他想幹什麼了。

「長生宮住持德高望重，名震四方，以保佑蒼生為己任，最重要的是，他是太祖十五世孫，」這句是假的，「我們此番上山，正是為了擁立他為皇上，諸位！你們說對不對？」

「擁立皇上！」大眾中馬上有人響應，眾人驚視那人，原來是呂寒松，正是朱九淵最得力的親信。

「擁立皇上！」又有人隨著叫嚷，接著同一句口號此起彼落，許多老早被說服的人，被保證將來有個朝廷命官可當，此刻當然是迫不及待的表現一番了，也有人見風轉舵，見有利可圖，也不落人後的紛紛作喊起來。

鄭公公在意的，是那些交叉著手、冷眼旁觀的道眾。

「參見皇上！」鄭公公一叫，朱九淵被幾個人推了出來，一件黃袍不知打哪兒蹦了出來，要往他身上披去。

「貧道何德何能？」朱九淵半推半就，懊惱的說，「以天下蒼生為念，未必要當皇帝的。」

「皇上請勿推辭，」鄭公公高聲道，「眾人被你德行所感，天下必定歸心！」

朱九淵推辭了幾次，最後不得不搖頭嘆息：「既然是為了天下蒼生，貧道只好接受。」

彩衣只覺頭昏腦脹，因為一切發生得過於突然。住持要當皇帝？這是怎麼一回事？

「既然如此，有皇上不能無百官，」鄭公公高聲道，「各位同道與皇上共處多年，而今復興大明，諸位正是中流砥柱！今晚，咱們就列出名冊，分班列隊，明早上朝。」道眾們聽了，有人用力鼓起掌來，其他人聽了，也紛紛跟隨著舉起兩手，拍起掌來。

大殿中洋溢著一股矛盾的氣氛，有的道眾完全弄不清楚發生了什麼事，見別人都那麼應和著，受到群眾壓力的影響，也只好人云亦云。另一些人是早就知道會發生這種事的，鄭公公住在長生宮的半個月中，拉攏了一批有意思當官的道人，老早就應承了他們當上大將軍、御史之類的朝廷命官，如今就由這批人高聲應和，迫所有人就範。

朱九淵高興的紅著臉，興奮的說：「貧道當皇帝，必以蒼生為念，救民於水火。」

「當了皇上，已非出家人，不該再自稱貧道，應該自稱朕，或稱寡人。」鄭公公道，「一國之君必有皇后，一如天有日月，今日我們大家都有擁立之功，不如再推舉一位皇后，以為天下母儀！」

「陰陽交感，乃天地之道，公公說得是！」眾人中有不少附和的。

「長生宮是出家的道觀，有女人要嫁他嗎？」柳嵐煙冷冷道。

「道長無須擔心，」鄭公公得意的笑道，「我已問過她本人，這裡有一位深明大義，願意當皇后的姑娘。」

說著，兩邊錦衣衛拉開屏風，彩衣只覺眼前光亮了許多，聽見眾人小聲的議論紛紛：「是誰呀？」「遮了半張臉，我們認識嗎？」彩衣很想大喊：是我是我！但此刻，她只能垂著頭，靜靜望著自己的手。

她完全無法想像今天會發生這種事。

初經來潮時，小彩衣感覺到有些驚慌，她知道，自己從此以後不再是女孩，而是真正的女人了。

大約來經一年後，師父樊瑞雲告訴她：「彩衣，你已經到了加笄的年紀啦，師父該幫你整整頭髮啦。」在這以前，小彩衣的秀髮是被束起垂下的，「加笄」的意思就是要綰起長髮，夾在一頂布帽中，標示已經具有生殖能力，可以準備嫁人了。

樊瑞雲語重心長的說：「師父帶你來長生宮，但從來沒問過你要不要出家？如果你打算找個好人家嫁了，師父也不反對的。」

小彩衣搖搖頭：「彩衣知道，嫁人有生產之苦、有持家之苦，又必須跟一堆從來不認識的人一塊生活，自古的女人都很有勇氣，也逃不過嫁入陌生人家的命運，彩衣若有得選擇，寧願留在長生宮，當個修真的女冠。」

樊瑞雲沉思了一下，表情有些安慰：「你身負我『金蟬劍術』血脈，又有聶道長暗器一脈，這兩支在江湖上恐怕都已經是單傳，我還怕今後會失傳，如今，師父可寬心些啦。」

「師父放心，」小彩衣正色道，「將來的事，彩衣不知，但您和聶道長的苦心教導，我是萬萬不會忘恩的！」

「大難臨頭，你們還有心情搞這種事？」大殿中忽然迴響著一把意料之外的聲音。

彩衣陡地從回憶中驚醒，那是誰的聲音？

「呵呵呵，」鄭公公冷笑道，「這小子怎麼都學不乖？又來送死？」

彩衣很想抬頭，想知道聲音的來處，但她壓根兒動不了，她知道是誰！她知道是誰！

「各位師長，」那聲音頓了一頓，「晚輩多有冒犯，請先勿怪，晚輩冒死前來，必有要事，師長們請先聽我一言，若然不信，再判我五絕之罪不遲。」

彩衣心中一憂一喜：「阿瑞來了！」喜的是盼他果然盼來了，憂的是面對這麼多位武功高強的道眾，阿瑞插翅也難飛！

「廢話少說！」鄭公公正吼道，話猶未盡，道眾中有人截道：「你怎知他要說的是廢話？」

有人緊接著說：「若是廢話，何必冒死前來？」

「讓他說了，再逮他不遲，」另一人接腔說道，「他逃得掉嗎？」

鄭公公根本來不及答腔，阿瑞已經說了，他指向大殿外頭：「外邊那兒，張獻忠正一路殺來，見城屠城，不留一個活口，三天前，才剛攻陷了成都府，也屠城了，咱青城山距成都府不過咫尺之遠，恐怕再過幾個時辰，就兵臨山下了。」

「你怎麼知道？」有人問。

「『丈人觀』的高道姜人龍，集結了各路好手，正在保衛灌縣的都江堰，幾天前我才剛跟他一同對抗張獻忠的同夥，四川各地都有人逃來此地，加入姜道長的陣容，前天，才有成都府逃來的梅師父告訴我們城陷了，所以我知道。」

大殿中一陣騷動，大眾人心惶惶，議論紛紛。阿瑞這一搗局，為鄭公公的立君大計增加了許多變數，道眾的心動搖了，因為張獻忠的恐怖手段無人不知，被他攻陷的府城，沒幾個是有留下活人的。

「還有另一樁事，」阿瑞又說了，「我當年反對住持與張獻忠結盟，被認定欺師滅祖，才被判五絕之罪，大家不會忘了吧？」若是一個人一旦被宣佈有罪，世人一般上只記得他有罪，卻忘掉他當初是怎麼得到罪名的，所以阿瑞不得不提醒大家，「事到如今，還有人同意當初跟張獻忠結盟嗎？」

「阿瑞無罪！」柳嵐煙率先作聲，「你們想想，他有先見之明，如此何罪之有？」

「張獻忠麾下，還有一位長生宮的高手，就是人稱符十二公的老前輩！」阿瑞此言一出，眾人譁然，符十二公是傳說中的人物，竟然會去幫助張獻忠？「他臨死之前告訴我，有人威脅要殺他女兒，他才不得不屈從的！」

「翠杏？」柳嵐煙失聲叫道。他知道阿瑞是翠杏之子，而翠杏的父親是符十二公，聽見翠杏的生命受到威脅，他不禁激動起來。

朱九淵站在三清像之下，一直不動聲色，他觀察現場的人心變化，心中只想著如何能保住皇帝位！

當初鄭公公跟他提議當皇帝時，他還很感激自己跟明太祖同姓，如今時機成熟，正是發揮他雄才大略的大好機會，卻在半路又殺出阿瑞來！他氣得牙癢癢，恨不得馬上就殺了阿瑞，他真後悔為何沒早點除掉這孽種？

鄭公公的腦袋也在不停運轉，如今他心中一憂一喜。

喜的是，成都府本來就有位朱姓親王「蜀王」，當初他選擇不去推蜀王當皇帝，是因為不熟悉蜀王周圍的官僚系統，才斗膽找朱九淵冒認大明子孫的，現在張獻忠攻下成都府，蜀王必死無疑，朱九淵當皇帝再無可議。

憂的是，長生宮這批天真的道眾，該怎麼穩住他們才好？

鄭公公低聲吩咐錦衣衛，先悄悄將朱九淵和彩衣送進後面廂房，這裡就交由他解決吧。

他們將彩衣扶起時，她臉上的紅巾忽然掉落，眾人看見，隨即騷動了起來，只聽樊瑞雲大喊道：「彩衣！是彩衣！你們把我的徒兒怎麼了？」

彩衣一點表情也沒有，她連表情都無法自主，她看見師父在道眾中企圖衝上來，她也終於看見，原來阿瑞就站在大殿上方的橫樑上，怪不得他們沒有馬上攻擊他。

她感到好欣慰，原來她關心的人一直都在，即使她看不見。

接下來大殿上發生了什麼事，她一點也無從知道，因為她已經被人快速架走，送到一處安靜的廂房，遠離了大殿的嘈雜聲。

她被擺在床上，一同跟來的妖豔婦人和小宦官退了下去，房門被合上，四周變得更安靜了。

她仰視著床上方的天花板，望著圍帳上刺繡的仙鶴和祥雲，全身依然動彈不得，只能聆聽自己的呼吸聲。

不，還有另一把呼吸聲。

房中還有一個人！

那人小心的控制著呼吸，輕步走近，謹慎的走到她床邊，俯視著她。

是朱九淵！他想幹什麼？

朱九淵慢慢低下身子，將臉湊近彩衣，彩衣想起年幼時初見朱九淵，如見天人，不知多麼仰慕！現在，她卻覺得他像個可怕的老混帳！她很想別開臉，但她完全阻止不了朱九淵將雙唇印上她抹了胭脂的朱唇。

「現在，」朱九淵輕聲說，「讓你真正成為朕的皇后吧。」

阿瑞眼睜睜看著彩衣被帶走，心中兀自震撼不小。

彩衣要嫁給朱九淵？他感到內心動搖了，彩衣真的變了嗎？變得那麼陌生了嗎？

「還我徒兒！」樊瑞雲的喊叫聲驚醒了他。

數把錦衣衛的大刀擋住三清像後方的長廊入口，不讓樊瑞雲追過去。

樊瑞雲拔出長劍，腦海中盡是小時候的彩衣，她無助的被野狗包圍，兩隻小手合什，緊閉雙眼，低著頭默唸菩薩聖號。

她要救這可憐的小女孩！

「喝！」她長嘯一聲，掄起長劍，銀光乍現，要在錦衣衛之間殺出一條路。

阿瑞從這一條橫樑跳去另一條橫樑，但如果他再跳下去，就必須跳到三清像頭上，這是大不敬！他正猶豫間，聽見下方「噹」的一聲，一輪寒光飛轉上來，一把利劍正好插到樑柱上。

阿瑞定睛一看，是樊瑞雲的劍！

「監院在此！豈敢造次？」

阿瑞瞧看是誰說話，是呂寒松，他什麼時候當上監院了？

「住持」乃一觀之長，是精神領袖，而「監院」才是實際上的管理人，主掌整個道觀的事務。呂寒松能夠當上監院，當然跟朱九淵脫不了關係。

呂寒松一身白袍，身形飄逸，手中卻握了寒冰冰的一條長鍊，他剛才站出來揮擊樊瑞雲，阻止她攻擊錦衣衛，樊瑞雲冷不防遭到同道攻擊，鐵劍被打得脫手，纖手頓時皮開肉綻，如今還在麻痺不已地微微發抖。

「呂道長！」樊瑞雲怒道，「你也是走狗？」

呂寒松沒回答，倒是鄭公公說話了：「出家之人，說話好難聽，」他尖聲笑道：「呂道長乃識時務者，貴為立國功臣，日後史冊上列為忠臣，怎麼會是走狗？」

「公公，婦人之見，不必理會。」呂寒松淺笑道，「讓皇上好好享受春宵吧。」

阿瑞怒氣沖天，腳下運起「仙人步」，拔出樑柱上的鐵劍，低聲道：「師尊得罪了。」便飛身撲向三清像頭頂，打算抄近路到後間廂房去救彩衣。

呂寒松哪裡肯讓他通過？他吸口清氣，奔向大柱，足踏「青城步罡」，竟能筆直跑上大柱，乘著餘勢未完，反彈到橫樑上，手揮長鍊，平掃向阿瑞面門。

阿瑞的身體凌空，措手不及，趕忙在空中轉身揮劍，長鍊擊中劍身，順勢捲住長劍，阿瑞飛跳向三清聖像不成，直直墜下，長劍拉住鐵鍊，呂寒松一個重心不穩，也被阿瑞拉下橫樑。

柳嵐煙奔出來想救阿瑞，可是阿瑞還沒碰到地面，就在半空硬生生停住了，原來呂寒松俯抱住橫樑，不讓自己跌下去，手中還緊緊拉住長鍊，不願放開自己重要的武器，又不能讓阿瑞把自己拖下去！

阿瑞的腳還差一點就碰到地面了，但他也不願放開樊瑞雲的長劍，他懸吊在半空，扭動身體，企圖扯斷長鍊，可呂寒松的長鍊乃精鐵打造，韌性特強，再三四個阿瑞的重量也拉不斷它。

阿瑞又轉動手腕，意圖削斷鐵鍊，卻頂多把劍刃給弄鈍。

「把那礙事的小子給斃了！」鄭公公一聲令下，數名錦衣衛衝向阿瑞。他們的夥伴們上個月剛吃了阿瑞的虧，有的被削去了尾指，有的被山林血蛭所傷，而今正是復仇的好時候。

柳嵐煙首當其衝，見狀大驚，他身上向來沒兵器，面對錦衣衛的大刀，他唯有以肉拳相搏。

阿瑞和柳嵐煙情同父子，他知道業師專心於道術，對武功不甚在乎，因此武藝不精，為免害了業師，他口中大叫：「師父！快離開！阿瑞沒事！」說著，另一隻空著的手也抓住長鍊，沿著長鍊往上攀去，這無疑給呂寒松增加了更大的重量，急得他直喊：「你們快點解決他呀！」

他眼睜睜看著阿瑞朝他爬上來，心中焦急不已。

這位後輩可不是等閒之輩！三個月前，在廣東佛山一味堂，阿瑞只用了長生宮人人都會的基本武功「青城十八式」，就硬生生折斷了他一根肋骨，經過藥敷多時，至今依然疼痛得很！害他無法好好發揮長鍊的厲害。

呂寒松吃力的緊拉長鍊，肋骨被阿瑞折斷的舊傷又在隱隱作痛，他不想再吃眼前虧，主意已決，於是不再緊抱橫樑，反而翻身墜下！

阿瑞還正在攀爬上去，長鍊忽然失去支持，他急忙運上一口氣，足施「仙人步」，緩和落地的力道，同時猛抽纏住劍身的長鍊，在落地的同時一舉打中迫近他的錦衣衛。

呂寒松怒不可遏，這後輩居然利用他的武器傷害他的同夥！他兩足一著地，竟從寬袖中拋出一把飛刀，飛刀末端繫著更細的長鍊，直朝阿瑞射去。

阿瑞大驚之餘，趕忙一個翻身，錯開飛刀，不想呂寒松將細長鍊一拉，飛刀竟然會轉向，眼看要割傷阿瑞手臂！他緊握樊瑞雲的長劍，不捨放手，再者也不願該劍落入他人手中，反而成為攻擊他的兵器，可是眼前若不放手，必為飛刀所傷！

說時遲，那時快，樊瑞雲推開眾人，衝上前去，在阿瑞落地的一刻，已衝到他面前，當飛刀回轉時，樊瑞雲已握上劍柄，向阿瑞說：「我來。」阿瑞馬上放手。樊瑞雲的手剛被呂寒松所傷，兀自流著血，只見她仍面不改色，手握長劍，不知使了什麼手法，瞬息之間，長劍竟自層層鐵鍊交纏中抽出！

阿瑞不知她是怎麼辦到的，一時之間大為嘆服，但此刻不是請教的時候，他趕緊退下，抽出腰間兩把庖刀，與包圍他們的錦衣衛交戰。

這邊廂，樊瑞雲的長劍迎向飛刀，輕輕一搭，飛刀竟似黏上了長劍，她揮轉長劍，飛刀馴服的伏在劍刃上，彷彿一條安靜的小魚。她轉身一圈，將劍朝呂寒松指去，飛刀脫離劍身，飛射呂寒松，由於細長鍊一時拉不緊，呂寒松無法控制飛刀，他心急之下，抽動脫離了長劍的鐵鍊，將自己的飛刀打落在地。

樊瑞雲與阿瑞背貼著背，應戰四方來敵。

「樊道長，」阿瑞邊戰邊問，「您露的一手可是『金蟬劍術』？」

「不然還有什麼？貧道就這一招半式。」說著，她將長劍換去沒受傷的左手，反身黏去一個錦衣衛的大刀，錦衣衛竟控制不了手中的大刀，任由她擺佈，她將劍身一繞，錦衣衛的大刀自然脫手，連他自己也不知道是怎麼回事。

金蟬劍術，取自金蟬脫殼之意。

劍分二式：陽蟬及陰蟬。

「陽蟬」者，求自己脫身，且戰且退，樊瑞雲將劍脫離鐵鍊的方法便是。「陰蟬」者反向行之，脫他人之物，專解他人之兵器。

這種以退為進的劍法，對女子或體質較弱的男子最為合適，不求傷人，而求保全性命也。

樊瑞雲卸下錦衣衛的刀，反身讓阿瑞去對付，阿瑞的庖刀一面對那位錦衣衛，他馬上後退，也顧不得掉在地上的大刀了，因為他還記得不久前同伴被阿瑞削去尾指，那麼接下來的人生就沒戲好唱了。

他們兩人目標一致，要到後面的廂房去救彩衣。

但是眼前寸步難移，周圍的道眾又置身事外，隔岸觀火，不願伸出援手，他們心急如焚，生怕再拖一些時間，彩衣就會被朱九淵玷染了！

鄭公公冷眼看了一陣，對呂寒松打了個眼色，呂寒松馬上跑過去。

「你是長生宮的監院，要在這兒坐鎮，」鄭公公附耳道，「可是我對後頭皇上那兒十分放不下心，你有什麼人可以過去照看一下？」

呂寒松陰沉的回道：「當然有。」

「那叫他去吧。」鄭公公吩咐完了，便向大殿中的錦衣衛們喝道：「蠢材！停手！」

錦衣衛們楞了一下，紛紛垂下大刀。

阿瑞和樊瑞雲暫時鬆了一口氣，狐疑的看著鄭公公，不知他葫蘆裡賣的什麼藥？

「你們這些草包，朝廷養出來的飯桶，」鄭公公指著錦衣衛們罵道，「怪不得保不住大明社稷！如此，以後怎麼保衛我們的新皇上？」

阿瑞譏諷道：「師弟，罵得好。」

鄭公公瞪他一眼：「小子，你要耍嘴皮子也得趁現在了，因為待會兒，你口裡就會塞滿沙土了。」

「為什麼？」

「因為我會叫人把你下葬。」說著，鄭公公的五爪漸漸迸出一股寒氣。

阿瑞警戒的舉起庖刀。

其實鄭公公心裡也納悶得很。

他跟阿瑞無怨無仇，命運卻讓他們三番兩次碰面，他覺得，這小子是他天生的剋星，此刻若不除掉他，恐怕接下來還會再被他搞砸什麼事。

「公公！您玉體重要呀！」錦衣衛中有人嚷道，「這小子交由我們動手就罷了！」

「你們要真有本事的話，還需我動手嗎？」鄭公公言猶未畢，腳下一移步，寒爪直朝阿瑞揮去，口中同時下令道：「把那婆娘也給我斃了！」

錦衣衛們即刻反應，五把大刀同時劈向樊瑞雲。

「彩衣！」樊瑞雲咬牙舉劍，面對層層刀光，心中生起一股寒意。

她最擔心的彩衣，不知道怎麼樣了呢？

大殿後方的廂房，是長生宮住持的方丈室，如今變成了皇帝的御寢，張燈結綵，紅燈圍繞，在深山的朦朧月色下，顯得喜氣洋洋。

方丈室外，數名錦衣衛防守著，等待朱九淵完成他的「大事」，還有那名妖豔的婦人在門外守候，準備隨時進去幫忙，而鄭公公的心腹小宦官忠兒，也在門外神氣的站著。

彩衣僵硬的平躺在床上，不安的眼睛只能直愣愣的瞪住床邊的圍帳。

她年輕的身體散發出陣陣少女獨有的芬香，朱九淵貪婪的打量她，一時口乾舌燥。他搖搖頭，譏笑自己學道多年，凡心卻有增無減，如今連皇帝都當上了，九五之尊，人中之最，神仙又算得了什麼？

他先脫下自己的黃袍，露出壯碩的身體，然後伸手解開彩衣的腰帶，脫下她的大紅喜袍和外衣，將她一層一層剝開。

「咦？」

彩衣的呼吸急促，心跳加快了起來。

「怎麼搞的？」

彩衣的內衣之下尚有內衣，而且還用五色線密密麻麻的縫了一重又一重，彷如迷宮圖，看得朱九淵十分惱怒，更加是慾火焚身！

他早就注意彩衣很久了，這女孩年輕可愛不說，而且氣質清靈，比當年翠杏不知迷人多少倍。當鄭公公提議他當皇帝時，他內心興奮異常，這個提議，可以將他多年的好幾個夢想湊合在一起，一次完成！他不希望有任何事情阻止他完成夢想。

他抓住內衣的衣領，口中道：「今晚以後，你就是我的人了。」

彩衣沒有流淚，她的呼吸愈來愈快，她的心情愈來愈緊張，心跳強烈撞擊著胸膛，撞得她快喘不過氣來！

她在期待。

朱九淵將她的內衣奮力一扯，五色線紛紛被拉緊，線絮被暴力撕裂、斷開，產生強勁的彈力，數十枚鐵蒺藜和銅珠瞬間從衣服中飛射而出，朱九淵哪裡料到有此一著，他看見眼前彷如煙火爆開一般，臉部、胸部和肩膀被重重擊中，他慘叫一聲，臥倒在地。

成功了！彩衣心中暗忖。

她還是爬不起來，只好奮力將眼珠轉去一角，希望能看見朱九淵的情形，但彩衣看不見他。

朱九淵倒在地上，沒發出聲音。

「快動吧！」她催促自己，「快動吧！」已經過了多久啦？到底什麼時候才能動？

他們找個妖豔婦人來教她嫵媚之術，她料想要的必定是她年輕的肉體，她靈機一動，利用了聶凝雪結合刺繡技巧的獨創暗器手法。

她必須利用「蜀繡」的技法，如斜滾針、切針、參針、蓬鋪針、柘木針等表現凹凸、閃光、水墨暈染效果的手法，把小顆的暗器用堅韌的細線縫在衣服內層，細線交織扣住暗器，當衣服被撕裂時，不論從哪個方向撕裂，她都準備了對應方向的細線，細線被強力拉緊斷開時，斷裂的力量便會使暗器飛射而出。

問題是，這方法只能用一次！

「臭丫頭……」地面上傳來朱九淵忿怒的低吟聲，恐懼倏然籠罩上彩衣的心房！她無路可逃，急得快哭出來了！

朱九淵吃力的扶起身體，狼狽的站起來，口中恨恨的說：「你看你，你看你幹了什麼好事……？」

彩衣陡然一驚，這才看見朱九淵的左眼變了一攤血洞，正不停的溢出血水，身上還插了幾枚暗器，深陷皮肉。

他伸出手，小心不令五色線拉緊，慢慢扯開彩衣的衣服，露出光潔雪白的青澀胴體，正是剛剛成熟飽滿，尚未被男人寸指玷染過。但是，眼眶的劇痛已令朱九淵失去慾望，他低頭用僅存的一眼瀏覽她完美的身體，任由自己的鮮血滴落在彩衣身上。

他看了一會，說：「我改變主意了……」態的一聲，朱九淵的掌心剎那變得通紅：「我要你生不如死！」彩衣大吃一驚，她從來不知道住持有什麼武功，對於這種詭異的武功更是聞所未聞。

朱九淵的手掌迫近彩衣，彩衣只覺一股熱力愈來愈靠近腦袋瓜，她甚至開始嗅到自己頭髮的焦味。

彩衣閉上眼睛。

「阿母、阿爹……」她忖著，「我來黃泉會你們了。」

「我常常夢見阿母，」小彩衣告訴阿瑞，「在夢中，她的肚子沒有破，阿爹的頭也好好的，弟弟也安靜的躺在阿母懷中，哥哥還是很調皮……」她嘆了一口氣，「他們在另一個世界，大概活得很快樂。」

雖然已經加笄了，有男女之防了，小彩衣依舊常跑到菜園子去找阿瑞，兩人在樹蔭下傾談心事。

「我也夢過自己的阿母。」阿瑞說。

「哦？」小彩衣頗感興趣。

「不過，她的臉是空白的……」

小彩衣覺得好詭異，於是蹙眉道：「那是因為你沒見過她吧……她還在嗎？」

「我不知道，」阿瑞不在乎的說，「我不知道她是誰？沒見過她，所以完全無法想像，我根本不知道我是誰，不過，每個人一定有父有母，不可能像石猴一般，平空蹦出來的吧？」

小彩衣聽了，微笑道：「我說不上來誰比較幸福？我還記得我的家人，但他們已經絕對不可能復生了，你呢？你不記得他們的臉，但是，只要你一天還活著，你就有可能再遇上他們的，不是嗎？」

阿瑞忍不住微笑了，他輕輕頷首：「謝謝你，彩衣。」

房門砰的一聲撞開來，一名錦衣衛飛撲進來，重重落地，痛苦地呻吟不已。

門外走進一個蓬頭垢面的女人，她駝著背，四肢像猿猴般不安的亂動，緊張的四處張望。朱九淵用僅存的右眼看著這瘋子般的女人，楞在當場：「這是什麼東西？」

彩衣從回憶中驚醒過來，她的脖子無法轉動，看不到闖進來的人，只看見朱九淵驚愕的側臉，忽然變得恐慌：「難道……是你！」電光石火之間，朱九淵兩掌暴然通紅，迅速朝彩衣的臉孔直擊過來，打算先毀了彩衣再說。

彩衣只覺烈焰撲面而來，下意識的趕緊閉眼，只聞耳邊一聲怪叫，熱氣忽然從她臉上消失，她睜眼一瞧，朱九淵已不在眼前，身邊傳來激烈的打鬥聲，而那瘋女人不斷的在嚎叫。

原來，朱九淵的「火犁掌」還來不及碰到彩衣，瘋女人就已經撲了過來，發狂似的攻擊朱九淵，迫使他甩下彩衣，回身反擊。但他一目剛剛失明，眼眶奇痛無比，一招擊出，竟發覺自己根本看不清對方，他驚恐之際，慌忙退避幾步，暫時避開瘋女人。

瘋女人見機不可失，忙搶上前來，一把拉起彩衣被扯開的衣服，想把她抬起來逃走，原來她目的不在攻擊朱九淵，而是要奪走彩衣。朱九淵見了，怒吼著衝上來，瘋女人只好先將彩衣用力拉下床，回頭再戰。彩衣跌在地上，歪歪躺著，讓她看清這一場惡鬥！

朱九淵一目失明，卻一點不減兇焰，他出招奇快，招招狠絕，熱烘烘的兩隻「火犁掌」輪流攻擊瘋女人，但失去一眼的視野令他難以判斷遠近，頻頻失準，只好以快取勝。那瘋女人也不簡單！兩手各伸出食指、中指二指，也是招式飛快，不停地認準朱九淵身上禁穴指去，兩人纏鬥，速度太快，誰也占不了上風，彩衣只看得眼花繚亂，根本分辨不清他們出了什麼招數。

瘋女人的模樣十分駭人，彩衣看她一半似人一半似獸，若非身上穿著破爛的人類衣裳，還真不會把她當人看。她一時還沒想到，這瘋女人可能就是人們傳說中的「女山猿」，而朱九淵一開始就想到了。

而且，朱九淵老早就知道，傳說中的女山猿就是符翠杏！這是呂寒松追查出來的，也正因著這條線索，他藉以威脅符十二公為他做事，否則他們將發動獵戶搜山捕獵「女山猿」，對翠杏不利。

這位被他用火犁掌燒毀了半個腦袋瓜的女人，眼瞳失去了昔日的清秀，只剩下野獸般的警覺眼神。他想也沒想到，瘋了的翠杏竟膽敢闖入長生宮，而且還選在他榮登帝位的關鍵時刻！

他不禁責怪自己的婦人之仁，要不是希望借助符十二公的才能，他早就把翠杏滅口了。但是，這次張獻忠攻川，派人來要求履行幾年前的盟約，逼他出借符十二公，反而令不想再跟張獻忠有瓜葛的他左右為難。

總而言之，今天，他一定要解決二十二年前鑄下的大錯！

今天，非殺了這禍根不可！

「女人果然是禍水！」他咬緊牙關，足踏「青城步罡」，使出火犁掌「后羿射日」，連取翠杏面門、喉頭、胸口三點一線。

翠杏見灼熱的手掌迎面而來，勾起她記憶深處的恐懼和憤怒，二十二年來，她腦海中不停重播當時的畫面，不論在睡夢中、在樹上發呆時、在任何時候，她都會不斷想起那隻滾燙的手掌緊抓她的頭顱、將她靈魂摧毀的那一刻。在反覆又反覆的回憶中，她一次又一次跟夢魔對峙，而今，她已了無懼意，因為這跟她在夢境裡遇上的差不多，何況她也分辨不清夢境和真實。

於是，她伸出手指。

「金鶴捕魚。」她下意識的覆誦師父教她的「禽翔五行指」式名，圓瞪杏目，面迎火掌，兩手各出兩指，分路點上朱九淵的兩隻手腕。朱九淵大吃一驚，兩手趕忙收式，改「子牙焚琴」避開翠杏的攻擊，一手防護，一手同時拍向她臉頰，翠杏也不示弱，一式「采和散花」化開他的攻式，同時攻向他的虎口。

如此一來一往，沒人占得了便宜，他們兩人都知道，絕對不能讓對方得逞一次，否則接下來就是全盤輸盡。

朱九淵暗自心驚，當年他小看了翠杏，才會大意失手，如今她更顯精湛，看她運招行雲流水，如此順暢，說不定那本燒燬了的《靈龜八法》，她老早就讀過了！想到此，朱九淵更加是牙癢癢的，為了這本《靈龜八法》，他差使呂寒松循著線索到京城尋找，卻一點蹤影也沒見著。

他的恨意愈加濃烈，手段愈是殘酷，他眼中充滿了怒火，燃燒著翠杏的身影，啊！他恨不得翠杏在他眼前活生生化為灰炭！

要不是他一隻眼睛瞎了，翠杏哪裡還能活到現在？想必老早就被他粉身碎骨了，很明顯的，即使她讀過了《靈龜八法》，在正常情況下依然不是他的對手！想到這裡，他喉頭冒出一股嗜血的慾望，很想很想看見翠杏變成一具屍體。

朱九淵卻不使出殺著，他晃了一式虛招，先摸清翠杏的路數，待他誘敵深入，再連接數招，奪其性命。

他一見有機可乘，便祭出「地火明夷」，五指大展，拍去翠杏小腹，翠杏大驚，肚子一縮，下盤立刻不穩，朱九淵見機不可失，沉腰下馬，一招「哪吒轉輪」，兩掌翻滾橫掃翠杏腰際，翠杏閃避不及，臀邊衣裳冒出一股橘黃色的火焰，她忙後退拍熄火焰，感到臀邊皮膚燙燙辣辣的，憤怒的咆哮起來。

翠杏不但不懼怕，反而衝向朱九淵，五指併攏如鳥喙，使出以小攻大的搏命招式「雄雞撲鷹」，奮不顧身的猛攻朱九淵的眼睛和脖子，朱九淵心中一寒，憶起當年被翠杏兩指刺中眼窩「四白」穴，半張臉麻痺了許久，如今他已失去一目，不敢再冒險被她傷害另一隻眼睛！

朱九淵兩掌翻轉，用的是長生宮基本功「青城十八式」中的護身式「撥雲見日」，翠杏見了，也使出青城十八式的「千葉白蓮」，兩掌一展，化解了他的護身式。

朱九淵屢屢無法得逞，不禁咬牙怒道：「這臭娘兒！」兩掌通紅，一式「烈焰騰空」將翠杏眼前的空氣燒得滾熱，在她面前爆發出一股高溫，翠杏忙舉臂護面，被朱九淵乘機一式「赤牛耕日」擊向胸口，還來不及重擊，翠杏怪叫一聲，已經後退數步，她低頭只見胸前兩片焦黑，還在冒著焦臭味，所幸女人胸前有脂肪組織，擋去了大量熱量，否則就會傷害到心臟了！

翠杏怒紅了眼，喉頭發出野獸般的低吼聲，腳下緩緩移動，兩眼在朱九淵身上溜轉，尋找可以攻擊的部位。朱九淵也謹慎的足踏罡步，還不忘用僅存的一眼瞟了一下彩衣。

彩衣躺在地上觀看這場殊死之戰，看得觸目驚心。她想，朱九淵缺了一目依然勇猛，如果兩眼俱全豈不所向披靡？不，朱九淵對那瘋女人也有顧忌，出招雖狠卻不忘自保，反之那瘋女人根本置生死於度外，很顯然，瘋女人不只是為了救素未謀面的彩衣，她還恨透了朱九淵！

彩衣一點辦法也沒有，阿瑞呢？阿瑞會來嗎？還是，他被困在大殿了？他一個人面對那個太監和錦衣衛，還有敵我不明的長生宮道眾，他能活著出來嗎？

只聽瘋女人尖叫一聲，兩人再度纏鬥，瘋女人已被朱九淵擊中兩次，雖然都化險為夷，不過很顯然的，如今仍是朱九淵占了上風！

這時，彩衣突然發覺房門外有動靜，一個腦袋瓜正鬼頭鬼腦的窺探著，她認得出是剛才揹她的小宦官，名叫忠兒的，大概只比她小幾歲，一臉伶俐的模樣。彩衣再仔細瞧，掀開的房門外似乎躺了人，說不定是方才護送她的兩個錦衣衛，已經被瘋女人給收拾了。

忠兒也被眼前的惡鬥嚇傻了眼，他窺看了一陣，回身到外頭去，回來時，手上多了一把匕首，是他從錦衣衛身上摸來的，他拿不動大刀，就只好拿匕首了。

他兩手握刀，雙目直瞪瞪的注視著瘋女人，伺機要下手。

彩衣急了，心中直喊「不要」，她好希望自己能動，即使只有一根手指可動，她也能夠想辦法讓自己爬過去！

忠兒一見翠杏轉身，正好側身向著他，便馬上奔跑過去，將匕首朝翠杏腰際刺去。剛才翠杏見這孩子不諳武功，沒攻擊他，沒想到現在竟遭他攻擊！她不得不分心挪出一手，五指併攏，一刺忠兒眉心，忠兒悶呼一聲，便往後直直倒地，僵直的躺在地上，兩手依然緊握著匕首。

朱九淵見翠杏分心，忙再展出殺著「赤牛耕日」，經過之前的經驗，他不再攻擊胸口，而是雙掌朝下，分取翠杏肝、脾二處！

又是這一招！翠杏猛然醒悟。

這不正是翠杏在惡夢中不斷地不斷地對峙的那一招嗎？二十二年來，她在夢中不停的哀號、反抗、倒地，一波又一波的恐懼每晚糾纏著她，往往在尖叫中驚醒。然後，她鼓起勇氣嘗試反擊，漸漸的，她摸清了這一招是怎麼傷害她的，終於，她在夢中不再害怕了，她能一次又一次的擊倒夢中的恐怖黑影，在夢醒時大汗淋漓，放心的鬆一口氣。

她在夢中想過不下一百種對付它的方法。

於是，她當下選了其中一種。

翠杏正面迎擊，一式「丹鳳朝陽」，兩手伸出兩指直刺朱九淵掌心，一刺之下，朱九淵灼熱的兩掌竟然好像殘燭遇風，驟然熄滅，兩掌在剎那之間忽然冷卻。

朱九淵大駭！他從未想過會有這種事發生！甚至他的業師都沒告訴過他火犁掌會有這個弱點！

他驚駭未完，接著兩臂忽然變得沸水般滾熱，在他還來不及瞭解發生什麼事以前，兩臂肌肉剎那爆裂，噴出血紅的水蒸氣。

他一時控制不了反撲的熱量，竟將自己的手臂炸熟了！他驚恐的狂叫，不停大叫。

翠杏運一口氣，奮力將仍然插在朱九淵身上的鐵蒺藜猛壓進去，鐵蒺藜沒入皮肉，深深插進幾個穴位，朱九淵瞬間啞然失聲，仆倒在彩衣面前。

朱九淵到底不明白他是怎麼輸的，即使他的業師從墓中爬出，也不會明白，因為火犁掌是秘技，江湖上罕與人交手，雖然武功高強，卻缺乏對戰經驗。況且他們從未遇見過讀了《靈龜八法》且打通身上經脈的人，能將一股強大的真氣直灌入他的掌心，瞬間阻擋血流，使熱力剎那飆高超量！

房中忽然變得十分寧靜，只剩下翠杏的喘息聲，還有朱九淵自兩臂肌肉間流出的沸騰血水，還在地面冒泡。

喘息了一陣，翠杏望向地上的彩衣，彩衣見她眼中的狂亂已經消失了，充滿慈愛的望著她。

翠杏走過去幫半裸的彩衣整好衣服，將彩衣一把抬起，掛在她肩上，腳步輕盈的快步走出房門，直往大殿行去。彩衣被掛在肩上，斜眼看見昏暗燈光下躺在地上的兩名錦衣衛，還有那妖豔婦人瑟縮在牆角發抖。

彩衣莫名的一陣興奮，因為她快要見到阿瑞了！

「不准你再去見阿瑞！」

「為什麼？」師父的阻止，令小彩衣傷心不已。

「因為你們已經長大了，應該男女授受不親了，」樊瑞雲急躁的說，「何況這兒是清修的道觀，要是你們……」師父欲言又止，最後還是決定說出來：「弄出什麼事來怎麼辦？」

「我們會弄出什麼事？」小彩衣覺得師父太不瞭解她了，「阿瑞和我……」

「住口！清規難違！為師容忍已久，以為你自己會醒悟，如果再不阻止你，惹人說話了，莫說你會被逐出長生宮，連我也沒臉待下去了！」

小彩衣緊閉著唇，豆大的眼淚瀑湧而出，她轉身推門，要跑出去。

「站住！你要去哪？」

小彩衣吸了吸鼻水，強忍著淚水說：「我要去見阿瑞最後一次，可以嗎？」

樊瑞雲低頭不語，算是默許，彩衣於是推門出去，回頭輕輕合上門。

阿瑞在菜園子忙著施肥，見小彩衣悶聲不響的坐在樹蔭下，便暫時停下手上的工作。

走上前去，只見小彩衣手中正把玩一個紅色的香包袋：「那是什麼？」他隨便找個話題，希望紓解她的不樂。

小彩衣仍舊悶不吭聲。

「什麼人惹毛你啦？」阿瑞陪著笑臉坐去她身邊。他總是很高興彩衣能來菜園子找他，如果她哪天沒來，他還會一整日悵然若失，覺得這一天都白過了。

可是今天小彩衣硬是扁著嘴，不肯說話。

阿瑞講了一堆廢話，就是引不出她的一句話頭，在無計可施之下，阿瑞瞧了瞧她手上的紅色香包，一把搶走，跑到另一棵樹下去，想引小彩衣追過來。

「你……」小彩衣只講了一個字，一骨碌的站起來，遠遠望著阿瑞。

「想拿的話，就過來追我啊！」阿瑞一邊逗她，一邊爬到一棵古松樹上去，將香包塞到樹幹交叉的縫隙中。

他回頭一瞧，彩衣已經離開了。

「彩衣？」沒人回應，小彩衣靜悄悄的離去了。

阿瑞一直深深感到抱歉，他以為是他弄得彩衣不高興了，因為自此之後，小彩衣一直就沒再來菜園子找過他了。

他在早晚課或齋醮時看見彩衣，但兩人分別列在乾道（男道士）、坤道（女道士）之中，無法相見，連說上一句話也不能夠。

彩衣變了，變得不再是他熟悉的小彩衣。

他不明白，其實小彩衣是無法向他說出道別的話。

小彩衣無法忍受，兩人明明住得那麼近，就在同一個道觀裡頭，卻似遙遠得無法見上一面。

昔日的美好時光，終究來到了終點。

翠杏揹著彩衣，直朝大殿奔去，她急著要讓兒子看看這女孩，她急著想看見兒子高興的樣子。阿瑞原本沒要她跟來的，可是她害怕阿瑞一去不回，就偷偷跟在後面，當她看見彩衣被人帶走，阿瑞馬上慌亂起來時，她便又偷偷的跟去後院，想將這女孩兒帶回來給兒子。

但是才走沒幾步，她就在庭院停下了腳步。

彩衣垂掛在翠杏的肩膀上，看不見發生了什麼事。

她只聽見一個男人的聲音，比夜風還冷峻，卻是字字清澈入耳：「可惡，還真的出事了。」他的每一個字都不帶感情，彷彿一個超脫於化外的高道。

彩衣甚至可以感覺到瘋女人在微微顫抖。

這男人是長生宮「坎門」的一位高道，平日孤高冷傲、不苟言笑，長得劍眉星目、氣宇軒昂，手中常執拂塵，人稱「明鏡使」。

他站在翠杏面前，氣勢凌人，有如一座高山擋住去路，翠杏沉住氣不發一言，揹著彩衣硬闖，繞過明鏡使身邊時，他輕輕舉起手中拂塵，擋住翠杏的去路。

翠杏低吼一聲，正俟使出禽翔五行指，明鏡使的拂塵僅淡然一拂，竟在翠杏的手指上割出了十餘道血痕。

翠杏怪叫一聲，拔腿就跑。

「哪裡跑！」明鏡使提起一口清氣，登時足下凌空，飛趕到翠杏身邊，手中拂塵被灌入一股真氣，細毛根根豎起，硬如鐵針，刺向翠杏背後的彩衣。

翠杏不讓他傷了彩衣，身體突然迴轉，明鏡使的拂塵劃破她的袖子，裂成絲絲細絮。

翠杏見狀，哈腰急轉，以極快的速度遠離明鏡使，令他大吃一驚，訝異人類竟能以這種不可思議的角度在奔跑中轉彎，而且背上還掛著一個人。

他哪知道，這名傳說中的「女山猿」習慣在山林穿梭，尋常走的路線是從一根樹枝躍到另一根樹枝，已經練就了一身凡人練不成的身手。凡人居的是屋、走的是路，而她的屋是林蔭岩穴，路是山徑枝幹，她的一切反應都是獸性本能。

明鏡使不敢小覷，也馬上拐彎追上，可是那瘋女人東竄西逃，根本無法預料她下一步要去的方向，不知不覺中，已經讓她逃入了長廊。

一進入長廊，彩衣便聽見喧鬧的人聲傳入耳朵，漸漸的愈來愈大聲。

翠杏揹著她從陰暗的穿堂奔出大殿，忽然被大殿的聲音包圍，彩衣只覺豁然開朗。

守在三清像旁的錦衣衛們驚駭不已，因為他們很清楚朱九淵是要逮彩衣去「御寢」做什麼事的，如今彩衣被一個狀似山猿的瘋女人救出，豈不表示朱九淵凶多吉少？

二話不說，眾錦衣衛紛紛拔刀！

須知鄭公公從京城前往南方時，帶在身邊的錦衣衛不多，不過是尋常較信賴的二十多位，先前與阿瑞、賽流星對峙中又折損了幾員，而今只剩二十名左右，卻統統是刀口上見慣鮮血的人員，專擅抄家滅族之事，要控制長生宮百來位不擅武鬥的道眾，依然綽綽有餘！

因此，當他們看見瘋女人揹著彩衣出現時，訓練有素的他們馬上分批行動，一批拔刀要將彩衣搶過來，一批趕往後面廂房探查朱九淵的情形，還有一批刀未出鞘，卻手扣刀柄，眼視大殿正中，準備隨時抽刀助陣。

大殿正中，阿瑞和鄭公公惡鬥正熾，雖有柳嵐煙助陣，依然節節敗退，那邊廂樊瑞雲和數名錦衣衛對峙，由於手腕有傷在先，力不從心，漸漸敗弱。

翠杏看見兒子被欺，直生氣得咻咻作聲，憤怒的大吼一聲，旋轉身體環顧四周，彩衣被她盪來盪去，眼角看見大殿之中有數人纏鬥不休，但她看不清是誰，只注意到周圍道眾全都在做壁上觀！也難怪，只不過半個月前，「巽門」高道飛虹子被住持和明鏡使聯手擊殺，雖然在現場的少數幾人被下令禁口，但這種可怕的事，豈能禁得住流傳，是以道眾們都不敢出頭，免得白白送命。

與此同時，五名錦衣衛已殺到翠杏眼前。

翠杏馬上把彩衣扔到地上，衝入錦衣衛的刀陣之中，氣運指尖，一式「孔雀開屏」，連點五名錦衣衛握刀之手，他們只覺虎口一麻，連刀都握不住，五把大刀掉落大殿地板，發出響亮的鏗鏘聲。

一招得手，翠杏穿出包圍，衝向鄭公公。

同一時間，一名一直不出聲躲在人後面的錦衣衛，突然倒地。

彩衣看見了，那名倒地的錦衣衛臉如無常鬼，就是人稱端木雄、朝她撒粉的那位，如今他的面色更是慘綠，他倒在地上，手中握著一根短竹筒，另一手緊抓住喉頭，發出詭異的「喔喔喔」聲。

「彩衣！」奔過來的是聶凝雪，她扶起彩衣，指著端木雄，道：「這廝想向人家吹針，我剛剛送了他一記。」原來，聶凝雪躲在道眾中不動聲色，一直在留意端木雄的一舉一動，因為端木雄鬼鬼祟祟的藏在錦衣衛們後方，手中還隱藏了一根細竹筒，通曉「暗兵器」的她馬上注意到此人，當瘋女人攻擊錦衣衛時，端木雄也將細竹筒湊到嘴前，她即刻射出一頭飛蝗石，擊中端木雄的喉結。

這時候，聶凝雪才發覺，她懷中的彩衣全身無法動彈。

「彩衣你怎麼了？」她搖了搖彩衣，不知所措，只好先將彩衣抱回眾女道士之中，交給她們保護，然後，她做了一件剛才一直忍著不做的事情：朝樊瑞雲的方向連拋五個鐵蒺藜。

只聽「噢」、「咦」數聲，包圍樊瑞雲的錦衣衛們竟吭聲倒地，太陽穴處流出鮮血。

此時，翠杏已撲到鄭公公後方，母子兩人聯手攻擊鄭公公，柳嵐煙在旁見了，心中一動，攻勢更猛！柳嵐煙一直感到虧欠了翠杏，他不停的自責，認為翠杏之所以有今日，全是因為他解除了婚約，如今是他贖罪的時候到了，雖然他深知自己技不如人，但只要能救得了阿瑞，即便死在翠杏面前，也是值得的。

樊瑞雲被聶凝雪的暗器解圍，趕忙跑了過來。

「彩衣怎麼啦？」她問聶凝雪。

「不知怎麼，不像是被人點穴。」點穴乃她們學暗器必習的功夫，她試著按弄幾個穴道，毫無反應。

「彩衣？」樊瑞雲發現彩衣的眼珠子在滾動，不斷轉去某個方向，「誰？」

聶凝雪觀察了一下彩衣所視的方向，便指著倒在地面的端木雄問道：「那廝？」

彩衣急忙上下滾動眼珠。

「好哇！」聶凝雪站起來，狠狠的瞪著端木雄，一步步走向他，「看來這廝是專門用毒的，咱徒兒彩衣恐怕是著了他門道啦。」

錦衣衛們怕聶凝雪傷了端木雄，趕忙上前扶起端木雄，要帶他躲去一旁，端木雄慌張的揮手表示不要，但他口中只能發出「啞啞啞」的聲音，他的夥伴們沒想太多，一心只想把他帶走，端木雄被逼走了幾步路，整張臉突然發黑，整個人像突然斷線的木偶垂掛在同夥臂彎中，呼出最後一口氣，還從他口中吐出一團烏青色的薄霧。

「死了！」他的同伴慌張的放下他，探視他的鼻息。

他們不知道，方才端木雄欲用「煮豆螯針」阻止瘋女人撲向鄭公公，卻被使慣暗器的聶凝雪眼尖發現，當下一記飛蝗石飛射去他喉頭，端木雄冷不防被狙擊，一口要吹出來的氣往裡反吸進去，「煮豆螯針」直從吹針筒吞入口中，插在咽喉，想吐也吐不出來，驚惶不已的他被同伴拖行七步，當場命絕。

聶凝雪見端木雄已死，也不知他身上有沒有解藥，即使有，也認不出，於是只好回到彩衣身邊。「怎麼辦，彩衣？」她想不出，長生宮之中，有誰能救得了這位徒兒？

「阿母！當心！」只聽大殿正中，阿瑞忽然作喊，彩衣心中陡地一驚，道眾們也驚奇不已。

「那瘋女人是誰？為何阿瑞要叫她阿母？」眾人正議論之間，坤道中一位老者高聲嘆道：「作孽啊！」眾人一瞧，是坤門中最有威嚴的道長冼幻真。

冼幻真一躍而出，告訴身邊的資深女道士們：「那是翠杏啊！你們認得嗎？那是翠杏啊！」她老淚縱橫，不敢相信二十年前失蹤後再沒消息的弟子，竟成了這副野獸般的模樣，更不敢相信翠杏已生下的孩子，竟在長生宮中長大，而她一點也不知情。

「貧道不能坐視了！」冼幻真加入戰圍，四人一起對付鄭公公。

「鄭公公！」錦衣衛中有人嚷道，「我們要過去幫你了！」他們擔心鄭公公會應付不了。

「放屁！」鄭公公獰笑道，「你們去看好皇上，這幾隻蟻蟲，我才不放在心上！」說著，他五爪一伸，硬生生削去柳嵐煙頸項一片皮肉，柳嵐煙悶呼一聲，頓時全身發寒，忍不住軟倒在地，不停發抖。

當柳嵐煙和阿瑞師徒二人合戰鄭公公時，兩人的長短拳輪番攻擊，配合得水洩不通，鄭公公還有些驚奇：「長短拳這種尋常武功，也能跟我過招這麼久。」待翠杏加入戰局，她瘋狂的攻勢反而搗亂了步調，阿瑞和他的業師大受干擾，鄭公公瞄準了柳嵐煙是最弱的一環，對戰經驗顯然不足，於是先攻柳嵐煙。

沒想到，隨即加入的冼幻真，年雖老邁，出招卻與瘋女人同一模式，一瘋一老，雖然都是女人，攻勢卻是更加凌厲！鄭公公大吃一驚，不敢小覷，認真應戰。

「翠杏，小心他的爪子！」冼幻真一邊攻擊，一邊提醒。

鄭公公的五爪包裹著一層黑霧，迸發出一股陰寒之氣，甚是駭人。

「阿母，你回去，我來對付這妖怪！」阿瑞決定要潛入長生宮時，叮嚀翠杏要乖乖待在岩穴中，不知母親竟尾隨他闖入長生宮，因此十分慌張。他又擔心彩衣的情形，方才他驚鴻一瞥望見「娘娘」竟是彩衣時，頓時心急如焚，彩衣被人帶走時，他拔腿追過去，卻被呂寒松和鄭公公阻擋，無從脫身。

他專心迎戰，還沒發覺，彩衣已經安全的坐在大殿一角，正熱切的望著他，心中不停的想著：「阿瑞找到阿母了！阿瑞找到阿母了！」她替阿瑞感到高興，她更高興的是，救她的人就是阿瑞的母親！

翠杏有兩位至親作伴，她的眼神少了許多瘋狂，她毫無懼意，微笑出招，粗糙的二指併攏，緊盯鄭公公的手掌心。

鄭公公的武功並無固定招式，難以捉摸，令洗幻真師徒一時還摸不著他的路數。

「你的師父是誰？」洗幻真一邊出手，一邊忍不住好奇問道。

鄭公公不回應，連續兩招攻擊洗幻真的脖子，企圖一擊置死。

「嗯，你的招式中有青城十八式，是長生宮的路數，」洗幻真不慌不忙，一面接招還一面思考，「不僅如此，還有一路……很熟悉……」

鄭公公感到很氣惱，覺得這老女人不當他是一回事，他積極的要殺她，她卻不慌不忙的在研究他的武功。

「八仙迷陣拳！」洗幻真突然說，「你使的是八仙迷陣拳！少林寺圓性大師的一百零八式套路！沒錯，果然，這招是，」她接了一招，反手又接一招，「這招也是。」

八仙迷陣拳？少林寺？那是什麼？他還是第一次聽說。

鄭公公從來不知道義父王用教他的是什麼拳路，只知道是防身健體的好方法，他自幼在宮中學習，每天只照著套路打，久而久之，已經是像走路、吃飯的動作那般自然。他身上的少林八仙迷陣拳和長生宮的青城十八式兩種套路，經過《靈龜八法》的洗禮後，自然融合，變化萬端，自成一格。

連他自己也不知道的武功來歷，卻被一位不相識的老坤道說出來。

他忽然間發現，其實他並不認識他自己。

他不禁想起了好久沒想起的義父。

「你吃過香噴噴的白米飯嗎？」小時候，義父王用這麼問他。

他當然沒吃過，幼時在小斗村吃的是碎米、小米、玉米之類混合煮爛的雜糧粥，進了宮中，吃的糧更差了，以前在小斗村還有濃粥配野菜地瓜，在宮中只有白水稀粥，還常常有一頓沒一頓的，往往餓得頭昏眼花。

他搖頭。「沒有最好，」王用說，「一旦吃過了，你就會惦記著它的香氣、它的滋味，覺得其他的都是嚥不下口的粗食了。」

「難道義父吃過嗎？」

王用不說話了，只低著頭凝視自己的腳趾頭，良久，才說：「我不想記得，不然日子會很難過的。」

回憶往往令人分神，才稍不留意，他的乳突穴被翠杏的禽翔五行指刺中，一陣麻痺，胸口悶了一下，一口氣差點喘不上來。

從回憶中驚醒的鄭公公忖道：「我要錦衣玉食！我才不要再回到過去！」他發狂似的加速連攻兩人，意圖讓這一切早點了結。

翠杏方才一招得手，心中不禁在想，剛才堵住朱九淵的掌心，就能破解他的火犁掌，如今不妨也依樣畫葫蘆，對付鄭公公陰冷的毒爪。

鄭公公二爪對四手，畢竟會應接不暇，稍一不慎露出破綻，翠杏便抓緊機會，一式「丹鳳朝陽」攻擊鄭公公掌心。

沒想到，翠杏驚呼一聲，忽然翻身倒地。

「阿母！」阿瑞驚叫出聲，忙衝過去把翠杏拖走，將她放到柳嵐煙身邊。

翠杏跟柳嵐煙一般，不停地在哆嗦，如同浸泡在寒冰之中。

一位是親如生父的業師，一位是親生母親，阿瑞見他們雙雙中了毒爪，心中不忍，卻無計可施。

其實，鄭公公也吃了一驚，翠杏的一指的確令他掌心發麻了那麼一下子，陰寒之氣驟然倒灌，直迫胸口，所幸他的周身經脈早已被《靈龜八法》打通，那股陰氣馬上被導開，才沒傷害到他自己。而從他掌心自然迸流的陰寒之氣，只要一遇陽氣，對方的陽氣便如水往低流，直灌他的體內，因此翠杏的真氣瞬間大量流入鄭公公掌心，頓時虛脫倒地。

鄭公公吃驚之際，稍微遲疑了一下，冼幻真便也順勢歇手，兩人各自調息。

冼幻真拱手道：「貧道跟你其實無仇無怨，只為救徒兒而來。」

鄭公公嗤道：「老太婆！你們學道之人，倒是很會見風轉舵。」

「學道本就不該干涉世事，」冼幻真道，「貧道剛剛破了發誓要守的戒，咱們不如就此罷手？」

鄭公公哼了一聲，垂首觀察四方，審度情勢，赫然看見彩衣坐在大殿一角，心中由不得一驚，暗知朱九淵必定出事了。

彩衣與鄭公公四目交接，胸口陡地一緊：「他知道了！」彩衣心想，此人能以一敵四，其中一人還是阿瑞之母，她能打倒朱九淵，卻無法制服鄭公公！感覺上，這人似乎是只要想得到什麼，就沒有得不了手的！

鄭公公也不作聲，他不知道大殿中已經有多少人注意到彩衣的出現，要是發現了，他們的心念必然會動搖，而他卻完全不清楚朱九淵發生了什麼事。

他需要消息！消息！

「鄭公公！」一名錦衣衛適時從大殿後方奔出，他機警的穿過眾人，跑到鄭公公耳邊輕聲說：「皇上已遭到毒手，兄弟們說是那瘋女人幹的。」

「還活著嗎？」這才最重要。

「一息尚存，但不樂觀。」

「有人在護住他嗎？」

「使根拂塵的那位長生宮道士在守著。」

原來明鏡使追逐翠杏時，見翠杏進入了大殿，心想在大殿不乏人對付那瘋女人，便折回方丈室察看朱九淵的情形。

鄭公公點點頭，拱手向眾人道：「皇上宣召，本官去去就來。」他快步走向大殿後廊，經過其他錦衣衛時，低聲令道：「盯住那瘋女人和她兒子，別讓他們走了。」

洗幻真見鄭公公離去，馬上鬆了一口氣，趕忙查看翠杏和柳嵐煙的情況。

阿瑞焦慮地望著鄭公公的背影，擔心彩衣遭遇不測，想追過去，又不願甩下好不容易找回來的母親。忽然，他看見彩衣了！彩衣就在大殿三清像旁不遠的角落，由一眾女道士和她的兩位師父陪著呢！阿瑞大喜過望，他趕緊跑過去，看見彩衣兩眼關愛的望著他，臉上卻絲毫沒有表情，身上也不見任何動作。阿瑞吃驚的問兩位師父：「彩衣怎麼啦？」

「她中毒了！」聶凝雪無奈的說，「顯然施毒者已經死啦！」說著，她指向端木雄的屍體，端木雄已經完全僵硬發黑，像一塊被衣服包著的黑炭，而且看起來還有點縮水。

阿瑞焦急萬分，他心目中三個重要的人全陷於不幸，又無能為力！鄭公公隨時又要回來，怎生是好？

此時，冼幻真看察完翠杏和柳嵐煙，吩咐門下弟子速速準備「四逆湯」，並先取來生薑片，給兩人各含一片，然後才走向彩衣，輕聲道：「我看看。」樊瑞雲和聶凝雪恭敬的讓開身子，給冼幻真為彩衣把脈。

冼幻真將三指輕按在彩衣手腕寸、關、尺三點，細心診脈，沉吟了一陣子，道：「要說是中毒了，脈象又十分正常，」她弄開彩衣的嘴巴，觀看了一下嘴唇和口內的黏膜，「沒有發黑、發紅，顏色也正常……卻是四肢無法運動，只有眼珠子能轉動。」

樊瑞雲急道：「長老識多見廣，可知是何種方外奇毒？」

冼幻真蹙眉道：「奇毒不說，能使人四肢不動卻一切正常者，莫非是蠱毒？」她拉起彩衣的衣袖，想看看她細白的手臂上有何種跡象，一拉衣袖，便掉出一個陳舊的小錦袋，上面繡了蜈蚣、蜘蛛等五毒之物的簡單圖案。

「這是什麼？」聶凝雪拿起小錦袋，袋口鬆開，掉出幾個深褐色的蠶繭。

冼幻真眼睛一亮，撿起其中一個蠶繭，它跟蠶繭其他大為不同的，它的絲結得亂七八糟，紛亂的蠶絲鬆垮垮的，像一團毛球。

她用兩根大拇指扯開蠶繭，從裡頭掉出一團灰黃色的東西，是個蜷縮起來的蠶寶寶，已經乾燥，揉起來還有點彈性。她拿起來端詳了一陣，看見蠶屍身上包裹著一層粉狀物，近看像一片細白的短毛，冼幻真頓首道：「蠶兒呀蠶兒，你雖死，也死得很有價值呀。」說著，冼幻真將蠶兒撕成碎粒，令人取來一碗溫水，幫彩衣吞下蠶屍碎粒。

「那是什麼？」女道士之中有人好奇問道。

「僵蠶，」冼幻真回道，「蠶兒受到感染，一般上來不及結繭就僵死了，這個比較特別，竟能在垂死之際掙扎結繭，牠大概還幻想自己能變成蛾吧。」

僵蠶者，又叫天蠶，是蠶兒感染了白僵菌，通體被真菌菌絲侵占，類似冬蟲夏草，不過冬蟲夏草是另一種蛾的幼蟲被另一種菌所感染，兩者藥性不同。四川有出產冬蟲夏草，但「僵蠶」在江蘇、廣西一帶才有，也不知是何天意，十多年前，彩衣家的蠶兒染上了白僵病，還有一隻被她隨手收進了五毒袋。

冼幻真把彩衣扶直坐好了，幫她按摩背脊上幾個穴位，按摩了約莫一盞茶的工夫，只聽彩衣喉中「咯」的一聲，手指尖微微彈了一下，樊瑞雲高興得握住她的手不停搓揉，忘了自己的手腕上還沁著血。

「繼續幫她按弄這裡。」冼幻真指點他們幫彩衣按摩了，又跑去看看翠杏，見她與柳嵐煙兩人皆不再發抖了，才轉向阿瑞，說：「現在你放心了吧？」

阿瑞忍住在眼眶角落打滾的淚水，不停地向冼幻真道謝。

「那麼，你剛才說的張獻忠怎麼辦？」冼幻真凝視他的雙眼，問道。

阿瑞擦拭眼角的淚珠，奮然起立，走到三清像前，面對大殿中所有道眾，高聲說道：「諸位長輩！阿瑞再重申一次，這一次上山，不為別的，只怕大家遭到張獻忠傷害！特別上山通知，成都已經淪陷，希望大家早避風頭！」

道眾中有人道：「歷來兵燹，不傷寺廟，張獻忠再厲害，也敬天畏神，我們何懼之有？況且觀中還有大明朝廷中來的能人呢！」

阿瑞氣急道：「住持的皇帝大夢，諸位千萬別迷惑了，一同顛倒起舞！」

此時，所有人都注意到彩衣了，由不得議論紛紛，猜測朱九淵發生了什麼事？

「那麼，你想怎麼辦？」阿瑞一瞧，是師叔呂寒松，他外貌雖然稍顯狼狽，依然不失身為監院的風範。

「我要去幫助丈人觀的姜人龍道長，阻止張獻忠破壞都江堰。」

「這豈不是螳臂擋車？」

「個人福禍個人擔，」阿瑞不齒道，「師叔就不必關心了。」一句話說得呂寒松臉色發白，別開臉去，此時他已失去攻擊阿瑞的理由，如果他再動手的話，他在長生宮眾人心目中的地位就盡喪無餘了。

「阿瑞言盡於此，只望諸位吉人天相。」阿瑞搖頭嘆息，天下紛亂，眾人不是明哲保身，就是乘機建立事業，他無法教導別人該怎麼做。

阿瑞不希望夜長夢多，於是將彩衣小心抬起，對樊瑞雲和聶凝雪說：「彩衣就交給我了，好嗎？」

彩衣胸口一陣火熱，臉上不禁一陣飛紅。

「你能確保她安全嗎？」樊瑞雲不放心的問道。

「能。」阿瑞用力點頭。

樊瑞雲不捨的輕撫彩衣的頭髮：「這孩子是我從屍體堆中撿回來的，我卻無力保護她。你不許再讓她受驚懼怕了，行嗎？」

阿瑞再度用力點頭。

彩衣的眼眶剎那間濕了，她好想向師父道別，但此刻還說不出一個字來。

這時候，沒人注意到，原本守在三清像旁的錦衣衛們，正悄悄的退去三清像後面的穿堂走道。

漸漸地，錦衣衛們一個也不留，連端木雄的屍體也被悄悄搬走，不見蹤影。

「那些朝廷的人呢？」有人忽然這麼問，大家才注意到錦衣衛們全都不見了。

穿堂的走道上響起了腳步聲，在燭火下看不清來人的面貌，直到他走到燈火下，眾人才知道是明鏡使。

只見明鏡使一臉悠然，掃視了一遍凝視他的道眾，大家像等候有人賞根骨頭的狗兒般，等著他說些什麼，於是，他說了：「咱們住持……」

大家屏息以待，彩衣更是繃緊了神經，她是目睹一切發生的人，但是她還說不出話，而阿瑞的阿母則是不說話。

「……他不當皇帝了。」道眾們安靜了下來，不知該作何反應才好，尤其是那些被說服要當官的人。

「明鏡使，怎麼回事？」倒是被鄭公公吩咐留在大殿鎮住道眾們的呂寒松，不安了起來。

「住持叫你去後頭看看呢。」明鏡使的語氣沒透露出半點訊息，如輕風拂葉般不留痕跡。

呂寒松一躍而起，飛奔到後進的院落去。

明鏡使望著呂寒松離去的背影，回想起剛才的一幕。

他不追趕瘋女人，折回頭去看朱九淵的情形，見他躺在地上，兩臂肌肉裂成肉條，還冒出煮熟的肉香，血水在地面凝結成塊，臉上原本應該是左眼的部位變成了一個血洞，半邊臉上披了一層血污，照這情形看來，這位曾經享譽青城山的住持，如今只不過是……廢人一個！

明鏡使小心將陷入朱九淵皮肉的鐵蒺藜一一拔掉，朱九淵的喉頭隨即發出咯咯聲，忽然深吸了一口氣。明鏡使猜想，那些鐵蒺藜說不定壓著他什麼穴位，現在才解除了。

「住持。」他呼喚了一聲，可是朱九淵沒反應，他在吸了那口氣之後，就一直沒再有動靜，如果不是他血跡斑斑的模樣十分嚇人，他看起來應該只像是一位安詳入睡的老人家。

不久，鄭公公也率領幾位錦衣衛前來了。

鄭公公一來竟先不理會朱九淵，而是蹲下身子，抱起小宦官忠兒。

忠兒的眉心陷下一個凹洞，彷彿被人挖去了一小塊骨頭。他兩眼翻白，嘴角流出白沫，四肢無意識的抖動著，對眼前的眾人視而不見。

鄭公公忍住激動的心情，小心翼翼的輕撫忠兒的眉心，生怕一個不小心，那眉心的凹陷就會整個洞開，冒出腦漿。

「依你看，」鄭公公兩眼泛紅，轉頭問明鏡使，「這孩子還有救嗎？」

明鏡使淡然道：「貧道對醫理認識不深，不敢貿然回答。」

鄭公公端詳了一下忠兒的臉孔，慢慢撥開忠兒的手指，取出他手中緊握的匕首，將刀尖抵在他心臟的部位。

「這樣子活著也沒意思了。」鄭公公猶豫了一下，「對嗎？」

沒人敢回答他。

那個時代沒人能理解，翠杏的禽翔五行指一股真氣灌入忠兒眉心，強大的震波穿透額葉，一直到碰到頭殼後壁的枕骨才停止，這一路上經過的腦組織，全被震波沖裂搗碎，忠兒已經成了一位沒有情緒、無法自主、對外界完全失去反應的皮囊肉袋了。

忽然，忠兒的胯下冒出一股臭味，他甚至控制不住二便，流了一褲襠都是。

鄭公公的眼角冒出一滴淚珠，在眶裡打滾了一陣，又硬生生的收了回去。

他靜靜的將匕首深深沒入忠兒的胸口，忠兒只「呃」了一聲，翻白的眼慢慢轉了回來，四肢也停止了抽搐，然後瞳孔慢慢放大，變得比平日更加清澈。

鄭公公吩咐錦衣衛：「與我取來床單，包了下山。」

錦衣衛馬上去取來「御寢」上的大紅被單，將忠兒嬌小的身體包紮起來。

明鏡使冷眼觀察這一切，他注意到鄭公公根本沒上前來瞄一眼朱九淵，或許情況太明顯了，沒有必要再確認朱九淵的死活。

「你要下山了？」明鏡使還是忍不住想確定一下。

鄭公公沒搭理他，只顧吩咐錦衣衛們，把留在大殿的弟兄們悄悄叫過來，大家從後面翻牆下山。

鄭公公功敗垂成，他還不至於心灰意冷，但眼前有更大的威脅從成都迫近，他們在長生宮已經折損了太多戰力，無謂再消耗在無用的事情上，保存實力才最重要。

不過，他還是很在意阿瑞。如果，這小子真是他的剋星，此時此地不除掉阿瑞，難保日後有再見的機會，說不定會再度破壞他的好事。

可是他清醒的腦袋告訴他，他已經無力再承擔接下來可能的任何損失。

他咬咬牙，決定還是下山，避開張獻忠的風頭再說。

他轉向明鏡使：「這位道長……」

明鏡使還有些驚訝，這還是鄭公公首次比較客氣的稱呼他。

「從哪個方向下山，才是西方呢？」

明鏡使站在大殿上，環顧一殿大眾，想起錦衣衛們抬著兩具同伴的屍體，消失在黑暗中的身影。

反觀長生宮的道眾們，聚集在大殿的三清像下，一點也沒有離開或逃走的意思。

大殿中擠滿了長生宮道眾，卻是寧靜得很，他們全都凝視著明鏡使，似乎在轉息之間，他變成了所有人的希望，因為好像只有他清楚發生了什麼事。

只有阿瑞，他將彩衣揹到背上，忿忿不平的兩眼直視明鏡使，明鏡使也在望著他，卻故意滿臉不在乎。

「請問……」一位老道人出聲了，「既然住持不當皇帝了，有沒有說……明兒是不是還要做早課？」老道人在長生宮待很久了，他對這些日子道觀中的混亂情況覺得非常不安，尤其是每天大家共修的早晚課，幾乎都荒廢了，這一點最令他感到不安。

「哦，」明鏡使說，「那麼大眾請早些兒歇息吧，否則早課會起不來呢。」

道眾們喧鬧了起來，有的人鬆了一口氣，放心著明天又是跟往常一樣，不會有擾亂他們心性的事情發生，有的人在為剛才擁護朱九淵當皇帝的言辭找下台階，總之眾人紛紛往大門散去，各自回到自己的寮房。

「我也有問題。」阿瑞大聲說。

明鏡使覷他一眼。

「師叔飛虹子的墳墓何在？」

「哦，」明鏡使一副事不關己的模樣說，「不過是尋常之處，你知道的，長生宮有誰羽化了，都葬在那邊。」

阿瑞感到一陣心寒，再看了明鏡使一眼，才回身說：「阿母、師父，請跟阿瑞走吧，我們到山上避難去。」

柳嵐煙點了點頭，他受傷的脖子上敷了金創藥，他跟翠杏兩人也喝下了洗幻真叫人準備的四逆湯，身子回暖了不少，但兩腿仍有些虛虛的。

四人慢慢的步出大殿，朝山門的方向行去。樊瑞雲、聶凝雪、冼幻真等一干女道士陪他們走去山門，打算為他們打開山門，才向他們道別。

一路上，明鏡使遠遠目送他們踏著蹣跚的腳步離去。他知道，他放過阿瑞一馬，是應該的。現在不是同門廝殺的時候，因為山腳下還有更兇猛的敵人。

何況，朱九淵能不能活過今晚，還很難說呢。什麼當皇帝？當初說得那麼轟轟烈烈，就不能耐一耐性子，安然度過今晚，如今下錯一子，則滿盤皆輸。

明鏡使看看阿瑞等人消失在黑夜中了，才回到後進的方丈室去，他要告訴呂寒松，別去追殺阿瑞，眼下還有更要緊的事，留得青山在，再說吧。

當時，沒有人知道長生宮的劫難，在數日後馬上就會發生，而在接下來的三年，張獻忠將大肆屠殺佛寺、道觀，將僧道殺盡，這是後話。

既然是後話，眼下都還不重要。

眼下重要的是，彩衣的手逐漸恢復了知覺。

她嘗試動動手指，動動手臂，然後，她試著把手抬起來，把掛在阿瑞胸前的兩臂，輕輕圈著阿瑞的脖子。

再過數日就是中秋，月如臉盆，圓溜溜明晃晃的鑲在雲間。

阿瑞的心情洋溢著按捺不住的興奮，因為他見月圓人亦圓，他日思夜想的女孩，正依偎在他背上，他至親的家人，全都在他身邊，往他們在深山的岩穴避難所行進。

他心底湧起一股溫暖，流遍周身，驅走了山林潮濕的寒意。

即使知道不可能，他仍然希望，這一刻將是永恆。

後記

九年一夢庖人誌

曾經，聯合報的文學獎每年換題目，二〇〇一年的題目是「武俠」。

還記得，一九九四年未出版小說時，曾將《雲空行》投稿某大報副刊（姑忘中國時報抑或聯合報了），結果被原封不動的退回。寫作的人當然想弄個明白，於是去電報社，詢問退稿的原因，以及有何改進的空間。

結果答案是：「我們不收武俠小說。」

「咦？」我楞了一下，「我那篇不是武俠小說，是宋朝的道士……」

對方也不多說：「總之我們不收武俠小說。」

我有一種被人未審先判的感覺，寫《雲空行》時，主題在中國古籍中的妖異紀事，刻意不寫武打，只有極少數篇幅涉及武打，不知道是不是他們看見故事背景放在古代，就叫武俠小說了？

所以，當我看見他們居然會舉辦武俠小說比賽時，便想寫一篇去湊熱鬧，這一次不但要通篇武打，而且絕無新意，盡用以前的人寫過的元素，哦不，我看膩了爭秘笈、爭寶物、爭武林盟主、爭天下第一的內容，所以，帶有反諷意味的，就爭一個粗糙的神像吧，那是廣西土族的祖神像，一般人不會覺得有什麼了不起，但卻是他們重要的信仰之物呢。

於是，我日夜趕稿，炎夏七月，趕在截稿之日，抱了手提電腦到在板橋工作的牙醫診所，一沒病人就狂寫，中午休息時回家去列印，請老婆幫忙寄出。

結果，入圍評語是：沒有新意，點子多是別人寫過的（十分贊成），而且，爭個看來沒用的神像幹嘛？（故事中交待得很清楚，是宮中娘娘要收集的。）

該屆冠軍作品是以現代城市武俠為題的作品，恰好評審也剛出了一部以現代城市武俠為題的作品。（說真的，那位評審的作品我讀得津津有味，除了不停跟女人纏綿的那段之外。）

次年四月，我那篇入圍作品要在北美《世界日報》刊出，我又再修改了一次，以修補當時趕稿匆忙未盡之處。（往後數年，〈庖人誌〉四易其稿，方為今日面貌。）那一年稍後，我離開待了十一年的台灣，回到馬來西亞。

我以前一直在想：錦衣衛跟太監有什麼關係？為什麼常常寫他們狼狽為奸？

為什麼武俠小說的男女主角沒有收入，還能四處游蕩，浪跡江湖？

為什麼電視劇中的武俠人物老是裝扮怪異，他們能走在街上見人嗎？

那個年代的女孩子適合行走江湖嗎，豈不十分危險？

他們怎麼解決吃飯和大小二便問題，怎麼故事中提都沒提？

我讀過的近代武俠小說，其人物都不是社會上正正常常的人物，他們成群結黨、用武力解決問題，那跟黑社會有何兩樣？

反觀武俠小說鼻祖，漢代司馬遷在《史記》中寫的〈刺客列傳〉及〈遊俠列傳〉，乃至於唐代《虯髯客傳》、明代《水滸傳》及歷代筆記小說，其武俠人物皆有各自的職業，或屠夫，或軍人、小販、工匠等，只不過其共同點是，以武術行俠義之事。

二〇〇一年寫〈庖人誌〉時，已經設下了一個模式：故事中要出現多種職業的人，他們的共同點就是懂得武藝。

寫完〈庖人誌〉之後，這個故事在我腦中糾纏多年，像是一首未譜完的曲子，只不過寫了序曲而已，尚有許多動機和樂段未曾發展……直到完成了《諸神滅亡》和《明日滅亡》，將「滅亡三部曲」結束之後，我才在二〇〇五年二月開始寫續篇〈山伕誌〉，但是，中間不斷遇上瓶頸，寫寫停停，短短兩萬多字，竟寫了一整年，到次年一月才完成。

之後，很想寫一寫鄭公公的故事，一時靈感如泉，緊接著花了不到一個月，就完成了〈中官誌〉。因此這一篇雖然最為複雜，也最為流暢。

乘著〈中官誌〉一鼓作氣的餘勢，二〇〇六年四月，我馬上著手寫〈弈士誌〉，主題是「都江堰保衛戰」。沒想到，都江堰的地理、歷史資料是如此稀少，故事進行到此，轉折又是如此困難，中間還曾經失控，越寫越長，完全可以開展出另外一部長篇故事。後來我及時煞車、修改，磋磨兩年，竟寫到二〇〇八年六月才收尾！

〈阿母誌〉的題目是跟〈弈士誌〉同時訂下的，我一直想寫阿瑞的來歷，直到完成〈弈士誌〉，又花了半年，才在二〇〇九年一月寫完。

多年前告訴過皇冠出版社的主編春旭，我在寫武俠，她聽了就面露擔心貌：「武俠嗎？

不好賣呢。」寫了五篇之後，乘著二月訪台參觀國際書展，我將原稿交給她看看，也交給皇冠退休了的陳主編（發掘我處女作《雲空行》的恩人）以及平雲先生看看，結果他們的意見一致：「還有第六篇嗎？」

「有，籌備中。」

「你會寫彩衣吧？」

他們都知道，我很少寫男女之情，因為我會覺得愛情是個人十分私密的一部分，下筆時會有在大眾面前赤裸裸的感覺，令我退卻。

「會，其實我也一直想寫彩衣。」

彩衣，這位五年前在〈山伏誌〉中驚鴻一瞥的人物，這趟我花了五個月為她立傳，是為〈桑女誌〉。

前面說過〈弈士誌〉在漫長的兩年書寫中曾經失控，並且刪掉一大段，而這些被刪掉的部分，則成了下一部小說的主題。

那是一段十分恐怖的歷史，也是阿瑞等人必須去面對的可怕未來。

我希望，這一次我不會再用個九年去寫第二部。

看倌們，欲知後事如何，留待下一部《蜀道難》為您分解。

張草二〇〇九年十月中旬於亞庇

國家

庖人誌 / 張草著. 初版. 臺北市：皇冠文化,
2010〔民99〕.8
面；公分（皇冠叢書；第4004種）
（JOY；117）

ISBN 978-957-33-2688-5（平裝）

857.9　　　　99012292

皇冠叢書第4004種
JOY 117

庖人誌

作　　者一張草
發 行 人一平雲
出版發行一皇冠文化出版有限公司
台北市敦化北路120巷50號
電話◎02-27168888
郵撥帳號◎15261516號
皇冠出版社(香港)有限公司
香港上環文咸東街50號寶恒商業中心
23樓2301-3室
電話◎2529-1778　傳真◎2527-0904
出版統籌一盧春旭
責任編輯一許婷婷
美術設計一王瓊瑤・黃惠蘋
行銷企劃一林倩聿
印　　務一林佳燕
校　　對一邱薇靜・劉素芬・許婷婷
著作完成日期一2009年8月
初版一刷日期一2010年8月
法律顧問一王惠光律師

讀者服務傳真專線◎02-27150507
電腦編號◎406117
ISBN◎978-957-33-2688-5
Printed in Taiwan
本書定價◎新台幣299元/港幣100元